HARLAN COBEN

Né en 1962, Harlan Coben vit dans le New Jersey avec sa femme et leurs quatre enfants. Diplômé en sciences politiques du Amherst College, il a rencontré un succès immédiat dès ses premiers romans, tant auprès de la critique que du public. Il est le premier écrivain à avoir reçu le Edgar Award, le Shamus Award et le Anthony Award, les trois prix majeurs de la littérature à suspense aux États-Unis. Il est l'auteur notamment de *Ne le dis à personne...* (Belfond, 2002) qui a remporté le prix des Lectrices de *ELLE* et a été adapté avec succès au cinéma par Guillaume Canet.

Il poursuit l'écriture avec plus d'une quinzaine d'ouvrages dont récemment *Sans laisser d'adresse* (2010), *Sans un adieu* (2010), *Faute de preuves* (2011), *Remède mortel* (2011) et *Sous haute tension* (2012), publiés chez Belfond. *À découvert* (Fleuve Noir, 2012) met en scène le jeune Mickey, le neveu de Myron, apparu pour la première fois dans *Sous haute tension*.

Ses livres, parus en quarante langues à travers le monde, ont été numéro un des meilleures ventes dans plus d'une douzaine de pays.

Retrouvez l'actualité d'Harlan Coben sur :
www.harlan-coben.fr

REMÈDE MORTEL

HARLAN COBEN

REMÈDE MORTEL

Traduit de l'américain
par Cécile Arnaud

belfond

Titre original :
MIRACLE CURE
publié par S.P.I. Books, une division de Shapolsky
Publishers Inc., New York.

Pour Corky,
la meilleure maman du monde

Avant-propos

SI VOUS N'AVEZ JAMAIS OUVERT UN DE MES LIVRES, arrêtez-vous tout de suite. Allez rendre celui-ci. Prenez-en un autre. Ce n'est pas grave. J'attendrai.

Si vous êtes toujours là, sachez que je n'ai pas lu *Remède mortel* depuis plus d'une vingtaine d'années. C'est le deuxième roman que j'ai publié. Je l'ai écrit à vingt ans et des poussières. Encore jeune et naïf à l'époque, je travaillais dans le tourisme et me demandais si je devais suivre les traces de mon père et de mon frère, et aller à la fac de droit (brrr !).

Je suis sans doute sévère, mais ne le sommes-nous pas tous avec nos œuvres de jeunesse ? Rappelez-vous cette dissertation que vous avez écrite au lycée, celle qui vous avait valu un 18 et que votre prof avait jugée « inspirée »… et puis un jour, en fouillant dans un tiroir, vous tombez dessus, vous la relisez, et là, consterné, vous vous demandez comment vous avez pu écrire un truc pareil.

Il en va parfois ainsi des premiers romans. Celui-ci est un peu moralisateur par endroits, et daté par moments (même si je regrette que les thèmes médicaux ne le soient pas davantage, mais c'est une autre histoire). Vous pourriez croire que je me suis inspiré d'un « fait réel ». Ce n'est pas le cas. Le roman était antérieur à l'événement en question. Je n'en dirai pas plus pour ne pas gâcher le suspense.

En définitive, j'aime ce livre malgré tous ses défauts. Il y a là une prise de risque et une énergie que j'espère encore posséder aujourd'hui. Je ne suis plus le même, mais ça ne fait rien. Tout le monde évolue dans ses passions et son travail. Et c'est tant mieux.

Bonne lecture,

Harlan COBEN

Prologue

Vendredi 30 août

LE Dr BRUCE GREY SE FORÇA À RALENTIR L'ALLURE. Il résista à la tentation de traverser en courant le terminal des arrivées de l'aéroport Kennedy et de sortir dans l'air humide de la nuit. Son regard filait de tous côtés. Tous les quelques mètres, il faisait semblant de masser son cou raide pour jeter un coup d'œil par-dessus son épaule et vérifier qu'il n'était pas suivi.

Ça suffit, Bruce ! se dit-il. *Arrête de jouer au James Bond de pacotille. Bon sang, tu trembles comme si tu avais la malaria. Bravo pour la discrétion !*

Il passa près du carrousel à bagages et salua la petite mamie qui avait été assise à côté de lui dans l'avion. La vieille dame n'avait pas cessé de parler pendant toute la durée du vol – de sa famille, de sa passion des voyages, de son dernier séjour à l'étranger. Bruce avait fini par fermer les yeux pour avoir la paix. Quant à réussir à dormir, c'était une autre histoire. Le sommeil allait lui faire défaut pendant encore longtemps.

Mais qu'est-ce qui te prouve qu'il s'agit vraiment d'une petite vieille inoffensive ? Peut-être qu'elle te suivait...

Il fit taire la voix intérieure d'un mouvement de tête nerveux. Toute cette histoire commençait à le rendre dingue. Dans l'avion, il s'était persuadé que le barbu le filait. Puis ç'avait été le grand type aux cheveux gominés et au costume Armani dans la cabine téléphonique. Sans oublier la jolie blonde près de la sortie du terminal.

Maintenant, c'était la petite mamie.

Reprends-toi, Bruce. Ce n'est pas le moment de sombrer dans la paranoïa. Garde l'esprit clair.

Après avoir dépassé le tapis roulant, il se dirigea vers la douane.

— Passeport, s'il vous plaît.

Bruce obtempéra.

— Pas de bagages, monsieur ?

— Uniquement cette sacoche.

L'employé des douanes examina le passeport, avant de reporter son attention sur Bruce.

— Vous ne ressemblez pas du tout à votre photo.

Bruce tenta d'esquisser un sourire fatigué, sans résultat. L'humidité était presque insupportable. Sa chemise lui collait à la peau et son nœud de cravate était à moitié défait. Des gouttes de sueur perlaient à son front.

— Sur le passeport, vous êtes brun et barbu.

— Je sais...

— Et maintenant, vous êtes blond et rasé de près.

— J'ai... euh... décidé de changer de look.

Encore heureux qu'on ne voie pas la couleur des yeux sur le passeport...

Le douanier ne parut pas convaincu.

— Voyage d'affaires ou d'agrément ? demanda-t-il.

— D'agrément.

— Et vous voyagez toujours aussi léger ?

Bruce déglutit et parvint à hausser les épaules.

— Je déteste attendre le déchargement des bagages.

Les yeux du douanier passèrent une fois encore du passeport au visage de Bruce.

— Vous pouvez ouvrir votre sac, s'il vous plaît ?

La main de Bruce tremblait tellement qu'il dut s'y reprendre à trois fois pour déverrouiller le cadenas.

— Et voilà.

Les yeux plissés, le douanier examina ses affaires.

— Qu'est-ce que c'est que ça ? demanda-t-il.

— Des dossiers.

— Je m'en doute. Quel genre de dossiers ?

— Je suis médecin, expliqua Bruce d'une voix cassée. Je voulais revoir les cas de certains patients.

— Ça vous arrive souvent de faire ça pendant vos vacances ?

— Pas toujours.

— Quelle est votre spécialité ?

— Je suis interniste à l'hôpital Columbia Presbyterian, répondit-il, ce qui n'était qu'une demi-vérité.

Il préféra passer sous silence le fait qu'il était aussi un expert en santé publique et épidémiologie.

— Dommage que mon toubib ne soit pas aussi consciencieux, fit remarquer l'employé des douanes. Et cette enveloppe cachetée, c'est quoi ?

Cette fois, Bruce se mit à trembler de tout son corps.

— Pardon ?

— Qu'est-ce qu'il y a dans cette enveloppe ?

Il s'exhorta à prendre un air détaché.

— Oh, de simples informations médicales que je dois envoyer à un confrère.

Les yeux du douanier s'attardèrent encore un peu sur ceux, injectés de sang, de son interlocuteur.

— Je vois, dit-il en remettant lentement l'enveloppe dans le sac.

Une fois qu'il eut fini de fouiller le reste des affaires, il signa la déclaration des douanes et rendit à Bruce son passeport.

— Vous donnerez cette carte à la femme en sortant.

— Merci.

— Et, docteur… ?

Bruce leva les yeux.

— Vous devriez peut-être passer voir un de vos collègues. Si vous acceptez l'avis d'un profane, vous avez une mine épouvantable.

— J'y penserai.

Bruce récupéra sa sacoche et regarda derrière lui. La petite mamie attendait encore ses bagages. Le barbu et la jolie blonde avaient disparu. Quant au gros type en costume Armani, il était toujours au téléphone.

Bruce s'éloigna du bureau des douanes. Sa sacoche serrée dans la main droite, il se frictionna le visage de la gauche. Il tendit la carte à la femme, puis franchit les portes automatiques pour pénétrer dans la zone d'attente, où il fut accueilli par une marée de visages impatients. Les gens se dressaient sur la pointe des pieds et tendaient le cou chaque fois que les portes s'ouvraient, avant de baisser la tête, déçus, en découvrant un inconnu.

Passant sans s'arrêter devant les parents, les amis et les chauffeurs de limousine à l'air las qui brandissaient des pancartes au nom de leurs clients, Bruce se dirigea vers le comptoir de la Japan Airlines.

— Y a-t-il une boîte aux lettres dans le coin ? demanda-t-il.

— À votre droite, répondit la femme. Près du comptoir d'Air France.

— Merci.

Avisant une poubelle, il jeta sa carte d'embarquement froissée. Il s'était cru très malin en réservant son billet d'avion sous un nom d'emprunt – avant de s'apercevoir, une fois à l'aéroport, que sur les vols internationaux on ne pouvait pas utiliser un billet émis à un nom différent de celui du passeport.

Heureusement pour lui, l'avion n'était pas plein. Et même s'il avait dû acheter un second billet, l'idée du faux nom n'était pas si bête : au moins, avant le départ, personne n'avait pu découvrir sur quel vol il allait embarquer.

Un vrai coup de génie, mon vieux !

Ouais, c'est ça, un coup de génie. Tu parles !

Il repéra la boîte aux lettres à côté du comptoir d'Air France. Quelques passagers parlaient au représentant de la compagnie. Nul ne lui prêta la moindre attention. Il inspecta discrètement le hall. La vieille dame, le barbu et la jolie blonde étaient déjà partis, à moins qu'ils ne soient toujours à la douane. Le seul « espion » encore en vue était le grand type en costume Armani, qui passait en toute hâte les portes automatiques pour sortir du terminal.

Bruce laissa échapper un soupir de soulagement. Plus personne ne l'observait. Plongeant la main dans sa sacoche, il prit l'enveloppe kraft qu'il fit glisser dans la fente de la boîte aux lettres. Sa police d'assurance était en route.

Et maintenant ?

Il n'était pas question de rentrer chez lui. Si quelqu'un en avait après lui, son appartement de l'Upper West Side serait le premier endroit visité. À cette heure de la nuit, la clinique n'était pas non plus une bonne idée. On pourrait l'y coincer facilement.

Non, mais qu'est-ce que je fais dans cette galère ? Je suis un médecin ordinaire, qui a fait la fac de médecine, s'est marié, a eu un enfant, a fini son internat, divorcé, perdu la garde de son gosse et qui bosse trop. Je ne sais pas jouer aux espions.

Mais quelle autre solution avait-il ? Aller voir la police ? Qui le croirait ? Il n'avait pas encore de preuve tangible. C'est à peine si lui-même comprenait ce qui se passait. Que dirait-il aux flics ?

Et pourquoi pas : « Aidez-moi ! Protégez-moi ! Deux personnes ont déjà été tuées et beaucoup d'autres risquent de subir le même sort – dont moi ! » ?

C'était peut-être vrai. Mais peut-être pas. Question : que savait-il avec certitude ? Réponse : pas grand-chose. Voire, rien du tout. En allant trouver la police, il ne réussirait qu'à détruire la clinique et tout le travail qu'ils y avaient accompli. Il avait consacré les trois dernières années à cette recherche, et n'avait pas du tout l'intention d'offrir à ces foutus fanatiques l'arme dont ils avaient besoin pour tuer le projet.

16

Non, il lui faudrait trouver un autre moyen de gérer l'affaire.

Mais lequel ?

Nouveau coup d'œil pour s'assurer qu'il n'était pas suivi. Tous les ennemis potentiels avaient disparu. C'était déjà ça. Il héla un taxi jaune et s'engouffra à l'intérieur.

— On va où ?

Bruce réfléchit un instant, passant en revue tous les polars qu'il avait lus. Où irait George Smiley, ou, mieux encore, Travis McGee ou Spenser ?

— Au Plaza, s'il vous plaît.

Par précaution, Bruce regarda par la vitre arrière : aucun véhicule ne paraissait suivre le taxi, qui s'engagea sur la voie express Van Wyck, direction Manhattan. La tête posée contre le dossier du siège, il se força à respirer profondément et à se détendre, mais s'aperçut qu'il tremblait encore de peur.

Réfléchis, bon Dieu. Ce n'est pas le moment de s'endormir.

Pour commencer, il avait besoin d'un nouveau nom d'emprunt. Alors qu'il regardait autour de lui, il avisa la licence du chauffeur de taxi. Benjamin Johnson. Bruce inversa le nom. John Benson. Il s'appellerait ainsi jusqu'au lendemain. John Benson. S'il réussissait à rester en vie jusque-là…

Il n'osait pas réfléchir plus loin.

À la clinique, tout le monde le croyait en train de se dorer la pilule à Cancún, au Mexique. Personne ne savait que cette idée de vacances n'était qu'une diversion. Bruce avait joué à la perfection son rôle de joyeux vacancier. Il s'était acheté un maillot de bain, avait pris l'avion pour Cancún le vendredi précédent, était descendu à l'hôtel Oasis où il avait payé d'avance sa chambre pour une semaine ; puis il avait prévenu le concierge qu'il allait louer un bateau et ne serait pas joignable. Ensuite, il s'était rasé la barbe, coupé et teint les cheveux, et avait mis des verres de contact bleus. Lui-même avait eu du mal à se reconnaître dans le miroir. Il était retourné à l'aéroport, s'était enregistré pour sa vraie destination sous le nom de Rex Veneto et avait commencé à enquêter sur ses affreux soupçons.

La vérité, alors, lui avait semblé encore plus épouvantable que tout ce qu'il avait imaginé.

Le taxi ralentissait devant l'hôtel Plaza, sur la 5e Avenue. Les lumières de Central Park scintillaient de l'autre côté de la rue. Bruce paya la course, gratifiant le chauffeur d'un pourboire raisonnable, et entra nonchalamment dans le luxueux hall de l'hôtel. Malgré son costume de designer, il était très conscient de l'aspect négligé qu'il présentait. Sa veste était pleine de faux plis et son pantalon froissé, comme s'ils avaient été oubliés pendant une semaine dans un panier de linge sale.

Il s'avançait vers le comptoir de réception quand un mouvement, aux confins de sa vision périphérique, l'arrêta.

Tu délires, Bruce. Ce n'est pas le même homme. Impossible.

Bruce sentit son pouls s'affoler. Il pivota, mais le grand type en costume Armani n'était nulle part en vue. Était-ce vraiment lui qu'il avait aperçu ? Sans doute pas, mais inutile de courir de risques. Il quitta donc le Plaza par la porte du fond et s'engouffra dans le métro. Il acheta un jeton, prit la ligne B, changea à

Times Square pour attraper la 1 jusqu'à la 14e Rue où il prit la L. Pendant une demi-heure, il emprunta des correspondances au hasard, sortant des rames juste avant que les portières se referment, et atterrit au croisement de la 56e Rue et de la 8e Avenue. Ensuite, « John Benson » parcourut quelques centaines de mètres et entra au Days Inn, un hôtel où le Dr Bruce Grey n'avait jamais mis les pieds.

Arrivé dans sa chambre du onzième étage, il s'enferma à double tour et mit la chaîne de sécurité.

Et maintenant ?

Même s'il était risqué de passer un coup de fil, Bruce décida de le faire. Il parlerait très brièvement à Harvey puis raccrocherait. Il composa le numéro personnel de son associé, qui répondit à la deuxième sonnerie.

— Allô ?

— Harvey, c'est moi.

— Bruce ?

Harvey paraissait surpris.

— Comment ça se passe, à Cancún ?

Bruce ignora la question.

— Il faut que je te parle.

— Qu'y a-t-il ?

— Pas au téléphone.

— Qu'est-ce que tu racontes ? Tu es toujours… ?

— Pas au téléphone ! Il faut que je te voie demain.

— Demain ? Mais bon sang, qu'est-ce que…

— Ne me pose pas de questions. Je te retrouve demain matin à six heures trente.

— Où ?

— À la clinique.

— Mon Dieu, est-ce que tu es en danger ? C'est à cause des meurtres ?

— Je ne peux pas te parl…

Clic.

Bruce se figea. Le bruit venait de la porte.

— Bruce ? s'écria Harvey. Qu'est-ce qu'il y a ?

Le cœur de Bruce s'accéléra. Il ne quittait pas la porte des yeux.

— Demain, murmura-t-il. Je t'expliquerai tout.

— Mais…

Il reposa sans bruit le combiné, coupant Harvey au milieu de sa phrase.

Oh, mon Dieu, faites que ce soit mon imagination ! Je ne suis pas du tout taillé pour ce genre d'aventure…

Il n'y eut pas d'autre bruit, et, l'espace d'un instant, Bruce se demanda si son cerveau surmené n'avait pas tout inventé. Et quand bien même il aurait entendu un bruit, qu'y aurait-il de si extraordinaire ? Il était dans un hôtel à New York, pas dans un studio insonorisé. Il pouvait s'agir d'une femme de ménage. Ou d'un groom.

Ou d'un grand type aux cheveux gominés, portant un costume de chez Armani.

Le dos collé au mur, Bruce se dirigea furtivement vers la porte. Sa jambe droite glissait en avant et la gauche traînait derrière. Il n'avait jamais été un athlète, ni très coordonné dans ses mouvements. Là, on aurait dit qu'il dansait une espèce de fox-trot spasmodique.

Clic.

Il eut un haut-le-cœur. Ses jambes se liquéfièrent. Pas de doute, cette fois : le bruit venait bien de sa porte.

Sa respiration résonnait dans ses oreilles ; il était sûr qu'on l'entendait dans tout l'étage.

Clic.

Un cliquetis bref et rapide. Pas un tâtonnement maladroit.

Barre-toi, Bruce. Sauve qui peut !

Mais où ? Il se trouvait dans une petite chambre au onzième étage d'un hôtel. Où pouvait-il se sauver ? Il fit un nouveau pas vers la porte.

Je peux ouvrir brusquement, pousser un hurlement puis me précipiter dans le couloir comme un fou échappé de l'asile. Je peux...

On frappa si soudainement que Bruce faillit crier.

— Qui est-ce ? demanda-t-il d'un ton presque hystérique.

— Serviettes, répondit une voix d'homme.

Bruce se rapprocha encore de la porte. Des serviettes ? Ben voyons.

— Pas besoin !

Un silence.

— Très bien. Bonsoir, monsieur.

Il entendit les pas s'éloigner. Toujours plaqué contre le mur, il tremblait de la tête aux pieds. Malgré la puissante climatisation de la chambre, la sueur trempait ses vêtements et lui collait les cheveux au front.

Et maintenant ?

L'œilleton, monsieur Bond. Regarde par l'œilleton.

Bruce obéit à la voix dans sa tête. Il se tourna lentement et colla l'œil contre le petit trou. Rien. Personne. Il tenta de regarder vers la droite, puis vers la gauche…

Et la porte s'ouvrit à la volée.

La chaîne de sécurité se brisa comme un fil. La poignée métallique lui percuta la hanche. Il eut juste le temps de voir jaillir un poing gigantesque, qui s'abattit sur son nez avec un bruit atroce, brisant les os et le cartilage. Du sang gicla de ses narines.

Oh, mon Dieu…

Sonné, Bruce tituba en arrière. Le grand type en costume Armani entra dans la chambre et referma la porte. Il se déplaçait à une vitesse défiant sa corpulence.

— S'il vous plaît…, parvint à articuler Bruce, avant qu'une main puissante, de la taille d'un gant de boxe, se plaque sur sa bouche et le réduise au silence.

L'homme sourit et hocha poliment la tête, comme s'ils venaient d'être présentés au cours d'un cocktail. Puis, avec une précision d'expert, il lui balança un coup de pied dans la rotule. Bruce perçut le craquement sec de l'os qui se brisait sous le genou. Son cri fut étouffé par la main serrée sur sa bouche. Celle-ci s'écarta à peine pour s'abattre sur sa mâchoire, fracturant un autre os et brisant quelques dents. Ensuite, agrippant la mâchoire cassée, l'homme fourra les doigts dans la bouche de Bruce et tira fort vers le bas. La douleur fut atroce, irrésistible. Bruce sentit les tendons de sa mâchoire se déchirer.

Oh, mon Dieu, s'il vous plaît…

L'homme le laissa tomber par terre tel un sac à patates. À travers un brouillard, Bruce le vit inspecter une tache de sang sur son costume, l'air ennuyé, comme s'il craignait qu'elle ne parte pas au nettoyage. Secouant la tête, le type alla à la fenêtre et ferma les rideaux.

— Vous avez bien fait de choisir un étage élevé, dit-il sur le ton de la conversation. Ça rendra les choses plus faciles.

Revenant vers l'endroit où Bruce se tordait de douleur, il se pencha, lui saisit fermement le pied puis souleva la jambe cassée. La souffrance fut insoutenable. Des élancements parcoururent le corps de Bruce à chaque mouvement du membre brisé.

S'il vous plaît, mon Dieu, faites que je m'évanouisse...

Et soudain, il comprit ce que son tortionnaire s'apprêtait à faire. Il aurait voulu lui demander ce qu'il cherchait, lui offrir tout ce qu'il possédait, le supplier de l'épargner, mais sa bouche abîmée ne produisait plus que des gargouillis. Bruce ne pouvait plus que lever vers lui des yeux implorants et terrorisés. Du sang lui dégoulinait sur le visage, dans le cou et sur la poitrine.

À travers un nuage de douleur, il observa l'expression de son bourreau. Il n'avait pas l'air affolé ou égaré, ni haineux ou assoiffé de sang ; ce n'était pas le regard d'un tueur psychopathe. L'homme était calme. Concentré sur une tâche délicate. Sans émotion.

Tout ça ne signifie rien pour lui, songea Bruce. *Il fait son boulot, c'est tout.*

Plongeant la main dans sa poche, l'homme en sortit un crayon et un morceau de papier qu'il jeta par terre. Puis il reprit le pied de Bruce, tenant le talon d'une main et les orteils de l'autre.

— Je vais vous retourner le pied jusqu'à ce que vos orteils pointent vers votre dos et que l'os cassé vous transperce la peau.

Il s'interrompit, esquissa un sourire distrait puis repositionna ses doigts pour avoir une meilleure prise.

— Je vous lâcherai quand vous aurez fini d'écrire votre lettre de suicide, compris ?

Bruce écrivit une brève note.

1

Samedi 14 septembre

SARA LOWELL CONSULTA SA MONTRE. Dans vingt minutes, elle ferait ses débuts à la télévision nationale, devant trente millions de téléspectateurs. Une heure plus tard, son destin serait scellé.

Elle se leva lentement et rajusta l'orthèse qui lui maintenait la cheville. Il fallait qu'elle bouge, qu'elle s'occupe d'une manière ou d'une autre, sous peine de devenir folle. La sangle métallique frottait contre sa peau. Après toutes ces années, elle n'avait toujours pas réussi à s'y habituer. Boiter, d'accord. C'était son lot depuis toujours. Mais elle se serait volontiers débarrassée de cet appareillage artificiel et encombrant.

Prenant une profonde inspiration pour se détendre, elle vérifia son maquillage dans le miroir. Elle avait le teint un peu pâle, mais ça non plus, ce n'était pas nouveau. Ses cheveux blonds, ramenés en arrière, dégageaient ses traits délicats et faisaient ressortir ses grands yeux verts de poupée ainsi que sa bouche large, aux lèvres pleines et sensuelles. Elle retira ses

25

lunettes cerclées de métal et en essuyait les verres lorsqu'un des producteurs s'approcha.

— Prête, Sara ? demanda-t-il.

— Quand vous le serez, répondit-elle avec un faible sourire.

— Bien. C'est à vous et Donald dans quinze minutes.

À soixante ans, Donald Parker avait le double de son âge et mille fois plus d'expérience. Il avait participé à l'aventure *NewsFlash* depuis l'origine, avant que l'émission batte des records d'audience et se taille une part de marché enviée par tous les magazines d'information. En un mot, Donald Parker était une légende du journalisme audiovisuel.

Qu'est-ce que je suis en train de faire, bon sang ? Je ne suis absolument pas prête pour un truc pareil.

Sara consulta ses notes, qu'elle connaissait déjà par cœur. Les mots se mirent à danser devant elle. Une fois encore, elle se demanda comment elle avait pu aller aussi loin aussi vite. Comme dans un diaporama, les images de son parcours défilèrent dans sa tête : les années de fac, sa chronique dans le *New York Herald*, son job dans une chaîne de télé par câble, ses débuts à la télévision publique. À chaque étape de son ascension, elle avait douté de sa capacité à monter plus haut. Et enragé contre les bavardages jaloux de ses collègues, ces méchantes voix qui chuchotaient : « Si j'avais eu des parents célèbres, moi aussi, j'aurais... Avec qui elle a couché ?... Ça aide, d'être handicapée. »

Mais la vérité était beaucoup plus simple : le public l'adorait. Même quand elle malmenait un invité ou maniait le sarcasme, les gens en redemandaient. Alors certes, son père était un ancien *Surgeon General*, une des plus hautes autorités de l'État, et son mari une star du basket ; certes, les épreuves de son enfance et sa beauté l'avaient peut-être aidée à réussir. Cependant, jamais elle n'avait oublié les paroles de son premier patron :

« Dans ce métier, le physique ne suffit pas. Parfois, c'est même un inconvénient. Les gens partent du principe qu'une jolie blonde ne peut pas être très intelligente. C'est injuste, mais c'est comme ça. Tu ne peux pas te contenter d'être aussi bonne que la concurrence – tu dois être meilleure. Si tu n'es pas la plus brillante, tu te feras dégager. »

Sara se répéta ces mots comme un cri de guerre, mais sa confiance en soi refusa de sortir de la tran-chée. L'émission de ce soir était consacrée aux malversations financières du révérend Ernest Sanders, le télévangéliste, fondateur de la Sainte Croisade – un gros poisson, du genre fuyant (pour ne pas dire visqueux). Le révérend avait accepté une interview en direct après la diffusion du reportage, pour pouvoir répondre aux accusations – à la condi-tion, bien sûr, que *NewsFlash* affiche à l'écran le numéro vert de son mouvement. Dans sa présenta-tion, Sara s'était efforcée d'être aussi impartiale que possible. Elle se contentait d'énoncer des faits, évitant insinuations et jugements de valeur. Mais, dans le fond, elle connaissait la vérité à propos du révérend Ernest Sanders.

Ce type était un escroc.

Le studio était en pleine effervescence. Les techni-ciens réglaient les lumières. Les cameramen mettaient les caméras en position. On testait le prompteur : pas plus de trois mots par ligne, afin que les téléspectateurs, chez eux, ne voient pas bouger les yeux du présentateur. Réalisateurs, producteurs, ingénieurs et assistants se croisaient sur un plateau qui ressemblait à un grand salon familial sans plafond et avec seulement deux murs, comme si un géant avait arraché les autres cloisons pour pouvoir jeter un coup d'œil à l'intérieur. Un homme que Sara ne reconnut pas se précipita sur elle.

— Tenez, lui dit-il en lui tendant quelques feuilles de papier.

— Qu'est-ce que c'est ?

— Des feuilles.

— Pour quoi faire ?

Il haussa les épaules.

— Pour les feuilleter.

— Les feuilleter ?

— Oui, vous savez bien, avant les coupures publicitaires, quand la caméra recule. Vous les feuilletez.

— Ah bon ?

— Ça vous donne l'air important, affirma-t-il, puis il se dépêcha d'aller vaquer à une autre tâche.

Sara secoua la tête. Elle avait encore tant de choses à apprendre.

Sans s'en rendre compte, elle se mit à fredonner. En général, elle réservait ses prestations vocales à sa douche et à sa voiture, de préférence en s'accompagnant d'une radio à plein volume ; mais parfois, quand elle était très nerveuse, elle se mettait à chanter en public. Fort.

Quand elle en arriva au refrain de « Tattoo Vampire » (« *Vampire photo, sucking' the skin* »), sa voix monta, et elle entreprit de gratter une guitare imaginaire. Elle était à fond dedans.

Puis elle s'aperçut qu'on la regardait.

Elle laissa retomber ses mains le long du corps, lâchant sa guitare bien accordée. La chanson mourut sur ses lèvres. Elle sourit, haussa les épaules.

— Euh… Désolée.

L'équipe se remit à la tâche sans plus se soucier d'elle. Privée de sa guitare, Sara s'efforça de penser à quelque chose qui soit à la fois distrayant et réconfortant.

L'image de Michael lui vint aussitôt à l'esprit. À cette heure, il devait rentrer en jogging de son entraînement de basket. Elle le vit ouvrir la porte, une serviette autour du cou, son maillot gris imprégné de sueur. Il portait toujours des shorts invraisemblables – orange, jaunes ou vert fluo, ou des bermudas hawaiiens à fleurs qui lui descendaient aux genoux. Sans ralentir l'allure, il passait devant le piano et entrait dans le salon de télé pour mettre une petite sonate de Bach, filait dans la cuisine où il se servait un verre de jus d'oranges pressées dont il avalait la moitié en une gorgée. Puis il se coulait dans le fauteuil inclinable et se laissait emporter par la musique de chambre.

On tapa sur l'épaule de Sara.

— Téléphone.

L'homme qui lui avait apporté les feuilles de papier lui tendait un appareil sans fil.

— Allô ?

— Tu as commencé à chanter ?

Elle sourit. C'était Michael.

— Du Blue Öyster Cult ? demanda-t-il.

29

— On ne peut rien te cacher.

— Laisse-moi deviner... « Don't Fear the Reaper ? »

— Non, « Tatoo Vampire ».

— Quelle horreur ! Et maintenant, tu fais quoi ?

Sara ferma les yeux. La voix de Michael avait sur elle un effet immédiatement apaisant.

— Pas grand-chose. Je traîne sur le plateau en attendant le coup d'envoi.

— Tu as sorti ton *air guitar* ?

— Tu plaisantes ? Je suis une professionnelle, tout de même.

— Comment tu te sens ?

— Très calme, en fait.

— Menteuse.

— OK, je suis morte de trouille. Content ?

— Ravi. Mais n'oublie pas une chose...

— Quoi donc ?

— Tu as toujours peur avant de passer à l'antenne. Et plus tu as peur, plus tu es mordante.

— Tu crois ?

— Je le sais. Le pauvre type ne va pas comprendre ce qui lui tombe dessus.

— Vraiment ? dit-elle, le visage commençant à rayonner.

— Oui, vraiment... Juste une petite question : on est obligés d'aller à la soirée de ton père, après ?

— La réponse est oui.

— Smoking de rigueur ?

— J'en ai peur.

— On s'ennuie tellement dans ces grands pince-fesses mondains !

— Ne m'en parle pas.

Il marqua une pause.

— Est-ce que je pourrai au moins profiter de toi pendant la soirée ?

— Qui sait ? répondit Sara. Ce sera peut-être ton jour de chance.

Elle coinça l'appareil contre son épaule.

— Harvey vient, ce soir ?

— Je passe le prendre en chemin.

— Bien. Je sais qu'il ne s'entend pas avec mon père…

— Tu veux dire que ton père ne s'entend pas avec lui, la corrigea Michael.

— Si tu veux. Tu lui parleras, ce soir ?

— De quoi ?

— Ne te fiche pas de moi, Michael. Je pense à ta santé.

— Écoute, avec la mort de Bruce et la clinique, Harvey a déjà pas mal de soucis. Je ne veux pas en rajouter.

— Est-ce qu'il t'a parlé du suicide de Bruce ? demanda Sara.

— Pas un mot. Pour être franc, je m'inquiète pour lui. Il ne quitte plus le laboratoire. Il bosse jour et nuit.

— Harvey a toujours été comme ça.

— Je sais, mais là, c'est différent.

— Laisse-lui un peu de temps, Michael. Bruce est mort il y a deux semaines seulement.

— Il n'y a pas que Bruce.

— Qu'est-ce que tu veux dire ?

— Je ne sais pas exactement. Mais je trouve Harvey particulièrement préoccupé. Sûrement des problèmes avec la clinique.

— Michael, s'il te plaît, parle-lui de tes maux de ventre.

— D'accord, acquiesça-t-il à contrecœur.

— Promis ?

— Oui, promis. Et, Sara… ?

— Oui ?

— Pas de quartier avec le révérend !

— Je t'aime, Michael.

— Moi aussi, je t'aime.

Sara sentit une tape sur son épaule.

— Dix minutes.

— Je dois y aller, dit-elle à Michael.

— À ce soir… où je compte bien abuser d'une star du petit écran dans sa chambre de jeune fille.

— Rêve toujours.

Au moment où Michael raccrocha, une douleur cuisante lui déchira l'abdomen. Il se courba en deux, la main serrée sous sa cage thoracique, le visage déformé par une grimace. Ses maux de ventre empiraient depuis plusieurs semaines. Au début, il avait cru à une grippe intestinale, mais ça semblait maintenant peu vraisemblable. Par moments, sa souffrance devenait presque insupportable.

La septième symphonie de Beethoven flotta à travers la pièce telle une brise bienfaisante. Michael ferma les yeux, laissant la mélodie agir sur ses muscles crispés comme un masseur aux doigts experts. Ses coéquipiers le charriaient en permanence à cause de ses goûts musicaux. Reece Porter, l'ailier fort des New York Knicks et cocapitaine de l'équipe avec lui, ne ratait jamais une occasion de se ficher de lui.

— Comment tu peux écouter des trucs pareils, Mikey ? Il n'y a pas de rythme, pas de groove.

— Je me rends bien compte que Chopin n'a pas l'oreille musicale de MC Hammer, répondait Michael, mais essaie de t'ouvrir l'esprit. Écoute ça, Reece. Laisse-toi pénétrer par les notes.

Reece obtempérait et écoutait pendant un instant.

— J'ai l'impression d'être coincé dans un cabinet dentaire. C'est le genre de truc à te saper tes forces avant un match. On ne peut même pas danser dessus.

— Contente-toi d'écouter.

— Il n'y a pas de paroles.

— Tandis que dans ta pollution sonore, il y en a ? Tu arrives à entendre les mots par-dessus ce chahut ?

Reece riait.

— Michael, tu es l'archétype du Blanc snob.

— Et toi, du Noir borné.

Ce bon vieux Reece. Michael prit un verre de jus d'orange, mais l'idée d'en boire ne serait-ce qu'une gorgée lui donna la nausée. L'année dernière, ç'avait été le genou, et maintenant l'estomac. Une vraie série noire. Michael avait pourtant toujours eu une santé de fer. Il avait traversé ses dix premières saisons en NBA sans une égratignure, avant de subir une déchirure du genou un an plus tôt. À son âge, ç'avait été difficile de revenir au plus haut niveau, après la chirurgie reconstructrice… il n'avait pas besoin, à présent, de cette mystérieuse affection au ventre.

Reposant son verre, il alla vérifier que le magnétoscope était bien branché, éteignit la stéréo et alluma leur téléviseur. Dans quelques minutes, Sara ferait ses débuts à *NewsFlash*. Michael s'agita dans son fauteuil, fit tourner plusieurs fois son alliance autour de son doigt puis se frictionna le visage. Il tenta de se détendre, mais n'y parvint pas plus que Sara. Il n'avait pourtant aucune raison d'être nerveux. Elle était une excellente intervieweuse ; la meilleure. Vive et percutante. Connaissant ses dossiers et pourtant spontanée. Un peu insolente par moments. Drôle quand c'était nécessaire. Coriace presque tout le temps.

Michael était bien placé pour le savoir. Ils s'étaient rencontrés six ans plus tôt, quand elle avait été chargée de l'interviewer pour le compte du *New York Herald,* deux jours avant le début des finales de la NBA. Elle voulait écrire un article sur sa vie en dehors du terrain. Michael n'était pas d'accord. Il n'avait aucune envie de voir son intimité, et en particulier son passé, faire les gros titres des journaux. Ça ne regardait personne, avait-il dit à Sara, quoiqu'en des termes plus fleuris, avant de lui raccrocher au nez pour être sûr de se faire bien comprendre. Mais Sara Lowell n'était pas si facile à éconduire. Sara Lowell ne connaissait pas le sens du mot « renoncer ». Elle voulait cette interview. Elle était donc allée la chercher.

Un accès de douleur chassa ce souvenir. Plié en deux sur le canapé, Michael serra les dents en attendant que ça passe.

Qu'est-ce qui m'arrive, bon sang ?

Il se redressa et contempla la photo de Sara et lui, posée sur l'étagère derrière le poste de télé. Penché au-dessus d'elle, il avait mis les bras autour de sa taille fine. Elle apparaissait minuscule, d'une beauté poignante et tellement vulnérable. Il se demandait souvent ce qui lui donnait cette apparence innocente et délicate. Sûrement pas sa silhouette. Malgré sa jambe, Sara faisait du sport trois fois par semaine. Petite, elle avait un corps nerveux, athlétique – et incroyablement sexy. Michael examina la photo en essayant de poser sur sa femme un regard objectif. Certains auraient pu dire que c'était son teint de porcelaine qui lui donnait cet air naturel et sans affectation, mais ils auraient eu tort. C'étaient ses yeux ; ces grands yeux verts, qui reflétaient la douceur et la fragilité, tout en sachant être rusés et pénétrants. Des yeux confiants, et qui inspiraient confiance. Un homme pouvait plonger dans ces yeux-là, s'y noyer, y perdre son âme pour l'éternité.

La sonnerie du téléphone interrompit le fil de ses pensées. Michael tendit la main derrière lui et décrocha.

— Allô ?

— Salut, Michael.

— Comment ça va, Harvey ?

— Pas mal… Écoute, je ne vais pas te déranger longtemps. Je sais que l'émission ne va pas tarder à commencer.

— On a deux minutes.

Il perçut comme un fracas en arrière-fond, à l'autre bout du fil.

— C'était quoi, ce bruit ? Tu es toujours à la clinique ?

— Oui.

— Quand as-tu dormi pour la dernière fois ?

— Tu es ma mère ?

— Juste pour savoir. Je croyais que je devais passer te prendre chez toi.

— Je n'ai pas encore pu m'échapper, dit Harvey. J'ai même envoyé une infirmière me louer un smoking. C'est la panique, ici. Eric et moi sommes submergés. Sans Bruce…

Harvey s'interrompit.

Il y eut un instant de silence.

— Je ne comprends toujours pas, Harvey, dit prudemment Michael, espérant que son ami serait enfin prêt à parler du suicide de son associé.

— Moi non plus, répondit Harvey.

Puis il ajouta :

— Écoute, il faut que je te demande quelque chose.

— Vas-y.

— Sara sera là, ce soir ?

— Elle arrivera un peu en retard.

— Mais elle sera là ?

Michael perçut l'urgence dans la voix de son vieil ami. Ils se connaissaient depuis bientôt vingt-quatre ans – depuis qu'un jeune interne appelé Harvey Riker s'était occupé d'un Michael Silverman de huit ans, amené aux urgences de l'hôpital Saint-Barnabas avec une commotion cérébrale et un bras cassé.

— Évidemment qu'elle sera là.

— Bien. Alors, à tout à l'heure.

Perplexe, Michael fixa le téléphone.

— Tout va bien, Harvey ?

— Très bien.

— Alors, c'est quoi, tous ces mystères ?

— C'est… rien. Je t'expliquerai plus tard. Tu viens me chercher à quelle heure ?

— Neuf heures et quart. Eric vient avec nous ?

— Non, répondit Harvey. L'un de nous doit garder la boutique… Bon, faut que j'y aille. À ce soir.

Et la tonalité résonna dans l'oreille de Michael.

Le Dr Harvey Riker reposa le combiné, soupira profondément, et passa la main dans ses longs cheveux grisonnants et en désordre, qui lui donnaient l'air d'un croisement entre Albert Einstein et Art Garfunkel. Il faisait ses cinquante ans. Par manque d'exercice, ses muscles s'étaient transformés en graisse. Son visage était quelconque. Lui qui n'avait jamais été beau vieillissait aussi mal qu'un chianti de mauvaise qualité.

Ouvrant le tiroir de son bureau, il en sortit une flasque de whisky et en avala une rasade. Ses mains tremblaient. Il avait peur.

Il n'y a qu'une chose à faire. Je dois parler à Sara. C'est la seule issue. Ensuite…

Mieux valait ne pas y songer.

Harvey fit pivoter son fauteuil pour regarder les trois photos encadrées, posées sur le meuble de rangement. Il prit celle de droite, le montrant à côté de son associé et ami, Bruce Grey.

Pauvre Bruce.

Les deux inspecteurs de police avaient poliment écouté Harvey leur faire part de ses soupçons, hochant la tête à l'unisson et prenant des notes. Lorsque Harvey avait tenté de leur expliquer que Bruce Grey n'aurait jamais commis un suicide, ils l'avaient poliment écouté, hochant la tête à l'unisson en prenant des notes. Lorsqu'il leur avait dit que Bruce l'avait appelé le soir même où il s'était soi-disant jeté du onzième étage au Days Inn, ils l'avaient écouté poliment, hochant la tête à l'unisson et prenant des notes… et ils avaient conclu que le Dr Bruce Grey s'était suicidé.

Une lettre d'adieu avait été retrouvée sur les lieux, lui avaient rappelé les policiers. Un expert graphologue avait confirmé qu'elle était bien de la main de Bruce. À peine ouvert, ce dossier avait été refermé.

Le deuxième cadre renfermait une photo de Jennifer, la femme qui avait partagé l'existence d'Harvey pendant vingt-six ans et qui venait de le quitter pour toujours. La troisième était une photo de son petit frère, Sidney, dont la mort, trois ans plus tôt, avait changé le cours de la vie d'Harvey. Sur le cliché, Sidney était bronzé, en bonne santé, et même légèrement enrobé. Lorsqu'il était mort du sida, deux ans après, il avait la peau terreuse, couverte par endroits de lésions violacées, et pesait moins de quarante kilos.

Harvey secoua la tête. Partis, tous les deux.

Il se pencha pour prendre la photo de son ex-femme. Il savait qu'il était tout aussi responsable qu'elle de l'échec de leur mariage, voire plus. Vingt-six ans. Vingt-six ans de rêves partagés et brisés défilèrent dans son esprit. Tout ça pour quoi ? Qu'était-il arrivé ? Quand Harvey avait-il laissé sa vie privée tomber en poussière ? Il caressa du bout des doigts le visage sur la photo. Pouvait-il en vouloir à Jennifer de ne plus avoir pu supporter la clinique, de n'avoir pas voulu se sacrifier pour une cause ?

Le fait est qu'il lui en voulait.

— Ce n'est pas sain, Harvey, de travailler autant.

— Mais enfin, Jennifer, tu ne comprends pas ce que j'essaie de faire ?

— Bien sûr que si, mais là, c'est devenu pire qu'une obsession. Tu dois lever le pied.

Or il en était incapable. Et s'il reconnaissait que son dévouement était excessif, sa propre vie lui paraissait secondaire au regard de ce que la clinique tentait d'accomplir. Aussi Jennifer avait-elle fini par le quitter. Elle avait fait ses bagages pour partir vivre à Los Angeles, chez sa sœur, Susan, l'ex-femme de Bruce Grey. Oui, Bruce et Harvey étaient beaux frères, en plus d'être des associés et des amis. Il faillit sourire en se représentant les deux sœurs habitant ensemble en Californie. Les conversations qu'elles devaient avoir ! Il entendait presque Jennifer et Susan se disputer pour savoir lequel de leurs maris était le plus épouvantable. Bruce aurait sûrement décroché la palme, avant que sa mort ne fasse de lui un saint aux yeux des deux femmes.

La vérité, c'est que, pour Harvey, le monde tournait autour de cette clinique. De cette clinique et du sida. La peste noire des années 1980 et 1990. Après avoir vu son frère réduit par la maladie à un tas d'os friables, Harvey avait consacré sa vie à tenter de détruire le redoutable virus, à l'éradiquer de la surface de la Terre. Comme Jennifer le disait à qui voulait l'entendre, l'objectif d'Harvey avait tourné à l'obsession, une obsession qui l'effrayait parfois lui-même. Mais ses efforts n'avaient pas été vains. Bruce et lui avaient fini par voir de vrais progrès, de réelles avancées quand…

On frappa à sa porte.

Harvey fit pivoter son fauteuil.

— Oui, Eric ?

Le Dr Eric Blake ouvrit.

— Comment saviez-vous que c'était moi ?

— Vous êtes le seul à frapper. Entrez. Je viens justement de parler à votre vieux copain de classe.

— Michael ?

Harvey hocha la tête. Eric Blake avait rejoint l'équipe deux ans plus tôt, lorsque le nombre de patients était devenu trop important pour que deux médecins puissent s'en charger seuls. Eric était un type bien, songeait Harvey, même s'il prenait la vie beaucoup trop au sérieux. Il importait d'être solide, quand on passait ses journées à s'occuper de malades du sida, mais on devait aussi rester décontracté, un peu excentrique, et cultiver son grain de folie pour pouvoir survivre à l'épreuve quotidienne qu'étaient la souffrance et la mort.

Eric avait toujours l'allure guindée. Ses cheveux roux étaient courts et drus comme une brosse à récurer. Ses chaussures cirées. Son costume repassé. Sa cravate nouée serrée. Son visage rasé de frais, même après quarante-huit heures de garde.

Harvey, lui, avait toujours le nœud de cravate de travers, il ne se rasait que quand ses joues commençaient à le piquer et il avait oublié jusqu'à l'existence du peigne.

Eric Blake avait grandi non loin de chez Michael, dans une banlieue du New Jersey. Quand Michael avait été hospitalisé, le petit rouquin était venu lui rendre visite tous les jours, restant aussi longtemps que l'hôpital le lui permettait. À l'époque, Harvey était un interne surmené, mais il aimait bien passer ses quelques moments de liberté avec Michael. Même Jennifer, qui en ce temps-là faisait du bénévolat à l'hôpital, se sentait attirée par ce gamin. Très

40

vite, le couple avait tissé des liens privilégiés avec ce jeune garçon malmené par la vie.

Ces liens ne s'étaient pas démentis au fil des années, alors que Michael entrait dans l'adolescence puis dans l'âge adulte. Les Riker avaient assisté à ses matchs de basket, à ses concerts et aux dîners donnés en son honneur, applaudissant ses succès comme de fiers parents. Ils avaient été là pour le réconforter après les défaites, après le suicide de sa mère et quand son beau-père l'avait abandonné. En y repensant, Harvey se demandait si leur proximité avec Michael n'avait pas exacerbé leur principal problème conjugal : l'absence d'enfants.

Ils avaient essayé, mais Jennifer n'avait jamais pu mener une grossesse à terme. Dans le cas contraire, les choses auraient peut-être été différentes.

Quoique...

Harvey se demanda si Jennifer était restée en contact avec Michael. Il soupçonnait que oui.

— Vous avez parlé à Michael de…, commença Eric.

— Pas encore. Je voulais juste m'assurer que Sara serait au gala de ce soir.

— Et ?

— Elle y sera.

— Qu'allez-vous lui dire ?

Harvey haussa les épaules.

— Je ne sais pas encore.

— Mais enfin, c'est ridicule. Juste au moment où on est si près…

— On n'est pas si près que ça.

— Tout de même, Harvey, des gens sont en vie aujourd'hui grâce à vous.

— Grâce à la clinique, le corrigea Harvey.

— Si vous voulez. Quand on rendra publics nos résultats, on entrera dans l'histoire médicale aux côtés de Jonas Salk.

— C'est plutôt le présent qui m'inquiète.

— Mais on a besoin de cette publicité pour lever des fonds afin de continuer…

— Je sais, le coupa Harvey en consultant sa montre. C'est bientôt l'heure. Allons à la cafétéria.

Il esquissa un sourire fatigué avant d'ajouter :

— Je veux regarder le reportage de Sara sur le révérend Sanders.

— Pas un ami de la cause, celui-là.

— C'est le moins qu'on puisse dire.

Eric prit une des photos sur le meuble de rangement.

— Pauvre Bruce.

Harvey hocha la tête, mais ne dit rien.

— J'espère que sa mort a un sens, reprit Eric. J'espère qu'il n'est pas mort pour rien.

Harvey se dirigea vers la porte, tête baissée.

— Moi aussi, Eric.

George Camron retira son costume gris Armani à fines rayures et le suspendit sur un cintre en bois, en respectant le pli du pantalon. Il avait été obligé de se débarrasser d'un autre costume griffé deux semaines plus tôt. Un tel gâchis le rendait malade. Les costumes en soie tachés de sang augmentaient ses frais généraux.

George appréciait les belles choses. Il ne portait que des costumes de couturier. Il ne descendait que dans des hôtels de luxe. Ses cheveux, lissés par du gel, étaient mis en beauté (pas coupés) par les stylistes (pas les coiffeurs) les plus chers du monde. Il aimait se faire faire manucures et pédicures.

Il décrocha le téléphone de sa chambre et composa le 7.

— Service d'étage, dit une voix. Que puis-je pour vous, monsieur Thompson ?

Le Ritz s'adressait toujours à ses clients par leur nom. La marque d'un hôtel de grande classe. George appréciait. Thompson, évidemment, était son pseudonyme du moment.

— Du caviar, s'il vous plaît. Iranien, pas russe.

— Oui, monsieur Thompson.

— Et une bouteille de Bollinger. 1979. Très frais.

— Oui, monsieur Thompson.

George raccrocha et s'allongea sur le lit king size. Il avait fait du chemin depuis ses modestes débuts dans le Wyoming, ses années dans l'armée au Vietnam et depuis la Thaïlande, le pays qu'il considérait maintenant comme le sien. Il avait aujourd'hui ses habitudes dans une variété d'élégantes chambres d'hôtel. La suite Somerset Maugham à l'Oriental de Bangkok. Le penthouse donnant sur le port au Peninsula à Hong Kong. La suite Louis XV du Crillon, à Paris. La suite présidentielle du Hassler, à Rome.

George consulta sa montre, alluma la télévision et zappa sur la 2. Dans quelques minutes, ce serait le début de *NewsFlash*, avec Donald Parker et Sara Lowell. Il ne voulait surtout pas rater cette émission.

Le téléphone sonna.

— Allô ?

— Ici…

— Je sais qui c'est, coupa George.

— Avez-vous reçu le dernier paiement ?

— Oui.

— Bien.

La voix semblait nerveuse. George n'était pas sûr d'aimer ça. Les gens nerveux avaient tendance à commettre des erreurs.

— Y a-t-il autre chose que je puisse faire pour vous ? s'enquit-il.

— Justement…

Un nouveau boulot. Excellent. George n'avait aucune idée de l'identité de son employeur et s'en moquait. Il ne savait même pas si la voix, à l'autre bout du fil, appartenait au commanditaire ou à un simple intermédiaire. Peu importait. Dans ce métier, on ne posait pas de questions. George exécutait le contrat, touchait son fric et passait à autre chose.

— Je vous écoute, dit-il.

— La dernière tâche que je vous ai confiée… s'est déroulée sans anicroche ?

— Vous lisez les journaux, n'est-ce pas ?

— Eh bien… je voulais seulement m'en assurer. Vous avez les dossiers du Dr Grey ?

— Ils sont ici. Quand comptez-vous les récupérer ?

— Bientôt. Avez-vous porté un masque et des gants, comme je vous l'avais dit ?

— Oui.

— Et il ne s'est rien passé d'autre ?

George se demanda une seconde s'il devait mentionner l'enveloppe que Bruce Grey avait postée de l'aéroport. Mais non, ce n'était pas son problème. Il avait été embauché pour tuer le bonhomme ; maquiller la mort en suicide ; récupérer tous les documents qu'il avait sur lui ; déchirer une page de

44

son passeport ; et ne pas toucher à l'argent, aux effets personnels et aux papiers d'identité. Point.

Sauf qu'en réalité c'était bel et bien son problème. Il n'aurait jamais dû laisser Grey poster son enveloppe. C'était une erreur, George en avait la certitude. Peut-être aurait-il mieux fait de se renseigner davantage avant d'accepter ce job. Quelque chose ne tournait pas rond.

— Non, rien, répondit-il.

— Vous êtes sûr ?

George s'éclaircit la gorge. Le Dr Bruce Grey lui avait grandement facilité la tâche en prenant une chambre à un étage élevé : il avait ainsi pu utiliser tous les moyens nécessaires pour obtenir une lettre de suicide. Toute blessure physique infligée au Dr Grey était devenue indiscernable sur le corps en bouillie gisant sur le trottoir.

— J'en suis sûr, dit George. Et à l'avenir, ne m'obligez pas à me répéter. C'est une perte de temps.

— Je suis désolé.

— Vous parliez d'un autre boulot ?

— Oui. Il faudrait s'occuper d'une autre... personne.

— Je vous écoute.

— Il y a quelqu'un avec vous ?

— Non.

— J'entends des voix.

— C'est la télévision. *NewsFlash* va bientôt commencer. La première émission avec Sara Lowell.

— Pourquoi... pourquoi dites-vous ça ? demanda la voix, apparemment stupéfaite.

Drôle de réaction, songea George.

— Vous me posiez la question, pour les voix.

— Ah oui.

Son interlocuteur essaya de se reprendre, mais sa tension était palpable.

— Je veux que vous éliminiez quelqu'un d'autre.

— Quand ?

— Ce soir.

— Si vite ? Ça va vous coûter cher.

— Ne vous inquiétez pas pour ça.

— Où ?

— Dans la maison du Dr John Lowell. Il donne une grande soirée caritative.

George faillit éclater de rire. Ses yeux se reportèrent vers l'écran. Le Dr Lowell. Ancien *Surgeon General*. Le père de Sara Lowell. Ce qui expliquait la réaction bizarre. Il se demanda si Sara serait à la soirée.

— Même méthode que pour les deux premiers ? demanda George.

— Oui.

George sortit de sa poche son cran d'arrêt, l'ouvrit et examina la longue lame effilée. Il allait encore s'en mettre partout, à coup sûr. Il passa en revue sa garde-robe et se décida pour un polo Ralph Lauren vert qu'il avait acheté à Chicago. De toute façon, il le serrait un peu aux épaules.

2

— Cinq secondes.

L'estomac de Sara se contracta. Elle faillit se remettre à chanter. Se forçant à garder la bouche fermée, elle rajusta ses lunettes et attendit.

Tout va bien se passer. Je vais lui rentrer dedans. Je vais...

— Quatre, trois, deux...

La main se pointa vers les deux journalistes assis derrière le bureau.

— Bonsoir, je suis Donald Parker.

— Et je suis Sara Lowell. Bienvenue à *NewsFlash*.

Le Dr John Lowell possédait un immense domaine dans les Hampton. Le majestueux manoir de style Tudor dominait quatre hectares de terres paysagères. La propriété jouissait d'un court de tennis en gazon, d'une piscine extérieure et d'une autre à l'intérieur, de trois Jacuzzi, d'un sauna, d'un spacieux *pool house*, d'un terrain d'atterrissage pour hélicoptère et de plus de pièces que les Lowell ne pouvaient en

47

utiliser. La maison avait appartenu au grand-père du docteur, un capitaliste qui, d'après la vision gauchiste de l'histoire, avait pillé le pays et ses habitants pour faire du profit. Le père de John, cependant, avait décidé de laisser tomber les affaires familiales pour devenir chirurgien. John avait suivi ses traces. Il gagnait bien sa vie, même si la pratique de la médecine se révélait moins lucrative que celle du pillage.

Ce soir, l'aile est accueillerait certaines des plus grosses fortunes du monde, qui avaient fait don de milliers de dollars au Centre contre le cancer Erin Lowell pour avoir le privilège d'assister à la fête. John allait devoir distribuer sourires et amabilités. Il détestait ça. Son mandat controversé de *Surgeon General*, au début des années 1980, ne lui avait pas appris grand-chose en matière de diplomatie et de subtilité politique. Il avait mené une croisade acharnée contre le cancer, détruisant tout et tous ceux qui se dressaient sur sa route. Il avait déclaré la guerre aux fumeurs, dans une tirade enflammée à la télévision nationale : « Les cigarettes sont des armes meurtrières. Je n'ai aucune compassion pour les fumeurs qui attrapent un cancer du poumon. Ils se fichent pas mal d'intoxiquer les autres avec leur fumée, ou même de causer une maladie mortelle chez leurs enfants. Le fait que nous tolérions ces gens irresponsables et égoïstes dépasse l'entendement. »

La diatribe avait créé une onde de choc dans tout le pays. Le lobby de l'industrie du tabac avait tout fait pour obtenir la tête de John Lowell, en vain. Des lignes de bataille s'étaient formées ce jour-là, et si

John Lowell n'était plus *Surgeon General* il n'en continuait pas moins le combat.

— Bonsoir, papa.

John Lowell se retourna vers sa fille aînée, vêtue d'un peignoir et chaussée de sandales.

— Cassandra, où vas-tu ?

— Piquer une tête dans la piscine.

— L'émission de ta sœur commence dans quelques minutes. Tous les invités vont rentrer à l'intérieur pour la regarder.

Les yeux de Cassandra s'obscurcirent, mais John ne parut pas le remarquer.

— Tu devrais venir avec nous voir ta sœur.

— Tu vas enregistrer l'émission, non ?

— Bien sûr.

— Donc, j'aurai l'occasion de voir et de revoir ma sœur. Quelle chance.

— Cassandra…

Elle ignora son père et poursuivit son chemin. Pendant toute la vie de Cassandra, le nom de sa cadette avait résonné autour d'elle comme des milliers de petits oiseaux. « Sara est malade. » « On doit emmener Sara à l'hôpital. » « Ne sois pas si dure avec Sara. » Aux yeux de son père, Cassandra n'était jamais aussi belle, aussi gentille, aussi ambitieuse, aussi intelligente que Sara.

Sa mère n'était pas comme ça. Erin Lowell aimait autant Cassandra que la plus jolie, plus gentille, plus ambitieuse, plus travailleuse et plus intelligente Sara. C'était fou à quel point sa mère lui manquait. Dix ans avaient passé depuis sa disparition, mais la douleur demeurait vive, constante, et parfois même intolérable.

Il faisait une chaleur étouffante ce jour-là, et de nombreux invités étaient allés se rafraîchir dans la piscine. La plupart commençaient à rentrer dans la maison pour assister à la première de la merveilleuse Sara dans *NewsFlash*. Mais en voyant Cassandra avancer vers le bassin, de sa démarche langoureuse, plusieurs hommes se figèrent.

Cassandra était grande, elle avait des yeux de braise, des boucles brunes et une peau olivâtre. Elle était si différente de Sara qu'on avait du mal à les croire sœurs. En deux mots, Cassandra était sexy. Terriblement sexy. Dangereusement sexy. Alors qu'on aurait pu décrire les yeux de Sara comme des lacs tranquilles, ceux de Cassandra étaient de feu.

Arrivée devant la piscine, la jeune femme retira ses sandales d'un mouvement de chevilles. Un léger sourire aux lèvres, elle fit glisser son peignoir le long de ses épaules, révélant un maillot une pièce scintillant qui avait du mal à contenir ses courbes généreuses. Très consciente de tous les regards qui la suivaient, elle monta sur le plongeoir, avança jusqu'au bord, étira les bras au-dessus de sa tête et plongea. D'un crawl fluide et élégant, son corps fendit l'eau sans effort, laissant à peine une ondulation dans son sillage.

— Il est presque huit heures, prévint une voix dans la maison. *NewsFlash* va débuter.

Si les femmes répondirent à l'appel, les hommes eurent plus de mal à s'arracher au spectacle envoûtant offert par Cassandra. Oh, ils tentèrent d'avoir l'air décontracté, rentrant le ventre discrètement ou enfilant une chemise pour cacher leurs défauts les plus flagrants. Et tous essayèrent de glaner un dernier coup d'œil en passant devant elle.

Cassandra sortit de la piscine et s'avança tranquillement vers un transat. Sans se donner la peine de se sécher, elle prit une paire de lunettes de soleil dans la poche de son peignoir et s'allongea, jambes croisées. Si elle paraissait se reposer, ses yeux, derrière les verres fumés, ne perdaient rien de ce qui l'entourait.

Elle repéra Stephen Jenkins, le sénateur de l'Arkansas, à la soixantaine bien enrobée. L'oncle Stevie, comme Sara et elle l'appelaient, était un vieil ami de la famille. John Lowell et lui avaient été ensemble au collège Amherst, leurs épouses avaient donné des soirées ensemble, leurs enfants étaient allés en camp de vacances ensemble. Charmant. Et – pour être franche – coucher avec le leader de la minorité républicaine au Sénat avait été une sorte de défi pour Cassandra. Un délice des sens, sûrement pas.

— Bonsoir, Cassandra, l'interpella Jenkins.

— Bonsoir, oncle Stevie.

Cassandra avait envisagé de séduire aussi le fils du sénateur, mais, tout beau et célibataire qu'il fût, Bradley était un imbécile. Pis, c'était l'ami de Sara. Chaque fois qu'ils se voyaient, ils jacassaient pendant des heures et ignoraient complètement Cassandra. Si Sara et Bradley avaient été amants, elle y aurait songé plus sérieusement. Mais ce n'était pas le cas. Depuis qu'elle avait épousé Michael, deux ans plus tôt, Sara avait été d'une fidélité frôlant l'ennui.

— Stephen ? appela Mme Jenkins. Bradley ?

Le sénateur détourna les yeux à regret.

— Dépêchez-vous ! Sara est à l'écran !

En quelques minutes, tout le monde rentra dans la maison pour se rassembler autour du poste. Cassandra ferma les yeux. Sara passait à la télévision nationale. Et alors ?

Sara sentit un nœud se former dans son ventre. Elle savait que le révérend Ernest Sanders était assis dans la pièce voisine, attendant le moment de l'interview. Il était expert dans l'exercice – fuyant comme une anguille. Quand une question ne lui plaisait pas, il usait d'une méthode éprouvée : il l'ignorait. De quoi rendre fous même les intervieweurs les plus chevronnés.

La plus grande partie du reportage de Sara sur Sanders et sa Sainte Croisade était enregistrée. Elle l'avait revu tant de fois qu'elle le connaissait presque par cœur. Fredonnant doucement, elle ne l'écouta que d'une oreille.

« Après avoir appartenu à divers groupuscules prônant la suprématie blanche, le révérend Sanders a fait de la Sainte Croisade, fondée avec une poignée de membres il y a douze ans, un puissant mouvement rassemblant des milliers d'adhérents dans tout le pays. Mêlant ce que Sanders appelle de "solides valeurs religieuses" aux "droits américains traditionnels", la Sainte Croisade a été un objet de controverses depuis sa création…

… le fisc a confirmé que ni le révérend Sanders ni son épouse, Dixie, n'avaient rempli de déclaration d'impôt sur le revenu ces douze dernières années… Le révérend Sanders a dépensé jusqu'à dix mille dollars par jour pour lui-même et pour plusieurs jeunes femmes au cours de voyages "missionnaires" dans les Caraïbes… disparition de millions de dollars de dons versés à la Croisade… Le FBI mène une enquête pour corruption dans l'entourage du révérend Sanders. »

Une fois le reportage terminé, la caméra pivota pour se braquer sur le visage familier et rassurant de Donald Parker. Sara s'arrêta immédiatement de fredonner

— Le révérend Sanders est ici dans notre studio, annonça Parker. Bonsoir, révérend Sanders.

Le visage de Sanders apparut sur l'écran. Comme dans d'autres magazines d'information, les invités ne se trouvaient pas dans la même pièce que leurs intervieweurs. Un numéro vert apparut en bas.

« Bonsoir. »

Sanders avait une voix agréable et détendue. Sara sentit le nœud se resserrer dans son ventre. Le pasteur portait un costume trois pièces bleu clair, une alliance en or et ce qui ressemblait fort à un postiche. Pas de montre. Pas d'autres bijoux. Rien d'ostentatoire. Il avait un visage doux, qui inspirait confiance ; celui d'un gentil oncle ou d'un sympathique voisin. Son sourire éclatant – un de ses meilleurs atouts – était bien en place.

— Merci d'avoir accepté notre invitation.

— Merci à vous, monsieur Parker.

— Vous venez de voir le reportage, attaqua Parker. Avez-vous des commentaires à faire ?

— Je suis un homme de Dieu, dit Sanders de sa voix onctueuse, à l'accent traînant du Sud. Je comprends les désirs humains.

— Je ne suis pas sûr de vous suivre.

— Ce qui se passe ici est évident pour moi et pour tous les croyants de ce pays. Je ne crois pas devoir m'abaisser au niveau de Mlle Lowell en répondant à ses accusations.

— Aucune accusation n'a été proférée, révérend Sanders, intervint Sara en chaussant ses lunettes cerclées de métal. Y a-t-il des faits, dans ce reportage, que vous voudriez contester ?

— Inutile de jouer au plus fin, mademoiselle Lowell. Je sais ce que vous recherchez.

— C'est-à-dire, révérend Sanders ?

— Vous cherchez à vous faire un nom. Une réputation. Et quelle meilleure façon d'y parvenir que de traîner dans la boue un simple prédicateur comme moi ? Un homme qui prêche la Bible dans toute sa gloire, qui aide ceux qui n'ont pas eu la chance…

— Révérend Sanders, le coupa Sara, vos revenus personnels ont été estimés à plus de treize millions de dollars l'année dernière, et pourtant vous ne payez pas d'impôts sur le revenu. Pouvez-vous nous l'expliquer ?

La remarque n'eut aucun effet sur son interlocuteur.

— Corrigez-moi si je me trompe, mademoiselle Lowell, mais votre famille n'est pas particulièrement dans le besoin. Je crois me souvenir que votre père possède une propriété assez spacieuse. Devons-nous aussi nous interroger sur sa fortune ?

— Mon père déclare ses revenus tous les ans, rétorqua-t-elle. Et peut justifier de l'origine de chaque dollar. Pouvez-vous en faire autant ?

— Bien évidemment, déclara Sanders avec emphase. Vos mensonges et vos insinuations ne trompent pas le peuple choisi par Dieu. Beaucoup ont essayé de détourner les justes du chemin du Seigneur, mais la Sainte Croisade poursuivra sa marche en avant. La Sainte Croisade ne laissera pas Satan triompher.

— Revenons sur ces supposés mensonges, dit Sara. Pouvez-vous être plus précis ?

Sanders leva les yeux au ciel et secoua la tête.

— Satan utilise des mots pour déformer la bonté et la droiture, expliqua-t-il comme un professeur fait la leçon à un élève désobéissant, mais nous ne nous laisserons pas abuser. Nous vivons dans une société immorale, mais nous tiendrons bon. Qu'est-il arrivé aux valeurs familiales et éthiques dans ce pays, mademoiselle Lowell ? Les croyants, comme ma femme Dixie et moi-même, ne peuvent plus élever leurs enfants dans cette société. Les enfants sont obligés de fréquenter des écoles publiques d'où Dieu a été chassé mais où les homosexuels sont les bienvenus. Or le Seigneur ne nous dit-Il pas…

— Excusez-moi, monsieur, mais vous alliez répondre aux questions soulevées dans notre reportage.

— Quelles questions ? Votre reportage ne soulève aucun des vrais problèmes de l'Amérique. Je parle d'Armageddon, mademoiselle Lowell. Les membres de la Sainte Croisade comprennent ce qui se passe. Ils savent que nous vivons le retour de Sodome et Gomorrhe, que les hérétiques et les infidèles attaquent Dieu. Dixie et moi travaillons pour le Seigneur, mais Il nous aide dans notre tâche. Il nous montre des signes que vous préférez ignorer.

— Le reportage parle de détournement…

— Prenez par exemple le virus du sida, l'interrompit Sanders en s'échauffant. Ce que vous appelez le nouveau phénomène du sida n'est que le dernier chapitre de l'histoire de Sodome et Gomorrhe. Il est évident que Dieu frappe de Sa peste les pervers et les homosexuels immoraux et scandaleux.

— Révérend Sanders…

— Pourquoi avez-vous tant de mal à croire ? demanda-t-il posément, le sourire plus éclatant que jamais, les yeux étincelants. La plupart des Américains croient à l'œuvre du Seigneur telle qu'elle est décrite dans la Bible. Alors, pourquoi est-il si difficile de croire qu'Il peut encore agir aujourd'hui ? Nous n'avons aucun mal à accepter les plaies de l'Égypte antique. Pourquoi est-il si compliqué d'accepter les plaies de l'Amérique moderne ? Mais gare à celui qui néglige les avertissements. Les pécheurs, mademoiselle Lowell, n'ont plus d'endroit où se cacher. Si le sida n'est pas un signe de ce qui se prépare, si le sida ne vous fait pas prendre conscience que le Seigneur est votre seul salut, alors rien ne vous fera voir la lumière. Vous êtes condamnée.

Sara ferma les yeux en tentant de ne pas perdre son sang-froid. Elle savait qu'il lui fallait garder le cap, que ce serait une erreur de s'écarter du sujet des irrégularités financières. Mais sa colère lui soufflait autre chose.

— Et qu'en est-il des autres victimes ? demanda-t-elle en s'efforçant de garder un ton égal.

— Les autres victimes ?

— Oui, ceux qu'on appelle les victimes innocentes du sida, les nourrissons nés avec la maladie, ou ceux qui ont contracté le virus par transfusion sanguine ? Comment justifiez-vous le fait que le sida soit devenu la principale cause de mortalité chez les hémophiles ?

Encore ce grand sourire.

— Je ne le justifie pas, mademoiselle Lowell. Je ne justifie rien. La Bible me l'explique. Lisez les mots de Notre Seigneur et vous verrez par vous-même. La Bible nous raconte que toutes les créatures vivantes, à l'époque de Noé, n'étaient pas cruelles et sans cœur ; cependant, le Seigneur a choisi de ne sauver que celles qui se trouvaient sur l'arche. Et, dans l'histoire de Moïse, pourquoi des innocents durent-ils souffrir des nombreux fléaux qui frappè-rent l'Égypte ? La Bible nous donne une réponse simple, mademoiselle Lowell : les voies du Seigneur sont impénétrables. Qui sommes-nous pour remettre en question son dessein ultime ? Je sais, je sais, c'est un vieux cliché, mais il est vrai. Vous ne pouvez nier que la plupart de ceux qui sont atteints par cette peste divine sont des anormaux au style de vie pervers, et il arrive en effet que des innocents doivent payer pour les péchés de leurs frères. C'est pourquoi je vous demande à tous aujourd'hui de vous tourner vers Dieu, de vous repentir tant qu'il en est encore temps. Dieu ne permettra pas qu'un remède soit trouvé, avant d'avoir débarrassé la planète de…

Bien joué, Sara. Elle était tombée dans le panneau et lui avait fourni une occasion en or de prêcher ses absurdités. C'était le moment de lui clouer le bec.

— Révérend Sanders, pourquoi n'avez-vous pas rempli de déclaration fiscale depuis douze ans ?

Pourquoi votre femme et vous n'avez pas payé un dollar d'impôt ?

Calé dans son fauteuil, Donald Parker observait la joute. Il ne voulait pas intervenir. Le producteur de l'émission lui fit signe que c'était l'heure de la coupure publicitaire, mais Donald l'ignora.

— Mademoiselle Lowell, vous connaissez la loi aussi bien que moi. Ce grand pays qui est le nôtre protège la liberté religieuse, malgré les manœuvres de certains communistes et mécréants. Vous avez peut-être temporairement réussi à chasser Dieu des écoles et à assassiner des enfants à naître, mais le vent est en train de tourner…

— Merci, révérend Sanders, mais nous parlions de l'impôt. Essayez de répondre aux questions, s'il vous plaît.

— Je réponds à vos questions, mademoiselle Lowell. Dixie et moi sommes des citoyens respectueux de la loi. Nous réglons notre juste part d'impôt.

— Combien avez-vous payé au titre de l'impôt sur le revenu l'année dernière, révérend Sanders ?

— Les Églises ne sont pas soumises à l'impôt. Ça s'appelle la séparation de l'Église et de l'État. Tout est expliqué dans la Constitution.

Sara rajusta ses lunettes.

— J'ai lu la Constitution, révérend, mais, sauf votre respect, vous n'êtes pas une Église. Vous n'êtes pas en train de suggérer que les gens qui travaillent pour des Églises devraient échapper à l'impôt, obligeant les travailleurs américains à en payer la charge, si ?

La façade de Sanders se craquela un bref instant, laissant apparaître l'âme froide derrière le sourire.

— Bien sûr que non, dit-il. Vous déformez tout pour servir vos objectifs, et les justes le savent. Les justes ne se laisseront pas détourner du chemin de Dieu par vos mensonges. Je répète ce que je vous dis depuis le début. Je paie ma juste part d'impôt. Tout ça, ce sont des calomnies jetées par les impies pour salir mon nom.

Donald Parker finit par intervenir.

— Merci, révérend Sanders. Nous allons marquer une courte pause et reviendrons après la publicité. Restez avec nous.

— Docteur Lowell ? Puis-je vous dire un mot ?

John Lowell leva les yeux, apparemment mécontent d'être dérangé.

— Ça ne peut pas attendre la fin de l'émission, Ray ?

— C'est la publicité, fit remarquer Raymond.

Le Dr Raymond Markey travaillait au ministère de la Santé à Washington. Petit, doté de membres trop courts pour son corps et affublé d'épaisses lunettes qui lui faisaient des yeux énormes, il ressemblait plus au personnage du minable dans un vieux film de série B qu'à un médecin. À la vérité, Markey ne pratiquait plus la médecine. Et son travail de sous-secrétaire au ministère le plongeait bien plus dans le monde politique qu'il ne voulait l'admettre.

Avec un profond soupir, John Lowell se leva et quitta la pièce. Lorsqu'ils furent tous les deux seuls dans le hall, il demanda :

— Eh bien, qu'y a-t-il ?

Les yeux de mouche de Raymond Markey balayèrent l'espace comme deux torches une cour de prison.

— Il vient à votre soirée.

Le visage de Lowell vira à l'écarlate.

— Quoi ? Je ne veux pas de cet homme chez moi, je croyais avoir été assez clair sur ce point.

— C'est vrai.

— Ce n'est ni le lieu ni le moment, murmura Lowell. C'est trop dangereux.

— Je comprends, dit Markey. Mais il sera là. J'ai cru devoir vous prévenir.

Lowell jura à voix basse, les poings serrés.

— Ce salaud va tous nous détruire.

Tandis que la soirée battait son plein, les messieurs autour de Cassandra rivalisaient pour accaparer son attention, tels des acteurs vaniteux sur une scène. Mais la jeune femme en avait l'habitude et se fichait pas mal de ses soupirants. Elle se contentait d'afficher un sourire séducteur, de hocher la tête de temps en temps, sans vraiment les écouter. Certes, il s'agissait d'hommes importants. Randall Crane possédait de grosses participations dans plusieurs grands groupes. Il avait même fait la couverture du magazine *Fortune*, où il apparaissait très sérieux et distingué. Sauf qu'il était à périr d'ennui. Comme tous les autres. Et s'ils n'étaient pas pleins aux as, personne ne ferait même semblant d'écouter leur bla-bla prétentieux.

La prestation de Sara à *NewsFlash* alimentait les conversations des donateurs en tenue de gala.

Cassandra parcourut du regard la grande salle de bal du manoir, et reconnut la plupart des trois cents invités. *Bande d'hypocrites !* songea-t-elle. Comme s'ils en avaient quelque chose à faire de la lutte contre le cancer. Ils étaient venus pour se montrer, pour impressionner. Et s'il fallait lâcher un peu d'argent pour une association caritative, eh bien, c'était le prix du ticket d'entrée. L'important, c'était d'en être.

Randall Crane interrompit le cours de ses pensées.

— Savez-vous comment je suis venu, ce soir, Cassandra ?

Elle lança un vague regard dans sa direction.

— Non, Randall. Dites-moi.

— Dans mon hélicoptère privé. Je viens de l'acheter. Huit places. Un équipage personnel à plein temps, avec pilote, copilote et hôtesse.

— Une hôtesse ? répéta Cassandra. Dans un hélicoptère ?

Randall Crane hocha la tête.

— Nous avons décollé du toit de mon immeuble de la 47e Rue et sommes arrivés ici en moins d'une heure.

— Je suis très impressionnée, Randall.

L'homme d'un certain âge sourit jusqu'aux oreilles.

— Ça vous dirait de venir l'essayer ? Vous n'imaginez pas la vitesse à laquelle il va.

Elle avait couché avec Randall Crane trois ans plus tôt, et il avait tenu à peu près aussi longtemps qu'un gamin de quinze ans lors de sa première expérience.

— Vous devriez apprendre à ralentir, Randall, dit-elle avec un sourire mauvais. La vitesse n'est pas toujours une bonne chose, vous savez.

Alors qu'elle regardait le visage de Randall s'empourprer, Cassandra repéra Michael au fond de la salle, dans un coin, en compagnie de son ami, le petit docteur.

En smoking, Michael était beau à se damner – le seul homme de l'assemblée à oser le nœud papillon à fleur et la ceinture assortie, à la place du traditionnel noir. Toujours légèrement décalé : du pur Michael. Cassandra, qui ne l'avait pas vu depuis six mois, le trouva plus séduisant que jamais.

C'était décidément étrange. Au fil des années, Cassandra avait volé tous les petits amis de Sara, à commencer par son premier amoureux de lycée, Eddie Myles. Elle avait orchestré la manœuvre de séduction de telle sorte que sa sœur tomberait forcément sur eux.

Ce qui n'avait pas manqué d'arriver.

Sara avait écarquillé les yeux en découvrant son petit ami le pantalon descendu sur les chevilles, et Cassandra à genoux devant lui. Son visage s'était décomposé.

Eddie n'avait été que le premier. Ensuite, c'était devenu un jeu pour Cassandra. Un nouveau défi. Chaque fois que Sara se risquait à faire confiance à quelqu'un, sa sœur lui sautait dessus. Et, chaque fois, les blessures de Sara se rouvraient. Elle perdait de son assurance. Devenait plus consciente de ses problèmes de santé. Se défendait par le sarcasme. Cassandra voyait sa sœur se mettre à distance du monde extérieur. Se plonger à corps perdu dans ses études et s'enfermer dans sa chambre, en écoutant du heavy metal à plein volume. À la fin, elle cessa de fréquenter des garçons que Cassandra aurait pu lui chiper.

Mais Sara attendait son heure. Sans en avoir l'air, elle avait réussi à décrocher le gros lot.

Ce salaud de Michael. Ce beau et merveilleux salaud.

Cassandra fit un pas en avant.

— Excusez-moi une minute, messieurs.

Les hommes s'écartèrent pour la laisser passer. Cassandra ne pouvait détacher les yeux de Michael. En six mois, beaucoup de choses avaient pu changer.

Installée à l'arrière de la voiture de maître, Sara était encore survoltée. Elle essayait de se détendre après l'excitation de l'émission, mais le flot continu d'adrénaline l'en empêchait. Elle se trémoussait sur la luxueuse banquette de cuir, l'esprit bouillonnant d'impatience. Bien qu'elle soit passée de Blue Öyster Cult aux rythmes plus contemporains de Depeche Mode, elle n'arrivait pas à se calmer. Au milieu de « Blasphemous Rumors », le chauffeur de la limousine remonta la vitre de séparation entre eux.

Tant mieux.

Bientôt, elle verrait Michael. C'était bête à dire, mais ce qu'elle préférait dans ces journées de folie, c'était revivre chaque détail avec son mari. Avec une grimace, Sara retira son orthèse et se frictionna le pied. Les appareils orthopédiques s'étaient beaucoup améliorés au fil des années, et le modèle en fibre de verre d'aujourd'hui n'avait plus rien à voir avec le lourd appareillage de métal qu'elle portait autrefois et qui enserrait sa jambe comme un étau.

L'orthèse n'en demeurait pas moins pesante, et sa jambe l'élançait douloureusement quand elle la gardait longtemps. De ses mains expertes, elle se massa le pied et la cheville, jusqu'à ce que le sang se remette à circuler.

Prématurée de deux mois, Sara était née fragile. L'infection s'était installée dans ses poumons, cause d'une pneumonie et de tout un tas de complications au cours de son enfance. L'accouchement difficile avait aussi endommagé pour toujours un nerf dans son pied gauche. Étant petite, elle avait eu besoin d'un appareil orthopédique et de béquilles pour marcher. Aujourd'hui, sa canne lui était encore indispensable.

Sa jeunesse avait été émaillée de séjours à l'hôpital et de rendez-vous chez des spécialistes. Pendant d'interminables journées d'été ensoleillées, elle avait dû garder la chambre au lieu d'aller jouer dehors avec d'autres enfants. Des précepteurs venaient à la maison ou à l'hôpital lorsqu'elle manquait trop long-temps l'école. Elle avait peu d'amis. Ses camarades de classe ne l'embêtaient pas et ne se moquaient jamais d'elle, mais ils l'évitaient : elle n'était pas des leurs. Elle n'avait pas le droit de suivre les cours de gym. Elle restait assise sur les marches pendant les récréations. Les autres jeunes la considéraient avec circonspection, presque effrayés par cette fille fragile et pâle, comme si elle symbolisait la mort dans un endroit qui ne comprenait que l'immortalité.

Malgré ses efforts, Sara était toujours différente, toujours couvée, toujours derrière. Elle détestait ça. En grandissant, elle avait appris qu'il était plus facile de surmonter sa boiterie que les préjugés des gens. Dès qu'elle rencontrait des difficultés, les profs étaient prompts à les mettre sur le compte de son handicap.

— Ce n'est pas votre faute, Sara. Si vous étiez en parfaite santé…

Chaque fois qu'elle entendait ça, elle avait envie de hurler. Elle ne voulait pas qu'on lui trouve des excuses, ni qu'on les utilise pour justifier ses échecs – elle voulait les dépasser.

Le chauffeur quitta la route pour s'engager dans l'allée. Il y avait des voitures partout – des Rolls Royce, des Mercedes, de longues berlines de luxe avec des plaques d'immatriculation officielles. Certains chauffeurs fumaient ou discutaient dans l'allée. D'autres lisaient le journal dans leur véhicule.

Lorsque la limousine arriva devant la maison, Sara remit son orthèse, attrapa sa canne et s'avança aussi gracieusement que possible vers l'entrée principale.

Michael but une nouvelle gorgée de Perrier. Malgré la douleur lancinante dans son abdomen, il décida d'attendre avant d'en parler à Harvey. Son ami lui paraissait trop distrait ce soir. Ses yeux parcouraient nerveusement la foule dans la grande salle. Son allure générale, toujours un peu négligée, était carrément épouvantable.

— Ça va, Harvey ?

— Bien.

— Quelque chose te préoccupe ?

— Je… À quelle heure Sara doit-elle arriver ?

C'était la troisième fois qu'il lui posait la question.

— Elle ne devrait plus tarder. C'est quoi, le grand mystère ?

— Rien, répondit Harvey avec un sourire crispé. Ta femme et moi avons une liaison torride derrière ton dos, c'est tout.

— Encore ? Je déteste que tu me voles mes femmes, Harvey.

Celui-ci tapota sa petite bedaine et tenta de discipliner sa chevelure en broussaille.

— Que veux-tu que je te dise ? Je suis un tombeur.

Michael prit une autre gorgée d'eau.

— Qu'est-ce que tu as prévu pour la semaine prochaine ?

— La semaine prochaine ?

— Ton anniversaire, Harvey.

— Ah, ça.

— On n'a pas tous les jours cinquante ans, mon vieux.

Harvey vida le fond de son Martini.

— Ne m'en parle pas.

— Cinquante ans, insista Michael en lâchant un sifflement. Cinq grosses décennies.

— La ferme, Michael.

— Un demi-siècle. Un jubilé. Dur à croire.

— Tu es un pote, Mike. Merci.

Michael sourit.

— Allez, Harvey ! Tu m'as l'air en pleine forme.

— Eh bien, je me lasse un peu de devoir repousser toutes ces femmes.

Harvey lança un coup d'œil derrière Michael et repéra Cassandra qui s'avançait vers eux.

— En parlant de repousser les femmes…

— Quoi ?

— Alerte à la belle-sœur.

— Où ça ? demanda Michael.

Cassandra lui tapa sur l'épaule.

— Salut, Michael.

— Juste derrière toi.

— Merci.

Michael se tourna à contrecœur vers Cassandra.

— Bonsoir, Cassandra.

— Loin des yeux, loin du cœur, dit-elle. Ça fait bien six mois.

— À peu près. Tu te souviens de mon ami, Harvey Riker ?

— Ah, oui. Le médecin.

Harvey fit un pas en avant.

— Ravi de vous revoir, Cassandra.

Elle se contenta de lui adresser un vague hochement de tête, sans quitter Michael des yeux.

— Alors, comment me trouves-tu, ce soir, Michael ?

— Chouette.

— Chouette ?

Michael haussa les épaules.

— Tu ne t'avances pas trop, nota Cassandra.

Elle tourna son attention vers Harvey un bref instant.

— Docteur Riker, vous êtes d'accord avec l'affirmation de Michael ?

Harvey s'éclaircit la gorge.

— Euh, beaucoup d'adjectifs viennent à l'esprit en vous voyant, Cassandra. Chouette n'en fait pas partie.

Elle esquissa un petit sourire, le regard de nouveau rivé à Michael.

— Michael, je peux te parler un moment ?

— Écoute, Cassandra…

— C'est bon, l'interrompit Harvey. J'ai besoin d'aller remplir mon verre.

Tous deux le regardèrent s'éloigner. Au bout de la salle, l'orchestre engagé par le Dr Lowell acheva « Tie a Yellow Ribbon » et enchaîna avec « Feelings ». La voix du chanteur évoquait un chat coincé dans un mixeur.

— Tu danses ? demanda Cassandra.

— Non, merci.

— Pourquoi ?

— Je ne suis pas d'humeur. De quoi voulais-tu me parler ?

— Arrête d'être désagréable, Michael. Je vais y venir dans une minute. Dis-toi que ce sont les préliminaires. Tu en as entendu parler, n'est-ce pas ?

— J'ai dû lire quelque chose là-dessus dans *Cosmo*.

— Bien. Que penses-tu de ma robe ?

— Elle est divine. Qu'est-ce que tu veux ?

— Michael…

— Tu ne vas pas recommencer avec ces conneries, si ?

— Quelles conneries ?

— Tu le sais très bien, Cassandra.

— Vraiment ?

— Je suis marié avec Sara, bon sang. Tu te souviens de Sara – petite, blonde, sublime, goûts musicaux atroces, ta sœur ?

— Et alors ?

Michael leva les yeux au ciel.

— Alors, pourquoi tu continues à me harceler ? Pourquoi tu me fais toujours du gringue comme une traînée de soap operas ?

— Tu n'approuves pas ma façon d'être, hein ?

— Je n'ai pas à approuver ou à désapprouver.

— Alors, qu'est-ce que tu penses de moi ? demanda-t-elle en buvant une gorgée d'alcool. Sincèrement.

— Je pense que tu as tout pour toi. Tu es belle, drôle, intelligente, mais quand tu te comportes comme ça, tu me dégoûtes.

— Tu es tellement gentil.

Elle posa la main sur la poitrine de Michael. Puis elle se pencha et l'embrassa sur la joue.

— C'était pourquoi, ça ?

Elle lui fit un clin d'œil et pointa le doigt derrière lui.

— Pour ça.

Michael se retourna. Depuis le seuil, Sara les observait.

Quelques heures plus tôt, George avait volé une voiture et changé la plaque d'immatriculation. Il avait fait plusieurs fois le tour de la propriété des Lowell pour repérer toutes les issues, avant de se garer sur un terrain vague à quelques kilomètres. Il tartina un toast de pâté de foie et se servit un verre de beaujolais.

Le pique-nique parfait.

Lorsqu'il eut fini, il nettoya la voiture, vérifia l'heure et reprit la route vers le domaine du Dr Lowell. Plongeant la main dans la poche de son pantalon de treillis Banana Republic, il en sortit son cran d'arrêt. Du pouce, il appuya sur le bouton. La longue et fine lame jaillit avec un bruit mat.

Très joli.

Il referma le couteau et le rangea dans sa poche. Fini de jouer. Assez de vin et de musique.

C'était le moment d'aller bosser.

3

HARVEY RIKER ALLA SE CHERCHER UN AUTRE MARTINI.
Le troisième. Ou peut-être le quatrième. Il ne savait
plus. Bien qu'il ne soit pas un gros buveur, il s'était
surpris, ces derniers temps, à considérer la bouteille
avec un nouveau respect et à la couver d'un regard de
désir. Il s'était passé tellement de choses au cours des
semaines écoulées. Pourquoi maintenant ? Alors
qu'ils étaient sur le point de bloquer, voire de détruire
le virus du sida ?

Il tendit son verre au barman.

— Un autre, dit-il simplement.

Le barman hésita avant de prendre le verre.

— Le dernier, d'accord ?

Harvey hocha la tête. Ce type avait raison. Trop,
c'est trop. Il se retourna vers la foule. Michael était
toujours en train de parler à Cassandra. Cette fille,
c'était de la braise. N'importe quel homme s'y brûle-
rait en approchant de trop près.

*Rappelle-toi quel âge elle a, Harvey. Sûrement
celui d'être ta fille.*

Il haussa les épaules. Il n'y avait pas de mal à
fantasmer un peu.

Mais son esprit revint très vite à l'autre sujet. *Le* sujet. Il parcourut la pièce de ses yeux injectés de sang, mais Sara ne se montrait toujours pas.

— Bonsoir, docteur Riker.

Harvey se tourna vers la voix familière.

— Bonsoir, Bradley. Comment ça va ?

Bradley Jenkins, le fils du sénateur, sourit.

— Beaucoup mieux, merci.

— Des problèmes ?

Bradley secoua la tête.

— Je me sens parfaitement bien. C'est presque un miracle… Mais je ne sais pas combien de temps ça durera.

Harvey contempla le jeune homme à la voix douce. Sara le lui avait présenté de nombreuses années plus tôt, bien avant que Bradley ne devienne son patient ou même qu'il se soit découvert atteint du sida.

— Nous non plus, Bradley, dit-il d'un ton sérieux. L'important, c'est de poursuivre le traitement. L'interrompre au milieu risquerait d'être plus dange-reux que la maladie elle-même.

— Je serais fou d'arrêter.

— Quand a lieu votre prochaine visite ?

Bradley n'eut pas le temps de répondre parce que son père s'interposa entre eux.

— Plus un mot, murmura le sénateur Jenkins à Harvey d'un ton venimeux. Suivez-moi.

Harvey obtempéra et parcourut le long couloir en laissant un ou deux mètres entre eux. Le sénateur Jenkins s'arrêta devant la dernière porte, l'ouvrit, lança un regard derrière lui pour s'assurer que personne ne regardait, puis fit signe à Harvey d'entrer. Il referma derrière eux.

Ils venaient de pénétrer dans le bureau du Dr Lowell, une pièce gigantesque, garnie du sol au plafond d'épais livres reliés de cuir. Une passerelle en hauteur ceinturait l'espace, tandis qu'une échelle coulissante permettait d'aller chercher les volumes les plus inaccessibles. Les étagères, le parquet et le mobilier étaient en chêne sombre.

Le sénateur Jenkins se mit à faire les cent pas.

— Vous pourriez tout de même éviter de parler à mon fils en public.

— Nous discutions simplement, répliqua Harvey. C'est ce que les gens font, en général, dans ce genre de soirée.

— Savez-vous ce qui arriverait si les gens découvraient la vérité à propos de Bradley ?

— La paix au Moyen-Orient ?

— Ne jouez pas au plus fin avec moi, Riker.

— L'apocalypse nucléaire ? La fin de la série des *Vendredi 13* ?

— Je vous dois beaucoup, docteur Riker, mais ne poussez pas le bouchon trop loin.

— Vous ne me devez rien, répondit Harvey d'un ton sec.

— Vous avez sauvé la vie de mon fils.

— On n'en est pas sûrs. Seul l'avenir nous le dira.

— Quand même, c'est encourageant. Et je vous en suis reconnaissant.

— Merci.

— J'ai aussi appris, pour la mort de votre associé. Toutes mes condoléances.

— Voudriez-vous faire une donation publique pour son œuvre caritative préférée ?

Le sénateur eut un rire dénué d'humour.

— Non.

— Ou alors, vous pourriez inciter le Sénat à voter des crédits supplémentaires pour nous.

— Vous savez que c'est impossible. Les médias et mes opposants me tailleraient en pièces.

— Parce que vous aideriez à guérir une maladie mortelle ?

— Parce que je dépenserais l'argent du contribuable pour aider un groupe de pédés dévoyés.

— Comme votre fils ?

Le sénateur baissa la tête.

— C'est un coup bas, Riker. Très bas. Si on apprenait que Bradley est…

Il s'interrompit.

— Gay ? termina Harvey à sa place. C'est le mot que vous cherchez ? En tout cas, ce ne sera pas par moi.

— Dans ce cas, je ferai mon possible pour aider la clinique – discrètement, bien sûr.

Le sénateur Jenkins resta silencieux un instant, pensif, avant de reprendre :

— De plus, il y a d'autres moyens de lever des fonds sans que j'intervienne.

— Comme quoi ?

— Rendre vos résultats publics.

— C'est encore trop tôt.

— Ce n'est jamais assez tôt, répliqua Jenkins. Vous ne pensez pas qu'à Washington il y a des rumeurs concernant vos succès ? Comment croyez-vous que j'aie été au courant ? Il vous suffit de montrer certains de vos sujets d'étude. Pourquoi pas le jeune Krutzer ou Paul Leander ?

Harvey faillit presque sourire.

— Ou Bradley ? Le fils d'un sénateur nous vaudrait sûrement plus d'attention que deux homosexuels inconnus.

— Vous n'avez pas le droit de vous servir de lui !

— Même si ça permettait de sauver davantage de vies – ou votre fils est-il le seul homosexuel qui mérite de l'être ?

— Je vous interdis d'utiliser Bradley, Riker. Vous comprenez ?

— Je comprends, sénateur. Je comprends qu'il y a des choses plus importantes que des vies humaines – les campagnes de réélection, par exemple.

Le sénateur fit un pas vers lui. C'était un homme imposant, qui dominait de toute sa taille le petit docteur.

— Je commence à me lasser de vos leçons de morale, docteur Riker. Vous n'êtes plus sur votre terrain, là, et j'ai vu des hommes détruits par de plus petites erreurs.

— Vous me menacez ?

— Non, je vous mets en garde. Quelqu'un risquerait de vous piétiner si vous deveniez trop gênant.

Harvey soutint le regard noir du sénateur.

— Si ma clinique coule, un certain sénateur d'Arkansas aux idées rétrogrades et à l'esprit obtus boira la tasse avec moi.

Le sénateur Jenkins secoua la tête.

— Vous êtes complètement aveugle, Riker. Vous ne vous rendez même pas compte de ce qui est en jeu ici.

— Alors, dites-le-moi.

— Votre cause a plus que son lot d'ennemis. De nombreuses personnes aimeraient mettre un coup d'arrêt à vos recherches. Des personnes puissantes.

— Comme vous ?

Jenkins fit un pas en arrière.

— Moi, je veux juste sauver la vie de mon fils, dit-il doucement. Mais il y a des gens influents qui veulent faire fermer la clinique… pour de bon.

— J'en suis conscient. Je peux gérer ça.

Le sénateur Jenkins alla à la porte et l'ouvrit.

— Non, dit-il. Je ne crois pas que vous en soyez capable.

Sara observa Michael et Cassandra. La main serrée sur sa canne, elle luttait contre le désir d'aller frapper sa sœur avec. Elle ferma les yeux un instant. En réagissant à la provocation, elle ferait son jeu. Néanmoins, la rage et la jalousie lui mettaient le feu aux joues.

Dieu sait qu'elle devrait en avoir l'habitude.

Elle s'avançait résolument vers eux quand quelqu'un se plaça sur son chemin.

— Bonsoir, mademoiselle Lowell.

Sara leva les yeux, surprise.

— Révérend Sanders ?

— S'il vous plaît, dit le pasteur, son célèbre sourire plaqué sur le visage, pourriez-vous m'accorder une minute ?

Il l'escorta vers le couloir vide, hors de vue de la foule.

— Je ne m'attendais pas à vous trouver ici, commença Sara.

Et d'ailleurs, qu'est-ce que vous foutez là ?

— La Sainte Croisade est un important contributeur de la fondation de votre père, expliqua-t-il. Il ne pouvait donc faire autrement que d'inviter un représentant de notre mouvement. Et comme j'ai toujours voulu rencontrer le prestigieux Dr Lowell, j'ai décidé d'être ce représentant.

— Je vois.

— Eh oui, mademoiselle Lowell, en dépit de votre entreprise de démolition de la Sainte Croisade et de ce en quoi nous avons foi, nous, les croyants…

— Je n'ai pas évoqué la foi dans mon reportage, le coupa Sara. Je n'ai parlé que de finances et d'impôts.

Sanders sourit.

— Vous vous croyez très maligne, n'est-ce pas, mademoiselle Lowell ? Vous vous imaginez vraiment que votre petit reportage peut faire du tort à mon ministère ? Vous êtes une idiote. En essayant de me détruire, vous avez obtenu l'effet inverse.

Sara s'appuya sur sa canne.

— Je ne sais pas de quoi vous parlez, mais si vous voulez bien m'excuser…

Elle s'apprêtait à repartir vers la grande salle, mais Sanders la retint fermement par le coude.

L'argent afflue depuis que nous sommes passés à l'écran, mademoiselle Lowell. Mon numéro vert sonne sans discontinuer. La publicité gratuite faite par l'émission…

— Lâchez-moi ou vous allez le regretter.

Il resserra sa prise.

— Vos attaques contre moi ont mobilisé mes supporters. Les justes ont perçu la menace et ils volent à mon secours…

— Il y a un problème, par ici ?

Sanders lâcha Sara et fit volte-face.

— Ciel, mais c'est Michael Silverman ! La star du basket ! Je suis un de vos grands fans ! C'est un plaisir de vous rencontrer, dit-il, la main tendue, le sourire étincelant.

Les yeux de Michael brillaient d'une rage contenue. Sara fit un pas vers lui et lui caressa l'épaule. Il avait les muscles crispés. Comme il continuait d'ignorer la main tendue du révérend, celui-ci finit par la retirer, le sourire vacillant à peine.

— Oui, eh bien, ça m'a fait plaisir de discuter avec vous, balbutia-t-il, mais il faut vraiment que je retourne à la soirée.

— Ah vraiment ? contra Michael.

Sanders s'était mis à transpirer abondamment.

— On se reverra plus tard au cours de la fête, dit-il. Bonsoir, miss Lowell !

Puis, s'adressant à Michael :

— Au fait, monsieur Silverman, la Sainte Croisade soutient Israël. Je tenais à vous le dire.

Michael regarda Sanders s'éloigner dans le couloir.

— Autorisation de lui défoncer la tête ?

— Autorisation refusée… pour l'instant.

— Tu ne me laisses plus jamais m'amuser, dit Michael en commençant à se détendre.

— Désolée.

— Et c'est un grand soutien d'Israël. C'est chouette, non, chérie ? Je parie que certains de ses meilleurs amis sont juifs.

Sara acquiesça.

— Il songe sûrement à se convertir.

— Je me chargerai de la circoncision.

Michael serra fort sa femme dans ses bras.

— Ça va ?

— Ça va.

Elle retira ses lunettes et les essuya avec le mouchoir de Michael.

— Alors, qu'as-tu fait ce soir, mon valeureux héros ?

Michael haussa les épaules.

— Oh, la routine : sauver des enfants des flammes, combattre le crime dans les rues, me faire peloter par ta sœur.

Sara éclata de rire.

— Cassandra est parfois un tantinet agressive.

— Un tantinet – un peu comme Napoléon. Tu n'es pas fâchée, n'est-ce pas ?

— Moi ? Jamais. J'ai ressenti, cependant, un fort désir de lui taper sur la tête avec ma canne.

— Je reconnais bien là ma petite femme.

— Et tu l'as combattue vaillamment, je suppose.

Il porta le poing à sa poitrine.

— Ma vertu est intacte.

— Bien.

— Au fait, tu étais super, ce soir…

Elle arqua un sourcil.

— … je parle de l'émission. Pas étonnant que Sanders ait été furieux. Tu l'as réduit en pièces.

— Mais il a sans doute raison, Michael : tout ce que le reportage va réussir à faire, c'est galvaniser ses partisans et lui en gagner de nouveaux.

— À court terme, peut-être. Mais même les imbéciles finissent par changer d'avis.

— Ce ne sont pas des imbéciles. Un peu crédules, peut-être…

— Comme tu voudras, dit-il en lui prenant la main. Prête à affronter ton public d'admirateurs ?

— Pas vraiment.

— Bien. Alors, suis-moi, mon petit chaton.

— Où ça ?

— Un peu plus tôt dans la soirée, tu m'as dit que je pourrais profiter de toi…

— Ah bon ? Je ne m'en souviens pas.

— C'était juste après que tu m'as eu qualifié de bombe sexuelle.

— Ah, dit-elle en se dirigeant vers l'escalier. Maintenant, ça me revient.

— Sénateur Jenkins !

Stephen Jenkins se retourna, son sourire de campagne électorale vissé à son visage empâté.

— Bonsoir, révérend. Quel plaisir de vous voir !

Les deux hommes échangèrent une vigoureuse poignée de main. Le sénateur n'ignorait pas que Sanders comptait parmi les personnages les plus influents du Sud. Au cours de la décennie, la droite religieuse avait été déterminante dans sa réélection, et le révérend Sanders n'avait pas son pareil pour orienter le vote de ses ouailles. Quand il était de votre côté, il vous portait aux nues comme si vous étiez le descendant des prophètes. Mais s'il était contre vous, gare ! Même Satan était alors mieux traité dans ses sermons. Une chance pour Jenkins, le révérend l'avait soutenu. Sans cette base électorale au dernier scrutin, le sénateur aurait pu se faire battre par ce gauchiste arriviste que les démocrates avaient présenté contre lui.

— Merci, Stephen. Sacrée réception, n'est-ce pas ?

— Oh, oui.

Sans avoir à échanger un signe ou un regard de connivence, les deux hommes descendirent de concert le couloir pour se mettre à l'abri des oreilles et des regards indiscrets. Leurs sourires s'évanouirent aussitôt. Ernest Sanders se pencha vers Jenkins, le visage rouge et l'expression résolue.

— Je ne suis pas très content de la liste des invités à ce gala, attaqua-t-il.

— Que voulez-vous dire ?

— Qu'est-ce que le Dr Harvey Riker vient faire ici ?

— C'est un proche de la fille de John.

— Ce n'est pas bon, ça, Jenkins. Le fait qu'il soit là… contribue à lui donner une certaine crédibilité, vous ne croyez pas ?

Le sénateur acquiesça, même s'il n'était pas d'accord. Il savait aussi que son vieil ami John Lowell était beaucoup plus contrarié par la présence de Sanders que par celle de Riker. John avait clairement affirmé qu'il ne voulait rien avoir à faire avec le télévangéliste, du moins publiquement.

— Il s'est passé beaucoup de choses dernièrement, poursuivit Sanders. Nous devons nous préparer. Je propose que nous nous rencontrions tous la semaine prochaine.

— Où ?

— À Bethesda.

Le sénateur hocha la tête.

81

— Vous restez longtemps en ville, révérend ?

— Non. Je repars demain après-midi. Je suis seulement venu pour l'interview et pour… comment dire ? Maintenir la cohésion de notre sainte coalition.

Jenkins sentit un froid lui parcourir le dos.

— Je ne comprends pas.

Sanders le regarda dans les yeux.

— Ne vous faites pas de souci, Stephen, dit-il. Je m'occupe de tout.

Bien plus tard, Harvey Riker repéra Sara près du bar. *Enfin, une occasion de lui parler seul à seul.* Pendant le dernier quart d'heure, il avait vu Sara et Bradley Jenkins plongés dans ce qui avait tout l'air d'une conversation sérieuse. Ils venaient d'être interrompus par le père de Bradley, qui avait éloigné son fils. Rien de surprenant à cela. Harvey savait que Bradley se confiait à Sara. Le sénateur Jenkins devait le savoir aussi.

Appuyée sur sa canne, Sara sirotait son verre quand Harvey l'approcha.

— Ah, te voici, dit-il. Je te cherche depuis le début de la soirée. Félicitations pour l'émission.

Elle l'embrassa sur la joue.

— Merci, Harvey. Et toi, comment ça va ?

— Bien.

— Et la clinique ?

Harvey haussa les épaules.

— Ça va.

— Michael a eu le temps de te parler ?

— De quoi ?

— De son ventre.

— Non. Qu'est-ce qu'il a ?

— Je vais le tuer !

— Qu'est-ce qu'il a au ventre ?

— Il a des douleurs épouvantables depuis plusieurs semaines.

— Je comprends mieux pourquoi il a passé la soirée à grimacer.

— Je n'y crois pas ! continua Sara. Il m'avait promis de t'en parler.

— Ne lui en veux pas, Sara. Je n'ai pas été d'une humeur très disponible, ce soir. Il a sûrement pensé que ce n'était pas le moment.

— Qu'est-ce qu'il y a ?

— Je dois te parler d'une chose importante.

Malgré le serment qu'il s'était fait un peu plus tôt, Harvey avait largement dépassé son quatrième Martini. Il en prit une nouvelle rasade, jouissant de sentir l'alcool tourner dans sa bouche, avant de l'avaler. S'il avait auparavant ressenti une certaine ivresse, son esprit lui parut soudain clair et alerte.

— Ça concerne la clinique, commença-t-il, pesant soigneusement chaque mot. Et aussi, je crois, la mort de Bruce.

Il s'interrompit, puis fit un geste de la main.

— Allons marcher.

Ils franchirent les portes-fenêtres et sortirent dans le jardin. De nombreux invités avaient quitté la salle de bal bondée pour envahir les pelouses. Tous deux passèrent en silence devant la piscine, le *pool house* et le court de tennis. Sara entraîna Harvey vers l'écurie et ouvrit la porte, libérant une odeur de foin et de cheval. Ils entrèrent.

— C'est une très belle propriété, dit Harvey.

— C'est vrai.

Il flatta le chanfrein d'un gros cheval gris.

— Tu montes souvent ?

— Non, c'est Cassandra, la cavalière de la famille. Quand j'étais petite, les médecins n'aimaient pas l'idée de me voir sur un cheval, donc je ne m'y suis jamais vraiment mise… Bon, et si tu me disais ce qui se passe ?

— Tu vas me prendre pour un fou.

— Rien de nouveau là-dedans.

Harvey s'esclaffa puis examina l'écurie pour s'assurer qu'ils étaient seuls.

— Comme tu le sais, Bruce et moi dirigeons cette clinique depuis maintenant trois ans, en faisant notre possible pour garder secrets tous les résultats et éviter la presse à tout prix.

— Je sais, commenta Sara, même si je n'ai jamais compris pourquoi. D'habitude, les cliniques et les médecins se battent pour obtenir l'attention des médias.

— En général, oui. Quant à moi, je ne suis jamais opposé à voir mon visage souriant sur le petit écran. Mais là, l'enjeu est différent, et il est de taille. D'abord, notre traitement est encore en phase expérimentale. Une simple rumeur de succès susciterait des espoirs qui ne pourraient sans doute pas être satisfaits. Ensuite, nous ne travaillons qu'avec quarante patients, dont la plupart ne veulent pas que leur dossier soit rendu public, pour des raisons évidentes. Le sida reste la maladie honteuse de notre société, qui génère les pires préjugés et discriminations. Mais plusieurs faits récents ont changé la donne.

— Lesquels ?

— L'argent, d'abord. On en manque, alors qu'on en a un besoin crucial. Si l'opinion publique ne fait pas pression sur le gouvernement pour augmenter notre dotation et si on ne reçoit pas de dons extérieurs, la clinique ne survivra pas longtemps…

Il s'interrompit un instant, avant de reprendre :

— Et il y a aussi autre chose. Mais tu dois promettre de garder ça pour toi.

— Vas-y.

— Jure-le.

Elle le regarda, décontenancée.

— Je te le jure.

Il poussa un profond soupir.

— Tu as peut-être entendu des rumeurs, Sara. On a beau tout faire pour rester discrets, il y a des fuites. Ça a commencé avec le succès du traitement sur le virus isolé en laboratoire. Ensuite, on l'a testé sur des souris. Au bout d'un certain temps, le VIH a été détruit dans presque tous les cas. Même chose quand on a expérimenté sur des singes.

Sara en resta bouche bée. Elle avait effectivement entendu des bruits, mais n'y avait pas prêté foi, songeant que c'était trop beau pour être vrai.

— Tu veux dire…

Il hocha la tête.

— On a trouvé un remède contre le virus du sida, ou au moins un traitement très puissant.

— Mon Dieu.

— On n'a pas cent pour cent de réussite, s'empressa-t-il d'ajouter, et ce n'est sûrement pas un médicament miracle. Il s'agit d'un protocole long et douloureux, mais dans un certain nombre de cas nous avons obtenu un grand succès.

— Mais pourquoi tenez-vous à garder ça secret ?

Il sortit un mouchoir de sa poche et essuya la sueur sur son visage. Jamais Sara n'avait vu Harvey si tendu.

— Bonne question, répondit-il. Le virus de l'immunodéficience humaine, autrement dit le VIH, est retors. On a eu beaucoup de mal à savoir si on avait réussi à bloquer son évolution, ou s'il s'était simplement mis en sommeil. Le VIH se transforme en permanence, il mute et se dissimule parfois dans les cellules. On n'avait aucune idée des véritables effets à long terme de ce qu'on faisait. Imagine, Sara, qu'on ait affirmé avoir trouvé un remède contre le sida pour découvrir plus tard que c'était faux.

— Ç'aurait été catastrophique.

— Pour le moins. En plus, on doit se battre avec le ministère de la Santé.

— Qu'est-ce qu'il a à voir là-dedans ?

— Tout. C'est une bureaucratie gigantesque, et les bureaucrates ont le don de ralentir les choses. Pas seulement le ministère de la Santé – mais tous les organismes qui dépendent de lui : la Food and Drug Administration, les Centers for Disease Control, le National Institutes of Health [1].

— Des bureaucrates au-dessus de bureaucrates.

— Exactement. C'est la raison pour laquelle nous gardons nos archives et nos données sensibles à l'étranger, là où les fonctionnaires du ministère ne peuvent s'en mêler quand ils n'ont rien de mieux à faire.

1. Agence fédérale américaine chargée de piloter et de soutenir la recherche médicale. *(N.d.T.)*

— Je ne te suis plus.

— Tu sais que j'ai servi comme médecin militaire au Vietnam ?

Elle acquiesça.

— J'ai passé beaucoup de temps en Asie du Sud-Est. Ce sont des cultures paisibles. Mystérieuses. Là-bas, personne ne se mêle des affaires des autres. Bruce et moi avons décidé de conserver tous nos tests de labo – les prélèvements de tissus, les échantillons de sang, ce genre de choses – à Bangkok, là où ils ne sont guère accessibles.

— Pour échapper à la bureaucratie ?

— Exact. Je ne remets pas en cause l'utilité de ces organismes. Mais il n'empêche que la FDA, par exemple, a l'habitude de tester des médicaments pendant des années pour s'assurer qu'ils sont sans danger. Tu as certainement lu des articles à propos de tous les médicaments expérimentaux qu'elle interdit aux malades du sida de prendre.

— Ça n'a pas grand sens, en effet.

— C'est une question complexe, mais je suis d'accord avec toi. Puisque le sida est une maladie mortelle, qu'est-ce que ça coûte d'expérimenter des remèdes avec des patients qui sont de toute façon condamnés ? Ce que nous avons voulu faire, à la clinique, c'est fournir à la FDA des preuves suffisamment probantes pour éviter des délais inutiles. En même temps, nous pouvions tester notre composé à l'abri du déchaînement médiatique que nos résultats auraient provoqué.

Sara réfléchit un instant.

— Mais ne pouviez-vous pas montrer en secret vos résultats aux autorités ? On vous aurait sûrement alloué davantage de crédits au vu des progrès réalisés.

Harvey sourit.

— Tu oublies que les décideurs sont des hommes politiques. Tu les imagines capables de taire une affaire comme ça ? Impossible, Sara. Ils auraient tenté de l'utiliser pour récolter des voix.

— Tu n'as pas tort.

— Et encore autre chose : tous ces messieurs ne sont pas favorables à notre programme de recherche. Ton père, pour commencer.

— Les critiques de mon père à l'encontre de la clinique sont d'un autre ordre, rétorqua-t-elle, sur la défensive. S'il savait que vous aviez découvert un remède…

— J'ai peut-être parlé un peu vite. Ton père est un médecin dévoué, et je ne remettrai jamais en question son engagement pour lutter contre la douleur humaine. Je ne suis pas d'accord avec sa position sur le sida, mais c'est une divergence d'opinion, pas d'idéologie. Certains autres, en revanche – des types comme ce salaud de Sanders et ses adeptes loboto-misés –, sont prêts à tout pour stopper notre recherche.

— Et qu'est-ce que tout ça a à voir avec la mort de Bruce ? Si vous étiez si près du but, pourquoi s'est-il suicidé ?

Harvey baissa la tête, fixant ses chaussures de ses yeux fatigués.

— C'est bien là le problème.

— C'est-à-dire ?

Il joua avec la paille dans son verre.

— Si je voulais te prouver que nous avions vraiment découvert un traitement contre le sida, que pourrais-je te montrer pour te convaincre ?

— Des exemples de guérison.

— Précisément. L'essentiel de notre recherche repose sur nos patients. Le problème, c'est que deux patients participant à nos essais cliniques et déclarés guéris sont morts.

— À cause du sida ?

Il secoua la tête.

— Assassinés.

Le mot frappa Sara comme une gifle.

— Tous deux ont été poignardés à mort à quinze jours d'intervalle.

— Je n'ai rien lu là-dessus.

— Les meurtres d'homosexuels font rarement les gros titres.

— Tu en as parlé à la police ?

— Oui. Ils ont estimé que c'était une coïncidence intéressante, rien de plus. Et ils ont souligné d'autres similitudes entre les deux hommes – tous deux gays, vivant à Greenwich Village, bruns, etc.

— Ils ont peut-être raison. Il s'agit peut-être simplement d'une coïncidence.

— Je sais. J'y ai pensé, mais…

— Mais ?

— Mais Bruce est mort.

— Et tu crois que son suicide a un lien avec tout ça ?

Il poussa un profond soupir, avant de répondre :

— Je ne crois pas que Bruce se soit suicidé. Je crois qu'il a été assassiné.

Sara sentit sa bouche s'assécher.

— Mais comment est-ce possible ? On n'a pas retrouvé une lettre d'adieu ?

— Si.

— Écrite de sa main ?

— Oui.

— Alors, comment…

— Je ne sais pas exactement. Ça pourrait être une sorte de mise en scène.

Le visage de Sara reflétait sa stupéfaction.

— Tu dis que quelqu'un aurait poussé Bruce par la fenêtre ?

— Je dis que ça vaut la peine de se poser la question. Bruce était censé être en vacances à Cancún. Qui rentrerait plus tôt de vacances pour se suicider ? Et il y a autre chose.

— Quoi ?

— Quelques minutes avant sa mort, il m'a appelé. Il avait l'air paniqué. Il m'a dit qu'il devait absolument me parler en privé de quelque chose d'important. Je suis sûr que ça concernait les meurtres. On était en ligne depuis moins de deux minutes quand il a raccroché brusquement.

— Il t'a dit où il était ?

— Non.

Sara réfléchit une seconde.

— As-tu d'autres cas cliniques que tu pourrais présenter en dehors des deux hommes assassinés ?

— Oui, au moins quatre autres. Je sais que tout ça a l'air dingue, Sara, et je sais aussi qu'il y a plein d'explications plus rationnelles. Un tueur d'homosexuels, rôdant autour de la clinique, aurait pu suivre Whitherson et Trian, les deux victimes, et les tuer. Ça pourrait même être l'œuvre d'un autre patient ou d'un membre de notre personnel. Mais c'est tellement énorme, tellement important ! Si – et je reconnais que c'est un grand si – quelqu'un les a assassinés à cause de leur lien avec la clinique et que ce quelqu'un s'en prenait à d'autres, ça retarderait l'établissement de la preuve que le traitement marche. Ce retard pourrait coûter des milliers, peut-être des centaines de milliers de vies.

— Je comprends, dit Sara, mais pourquoi tu m'en parles à moi ?

Un sourire apparut sur le visage las d'Harvey.

— Je n'ai pas grand-chose, Sara. Je suis divorcé. Sans enfants. Mon seul frère est mort du sida. Mon père est décédé il y a des années, et ma mère atteinte de la maladie d'Alzheimer. Je travaille sans arrêt et n'ai donc pas beaucoup d'amis.

Il s'interrompit, comme pour rassembler des forces supplémentaires.

— Michael a toujours été comme un fils pour moi. Ce qui fait de toi, eh bien, la meilleure des belles-filles. Que vous le vouliez ou non, Michael et toi êtes ma famille.

— On le veut, dit-elle doucement en lui prenant la main. As-tu parlé de tout ça à quelqu'un d'autre ?

— Je comptais le dire à Michael, mais je voulais t'en parler d'abord. Eric est au courant, bien sûr. Il a été formidable depuis qu'il a rejoint la clinique. Il m'est devenu indispensable.

— Je suis ravie que ça se passe si bien avec lui.

— Oui, enfin, on se demande tous les deux si on n'est pas en train de devenir dingues, avec cette histoire de meurtres. Ou complètement paranos, à voir des complots partout. Le fait de travailler sur une

91

maladie comme celle-ci finit par nous rendre cinglés. Est-ce que tu vas m'aider à y voir plus clair ?

— Bien sûr, répondit-elle. J'ai un ami à la police criminelle, l'inspecteur Max Bernstein. Je vais lui en parler. Mais j'ai une autre proposition à te faire.

— Laquelle ?

Elle hésita.

— Laisse-moi faire un reportage sur la clinique. On le diffusera dans *NewsFlash*. La publicité positive obligera le gouvernement à vous financer.

— Je ne sais pas, Sara. Ça risque de mécontenter Washington.

— Et alors ? Après ça, tu auras toute l'Amérique de ton côté. Les politiciens n'oseront plus vous faire fermer boutique.

Tête baissée, Harvey resta silencieux un moment.

— Harvey ?

— Peux-tu garder notre identité et notre adresse secrètes ? demanda-t-il. Pas de noms de médecins, pas de noms de patients, rien de ce genre ? Je ne veux pas mettre en danger la confidentialité promise aux malades.

— Pas de problème.

Il regarda autour de lui, les yeux embués, craintifs.

— Si tu penses que ça peut marcher…

— Ça doit marcher. Comme tu l'as dit tout à l'heure, il est temps que le monde soit au courant.

— Alors, d'accord.

Il secoua la tête, dans un vain effort pour s'éclaircir les idées, et tenta d'afficher un visage optimiste.

— Bon, changeons de sujet, veux-tu ? Toi, comment ça va ?

— Justement, répondit-elle avec un petit sourire. Moi aussi, j'ai un petit service à te demander.

— Tout ce que tu voudras.

— Tu pourrais me trouver un bon obstétricien ?

— Mon Dieu, Sara, tu es…

Elle haussa les épaules, tentant de contenir son excitation.

— Pour l'instant, j'ai juste du retard.

— La question manque peut-être de sensibilité, mais… et ta carrière ?

— Pas de problème de ce côté-là. Je peux toujours enregistrer les émissions d'ici à l'accouchement, et les chaînes de télé adorent la publicité autour des congés maternité. Rien de tel pour booster les audiences.

— Tu peux aller au Columbia Presbyterian demain matin à dix heures ?

— Oui.

— Parfait. Demande le Dr Carol Simpson. Elle sera prévenue de ta visite.

Puis il ajouta d'une voix plus grave :

— Je sais que Michael et toi essayez depuis un certain temps d'avoir un enfant. Tu le lui as dit ?

Elle fit non de la tête.

— Je préfère attendre le résultat des examens. Je ne veux pas lui donner de faux espoirs.

— Je te retrouve là-bas ?

— Avec plaisir. Eh, Harvey… ?

— Oui ?

— N'oublie pas de parler à Michael de ses maux de ventre. Il n'en dit rien, mais c'est vraiment un problème.

— Je vais aller le voir tout de suite.

George était assis dans sa voiture, dissimulée derrière un grand bosquet à l'entrée de la propriété du Dr Lowell. Il consulta sa Piaget. Il se faisait tard. La soirée touchait à son terme. De nombreux invités étaient déjà repartis.

Pendant sa surveillance, George avait vu sa victime désignée remonter l'allée dans une limousine étincelante. La pauvre âme se trouvait à présent dans le vaste manoir, à boire du champagne et déguster du foie gras en frayant avec la jet-set, sans savoir que, dans quelques heures, le couteau dans la main de George lui trancherait les artères et mettrait fin à ses jours.

Il examina la lame de son cran d'arrêt. Même dans le noir, elle brillait comme une menace.

Une limousine descendit l'allée et passa devant lui. George reconnut aussitôt la plaque d'immatriculation. Le flot familier d'adrénaline courut dans ses veines.

Il fit démarrer le moteur et prit l'autre en filature.

4

C'ÉTAIT UNE CONTRE-ATTAQUE À DEUX CONTRE UN. Michael en avait repoussé des centaines au cours de sa carrière, peut-être des milliers. Il regarda Jerome Holloway dribbler dans sa direction à la vitesse de l'éclair. Le jeune Noir efflanqué, venu des Memphis State, avait été le premier choix des New York Knicks lors du draft. À sa gauche courait l'autre nouvelle recrue des Knicks, Mark Boone, un géant blanc issu des Brigham Young. Les deux gamins fonçaient sur le vieux vétéran, le regard déterminé.

Allez, venez voir papa !

Michael savait mieux que quiconque comment tenir une défense à deux contre un : il fallait embrouiller ses adversaires, en particulier le porteur du ballon. La clé, c'était d'inciter le jeune Holloway à faire une passe hasardeuse, ou de l'entraver assez longtemps pour permettre aux coéquipiers de Michael d'arriver en renfort.

Michael feintait en bougeant la tête de droite à gauche, freinant la progression d'Holloway vers le panier tout en bloquant Boone. Il devait avoir l'air d'un possédé. Tant mieux – autant malmener un peu les petits jeunes.

Jerome Holloway se dirigeait droit vers le panier. Au dernier moment, Michael se jeta devant lui. Jerome bondit, cherchant désespérément à voir apparaître Boone de l'autre côté. Une erreur typique de débutant. L'air soudain paniqué, il commença à armer les bras, se préparant à lancer.

C'était comme de piquer son bonbon à un bébé.

Michael se glissa entre les deux, s'apprêtant à intercepter la passe et à repartir de l'autre côté du terrain. Il avait pratiqué cette manœuvre un nombre incalculable de fois. Tant de matchs s'étaient joués sur ce genre de revirement. Il avança et tendit la main au centre de la trajectoire, à la seconde où Holloway aurait dû lancer le ballon.

Mais Holloway se recula. La passe et l'expression de panique étaient des feintes. À présent très mal placé, Michael ne put que regarder Holloway sourire et glisser vers le panier. Le smash atteignit sa cible avec une force incroyable, faisant vibrer le panneau.

Holloway atterrit et se tourna vers Michael. Il souriait toujours.

À bout de souffle, Michael commenta :

— Je sais, je sais, dans les dents, pas vrai ?

Jerome haussa les épaules.

— C'est toi qui l'as dit, vieux chnoque, pas moi. Mais j'adore jouer contre des légendes.

— C'est l'entraînement, mon petit. On est dans la même équipe.

— Les Knicks avant tout… Au fait, joli short.

— Tu n'aimes pas ?

— Les fleurs roses et bleues ? Très tendance.

Ils traversèrent le terrain en courant. Les dix joueurs participant à l'entraînement étaient trempés de sueur. Leurs corps brillaient sous le faible éclairage. Michael avait chaud, se sentait fatigué et en petite forme physique. Et son ventre n'arrangeait rien.

La saison qui s'annonçait serait la douzième de Michael au sein des New York Knicks. Tout comme Holloway, il avait été le premier choisi au cours du draft, à vingt-deux ans, en sortant de Stanford. Dès sa première année en NBA, il était devenu une superstar, gagnant le trophée du meilleur joueur débutant et décrochant sa place dans la All-Star Team. Cette même année, les Knicks étaient passés de la dernière à la deuxième place de l'Eastern Conference. L'année suivante, il les avait amenés jusqu'aux finales, qu'ils avaient perdues à la suite d'une confrontation épique contre les Phoenix Sun. Deux ans plus tard, il gagnait son premier anneau du championnat NBA. Il en avait remporté trois au cours de sa carrière chez les Knicks, avait été sélectionné dix fois dans les All-Star, et avait été le meilleur de la ligue en interceptions et passes décisives pendant huit saisons.

Pas si mal, pour un vieux chnoque.

Michael était ce qu'on appelle un joueur complet. Certains étaient capables de marquer comme lui, quelques-uns de dribbler comme lui, deux ou trois de faire des passes comme lui, mais presque aucun ne savait défendre aussi bien que lui. Additionnez tout ça, et vous obtenez le genre de prodiges que s'arrachent les équipes de la ligue.

— Qu'est-ce qui se passe, Michael ? Tu t'encroûtes ? Bouge ton cul !

La voix appartenait au nouvel entraîneur des Knicks, Richie Crenshaw. Richie avait été le deuxième choix du draft l'année même où Michael avait été recruté par les Knicks. Il y avait toujours eu une certaine rivalité entre les deux joueurs, même si c'était une rivalité amicale. Hors du terrain, les deux hommes s'entendaient bien. Et ils demeuraient amis maintenant que Richie était devenu coach.

Ta gueule, Richie, rétorqua Michael. Mais *in petto*.

Ses poumons le brûlaient ; il avait la bouche sèche. Il vieillissait, tout simplement – même s'il avait joué d'une santé insolente pendant ses dix premières années en NBA. Aucune blessure. Un accident de bateau, quelques années plus tôt, mais qui ne comptait pas puisqu'il avait eu lieu hors période de compétition. Uniquement deux forfaits pour des matchs en dix saisons, résultat d'une élongation de l'aine sans gravité. Vraiment exceptionnel. Sans précédent. Puis la chance avait brusquement tourné. Michael avait fait une mauvaise chute lors d'un match contre les Washington Bullets. Pour ne rien arranger, Burt Wesson, l'attaquant des Bullets aux cent vingt kilos, s'était fracassé sur lui. Son genou s'était replié du mauvais côté. Un craquement, puis le hurlement de Michael avait résonné dans tout le stade.

Plus de basket pendant un an.

Il avait porté un énorme plâtre, aussi confortable qu'un slip en tweed. Pendant des mois, il avait clopiné en écoutant les moqueries de Sara.

— Arrête d'imiter ma boiterie, Michael. Ce n'est vraiment pas gentil de ta part.

— Génial, j'ai épousé une actrice comique.

— On pourrait faire un duo d'humoristes, s'était-elle emballée. Les époux boiteux. On les fera plier de rire comme des cannes en caoutchouc.

— Pas drôle du tout. Arrête.

— Pas drôle ? D'accord, et si on montait une troupe de danseurs ? On boite à gauche. On boite à droite. On enroule nos orthèses pendant un tango.

— Stop ! Au secours ! Police ! Arrêtez-la !

Tous deux étaient conscients qu'il pourrait peut-être ne plus jamais jouer ; ils s'y étaient préparés. Michael n'avait jamais eu la naïveté de croire qu'une carrière de basketteur durait toujours. Au Parti républicain, on parlait de le présenter au Sénat quand il prendrait sa retraite sportive. Mais Michael ne se sentait pas prêt à abandonner. Du moins pas encore. Pendant une année pénible, il avait travaillé avec acharnement à l'aide du kiné que lui avait trouvé Harvey pour reconstruire son genou blessé.

À présent, il s'efforçait de retrouver son meilleur niveau lors des sessions d'entraînement de présaison avec les Knicks. Mais alors que son genou, maintenu par une genouillère, tenait bon, son ventre le ralentissait. La veille, il avait promis à Harvey de passer à la clinique avant quinze heures pour effectuer un check-up complet. Avec un peu de chance, son ami lui ferait subir quelques tests, conclurait que c'était encore une saleté de bactérie, lui ferait une injection d'antibiotiques et le renverrait chez lui.

En songeant à Harvey, Michael se rappela la discussion qu'il avait eue avec Sara la nuit précédente, lorsqu'ils étaient rentrés chez eux après la réception. Si ce qu'Harvey leur avait révélé la veille était vrai, s'il avait véritablement trouvé un traitement contre le virus du sida…

Un de ses coéquipiers lui libéra le passage en marquant l'adversaire, et Michael en profita pour courir de la partie gauche à la partie droite du terrain. Un coup d'œil à l'horloge lui apprit qu'il était midi. Dans une heure, il irait voir Harvey. À la Clinique. À laquelle il mit un C majuscule dans sa tête.

Michael se serait bien passé de cette visite. Aussi immature que ce soit, cet endroit lui fichait la trouille. À cause de la gravité de la maladie qu'on y traitait… ou d'une homophobie pas si latente que ça ?

En toute honnêteté, Michael n'avait jamais été complètement à l'aise avec les gays. Bien sûr, il estimait que les homosexuels devaient être traités comme n'importe qui, que leur vie privée ne regardait qu'eux, et que nul ne devrait souffrir de discrimination à cause de son orientation sexuelle. Il admettait aussi que Sanders et sa bande de fanatiques décérébrés étaient des fous dangereux. Cependant, il se surprenait parfois à faire l'occasionnelle blague homophobe, à traiter de « vieux pédé » un homme un peu efféminé ou à se tenir à l'écart de quelqu'un manifestement « de la confrérie ». Il se souvenait du moment où son coéquipier et ami, Tim Hiller, avait ébranlé le milieu sportif en rendant publique son homosexualité. Officiellement, Michael l'avait soutenu, mais il n'en avait pas moins pris ses distances. Leur amitié ne s'était pas rompue, simplement, Michael l'avait laissée se déliter. Ça lui donnait mauvaise conscience.

Sur le terrain, Reece Porter avait le ballon. C'était le meilleur ami de Michael dans l'équipe, et le seul autre joueur ayant dépassé la trentaine. Il repéra Michael et lui fit une passe.

— Vas-y, Mikey ! s'écria-t-il.

Michael effectua une belle feinte devant le jeune Holloway, dribbla jusqu'au milieu de la zone restrictive et tira. Alors qu'il regardait le ballon flotter doucement vers l'anneau, Jerome Holloway décolla et smasha le ballon de sa paume, envoyant la sphère orange hors du terrain, dans les gradins. Un contre sans bavure.

Nouveau sourire du jeunot.

Michael leva les mains.

— Inutile de le dire. Dans les dents, encore une fois, c'est ça ?

Michael entendit un éclat de rire dans son dos. Il venait de Reece Porter.

— On peut savoir ce qu'il y a de drôle ?

Reece avait du mal à se contenir.

— Tu ne vas pas accepter ça, Mikey ?

Michael se retourna vers Holloway.

— Prends le ballon, champion, et dribble pendant que je te marque.

— Un contre un ? demanda le gamin, incrédule.

— Tu as tout compris.

— Je vais te déborder si vite que tu ne vas pas comprendre ce qui t'arrive.

Michael sourit.

— Ouais, c'est ça. Allez, champion, c'est parti.

Jerome Holloway récupéra le ballon, fit deux dribbles et se mit à accélérer en direction de Michael.

Il l'avait dépassé de deux mètres quand il s'aperçut qu'il n'avait plus le ballon.

Il se retourna juste à temps pour voir Michael effectuer un tir en suspension. Cette fois, c'était Michael qui souriait.

Jerome Holloway rigola.

— Je sais, je sais, dans les dents, pas vrai ?

Reece poussa des hurlements comme s'il venait de gagner à la loterie.

— Eh bien, mon petit gars, c'est ce qui s'appelle se faire remettre à sa place.

— Ouais, admit Holloway. Tu sais quoi, Michael ? Tu es un vieux chnoque rusé. Je suis sûr de pouvoir apprendre beaucoup en te regardant.

Vieux chnoque. Michael poussa un profond soupir.

— Merci, Jerome.

Un coup de sifflet retentit.

— Cinq minutes de pause ! hurla le coach. Allez boire un peu, ensuite, je veux que vous fassiez cinquante lancers francs chacun.

Les joueurs se dirigèrent à petites foulées vers la fontaine – tous sauf Michael, qui resta où il était, plié en deux, les mains sur les genoux. Le coach Crenshaw le rejoignit.

— Je t'ai vu en meilleure forme, Michael.

Michael continuait d'aspirer de grandes goulées d'air.

— Merci pour les encouragements, coach.

— C'est vrai. Tu ne voudrais pas que je te raconte des histoires, si ?

— Eh bien, je ne serais pas contre.

— C'est ton genou qui fait des siennes ?

Michael secoua la tête.

— J'ai l'impression que quelque chose te tracasse.

— Je…

Il ne put en dire davantage. Une douleur fulgurante lui transperça l'abdomen. Il poussa un cri bref et sonore, et s'agrippa le ventre.

— Michael !

C'était Jerome Holloway. Les yeux écarquillés, le gamin se précipita sur le terrain. Reece Porter suivit de près.

— Mikey ? demanda Reece en s'agenouillant à côté de lui. Qu'est-ce qui t'arrive ?

Michael ne répondit pas. Il s'écroula par terre, à l'agonie. Il lui semblait que des griffes acérées lui déchiquetaient le ventre.

— Appelez une ambulance ! hurla Reece. Tout de suite !

Le Dr Carol Simpson raccompagna Sara dans la salle d'attente du pavillon Atchley. Situé près du bâtiment principal du centre hospitalier Columbia Presbyterian, il accueillait les cabinets personnels des nombreux médecins du complexe médical. Lorsque Harvey avait fait faire à Sara et Michael le tour du site l'année précédente, la jeune femme avait été impressionnée par sa taille, à la hauteur de sa réputation. Il comprenait une clinique pédiatrique réputée et le pavillon Harkness, qui accueillait les patients privés ; les instituts de neurologie et de psychiatrie, qui disposaient chacun de leur propre bâtiment et passaient pour les meilleurs du monde dans leur domaine – sans parler de l'hôpital d'ophtalmologie, de la clinique orthopédique, de l'hôpital

Sloane, de la clinique urologique Squier, de la clinique Vanderbilt, et du tout nouveau et impressionnant bâtiment de l'hôpital Milstein.

Et tous ces fleurons de la médecine avaient été regroupés à l'ouest de Broadway, entre la 165e et la 168e Rue, dans Spanish Harlem.

À quelques blocs au nord-ouest, on trouvait les logements des étudiants du Columbia College of Physicians and Surgeons, l'une des meilleures facs de médecine du pays. Mais, en continuant encore un peu plus vers le nord, on tombait sur J. Hood Wright Park, une « allée à crack » de sinistre réputation, où la drogue s'échangeait au vu et au su des passants. Sa proximité avec l'hôpital, avait souligné Harvey en plaisantant à moitié, en faisait un endroit pratique pour avoir une overdose.

Une des plus petites et des plus récentes sections du centre médical se situait près de la 164e Rue, presque cachée des regards. De l'extérieur, on n'aurait jamais deviné que l'édifice délabré accueillait un service de médecine expérimentale et curative. Appelé pavillon Sidney, du nom du frère d'Harvey Riker, ce centre d'étude épidémiologique était entouré de secret et sécurisé. Personne ne pouvait y entrer sans l'autorisation des Drs Harvey Riker ou Eric Blake. Le personnel et les patients, réduits au minimum, avaient été personnellement sélectionnés par Riker et feu le Dr Bruce Grey. Les membres du conseil d'administration du Columbia Presbyterian évoquaient rarement en public, voire jamais, ce nouveau département.

Le Dr Simpson s'approcha d'un guichet et tendit à l'infirmière l'échantillon de sang de Sara.

— Emportez ça au labo et faites un bêta HCG.

— Bien, docteur.

— C'est le nom savant pour le test de grossesse, expliqua Carol Simpson à l'intention de Sara. Les médecins aiment bien utiliser des noms de code que personne ne comprend. Ça nous donne l'air plus intelligent, vous ne trouvez pas ?

Contrairement à beaucoup de ses confrères, Carol Simpson n'était ni austère ni intimidante. Sa décontraction avait tout de suite mis Sara à l'aise.

— Si vous le dites.

— Il faut bien pouvoir justifier de toutes ces années d'études et d'internat – en plus d'avoir le caducée qui permet de se garer en toute illégalité devant Macy's.

— Ce que vous faites ?

— Uniquement pendant les soldes.

Quarante patientes au moins attendaient dans la salle, levant subrepticement les yeux de leur magazine avec l'espoir d'entendre appeler leur nom.

— Passez-moi un coup de fil cet après-midi, dit Carol. Je devrais avoir les résultats à ce moment-là.

— Très bien, répondit Sara.

— Et essayez de ne pas vous inquiéter. Je sais que vous êtes impatiente, mais tâchez de ne pas trop y penser. Faites comme moi quand j'ai besoin de me changer les idées : allez faire les magasins.

— Bonjour, mesdames.

Sara et Carol se retournèrent, pour voir Harvey venir vers elles. Tout son corps trahissait l'épuisement. Sa tête penchait légèrement, comme s'il somnolait ; il avait le dos voûté.

— Bonjour, Harvey, dit le Dr Simpson.

— Bonjour, Carol. Alors, comment va ma patiente préférée ?

— Très bien. Nous devrions avoir les résultats du test d'ici à quelques heures.

Le Dr Simpson reporta son attention sur les femmes qui attendaient.

— Madame Golden ?

Une dame au ventre proéminent leva la tête.

— Venez avec moi. Vous êtes la concurrente suivante.

Harvey et Sara prirent congé de la gynécologue et se dirigèrent vers l'ascenseur.

— Tu es entre de bonnes mains, dit Harvey. Malgré sa jeunesse, Carol Simpson passe déjà pour un des meilleurs obstétriciens du pays.

— Elle me plaît bien.

— Écoute, Sara, à propos de ce que je te disais hier soir…

— Oui ?

— Eh bien, à la lumière du jour, mes théories du complot paraissent toujours un peu folles. Ne me fais pas interner, d'accord ?

— Pas tout de suite, du moins. La clinique a-t-elle vraiment trouvé un remède ?

— Dans certains cas – peut-être la plupart –, oui. Comme je te le disais hier soir, on est encore au stade expérimental, et ça n'a pas marché sur tous les patients, mais…

Le biper d'Harvey retentit. Il regarda les chiffres qui s'imprimaient sur l'écran miniature.

— Oh, merde !

— Qu'est-ce qui se passe ?

106

Il se précipita vers le bureau de l'infirmière et décrocha le téléphone.

— C'est le code des urgences, expliqua-t-il.

Il composa un numéro. À l'autre bout de la ligne, on répondit sur-le-champ.

— Docteur Riker.

Un silence.

— Quoi ? Quand ?

Autre silence.

— J'arrive, dit-il en raccrochant. C'est Michael. Il vient d'être amené aux urgences.

Le cadavre était dans le coffre.

Hier encore, c'était un corps plein de vie. L'homme avait des espoirs, des rêves, des objectifs, des désirs. Comme la plupart des gens, il s'efforçait sans doute d'être heureux, de trouver sa place dans le monde. Il se battait, essayait de faire de son mieux, de saisir le peu de bonheur que la vie offrait et de surmonter les épreuves. Maintenant, il était mort.

Mort. Fini. Réduit à néant.

Il n'était plus que tissus en décomposition, utile seulement à des étudiants en médecine et pleuré par sa seule famille. George se demandait pourquoi les gens tenaient tant à cette enveloppe vide qu'était un cadavre. Pourquoi considéraient-ils ce misérable tas de chair comme un trésor inestimable ? Était-ce le propre de l'homme de ne voir que cette façade extérieure, au point de négliger l'âme ? Ou George était-il trop dur envers ses semblables ? Peut-être avait-on besoin de se raccrocher à quelque chose de tangible quand on était confronté à l'intangibilité suprême ?

Grande question, George. Très profond.

Il pouffa de rire et alluma une cigarette.

Après la soirée de gala chez le Dr Lowell, la veille, George avait suivi la longue limousine métallisée qui avait déposé la future victime devant son domicile du centre-ville.

En bon professionnel, George avait déjà fait des repérages. Le quartier ne payait pas de mine, tout comme l'immeuble, qui n'avait même pas de concierge. En s'engageant dans l'escalier, il s'était demandé pourquoi, avec une fortune telle que la sienne, ce type vivait dans un endroit aussi miteux. Il aurait pu habiter n'importe où : sur la Ve Avenue, à Central Park Ouest, dans l'immeuble San Remo ou Dakota. Mais après tout, ça ne le regardait pas.

Arrivé devant la porte 3A, il avait sorti un petit outil et crocheté la serrure sans difficulté, comme il l'avait fait au Days Inn. Cette fois, il opéra sans un bruit. Au combat, George le savait d'expérience, la surprise vous donnait toujours l'avantage. Bruce Grey, lui, avait eu des soupçons et se tenait sur ses gardes. Grâce à son stratagème, George avait réussi à l'attirer près de la porte, qu'il avait fracassée dans le bref instant où le petit docteur s'était cru en sécurité.

Celui-là ne se doutait de rien. Contrairement à Grey, il n'avait aucune idée que la mort s'avançait à pas feutrés dans son couloir.

Rangeant son outil dans sa poche, George frappa à la porte.

— Une minute, répondit une voix.

La cible s'approcha, regarda peut-être dans l'œilleton.

— Qui est là ?

George poussa le battant de toutes ses forces, envoyant l'autre rouler à terre. Sans perdre une seconde, il referma la porte, se précipita sur l'homme, le prit par le cou et serra. Il y eut un bref bruit d'étranglement, puis le silence. L'homme lutta, à coups de pied et de poing, mais ses mouvements étaient désordonnés et imprécis.

Sans desserrer son étreinte, George colla son visage à quelques centimètres de celui de sa victime.

— Vous n'avez qu'une chance de vous en sortir vivant, dit-il d'une voix atone, comme s'il lisait un texte préparé d'avance. C'est de faire exactement ce que je vais vous dire. Dans le cas contraire, vous mourrez. Vous saisissez ?

L'homme parvint à hocher la tête. Par peur et par manque d'oxygène, ses yeux lui sortaient des orbites.

— Bien. Je vais vous libérer. Mais si vous criez ou si vous essayez de fuir, vous connaîtrez une douleur dont peu de gens ont fait l'expérience.

Lorsqu'il le lâcha, l'homme se balança d'avant en arrière, saisi de haut-le-cœur incontrôlables.

George se redressa et le contempla avec une certaine lassitude.

— On va descendre à ma voiture, dit-il quand il pensa que le type était en état de comprendre. Comme deux bons amis. Faites ce que je vous dis sans poser de questions et tout ira bien pour vous.

L'homme hocha de nouveau la tête. Sa soumission immédiate rendait les choses plus faciles. Si George avait été obligé de le tuer sur place, il lui aurait fallu nettoyer le sang, se débarrasser de possibles indices, et, pire, traîner le corps jusqu'à sa voiture sans être vu. Beaucoup plus compliqué.

Ils traversèrent la rue ensemble, et George ouvrit son coffre.

— Montez.

— Mais…

George saisit la main de l'homme et serra, lui cassant deux os. De sa main libre, il lui couvrit la bouche pour étouffer son cri. Puis il intensifia sa pression sur les doigts blessés, forçant les os à frotter les uns contre les autres et à déchirer les tendons. Le visage de la victime devint livide.

— Je vous ai dit d'obéir sans poser de questions. Tâchez de vous en souvenir.

L'homme embarqua dans le coffre sans plus de résistance. La douleur, avait appris George, pouvait être une menace plus terrifiante que la mort elle-même.

Il jeta un coup d'œil alentour. Trois ivrognes venaient de tourner au coin de la rue et avançaient en zigzag dans leur direction. George referma le coffre, prit place au volant et démarra.

Il trouva une rue déserte qu'il avait déjà utilisée dans des circonstances analogues, s'y gara et sortit son couteau de la boîte à gants. Suivant les ordres qu'il avait reçus par téléphone, il enfila des gants chirurgicaux et un masque. Il se fit l'effet d'être un chirurgien avant une grosse opération.

— Scalpel, dit-il à voix haute, et il rit de sa propre plaisanterie.

C'était la partie de son boulot qu'il trouvait la plus intrigante. Il se demandait toujours ce qui se passait dans la tête de sa victime. Un peu plus tôt, le type avait eu une vie normale, ordinaire, en apparence protégée. Et soudain, voilà qu'il était menacé, agressé et enfermé dans un coffre. Il n'avait plus aucune prise sur ce qui lui arrivait.

Qu'est-ce qui pouvait bien lui traverser l'esprit ?

La question, cependant, n'occupa pas plus long-temps George. Il lui importait surtout de finir le travail.

Lorsqu'il ouvrit le coffre, l'homme leva vers lui un regard d'animal pris au piège.

— Que… que…

George porta un doigt à ses lèvres recouvertes du masque.

— Chut.

Il attrapa la tête de l'homme pour la tenir immo-bile, prit son couteau et le plaça juste au-dessous des narines. Il baissa le manche vers la bouche, frôlant les lèvres, puis dirigea le couteau vers le haut. La lame transperça la peau fine et le cartilage pour s'enfoncer dans le cerveau. Le sang coula sans retenue. Et si le corps fut agité de spasmes, la mort fut instantanée. Le dernier regard de l'homme était braqué sur George, les yeux écarquillés et remplis d'incompréhension.

George ressortit le couteau et, comme il l'avait fait lors des deux précédents contrats, poignarda le cadavre une vingtaine de fois. Des bruits de déchi-rure accompagnèrent son entreprise méthodique. Et le visage de George demeura impassible tandis qu'il enfonçait et ressortait la lame.

Il y en avait partout.

Le cadavre passerait la nuit dans le coffre. Ensuite, George le déposerait à l'endroit prévu. La voix au téléphone avait donné des instructions pour qu'il soit déposé dans une ruelle derrière un bar gay appelé le Black Magic, dans Greenwich Village. La nuit, ce genre de venelle était le théâtre de tout un tas d'activités bizarres. Il serait donc plus prudent d'y abandonner le corps de jour.

Tôt le lendemain matin, George se réveilla frais et dispos après une merveilleuse nuit de sommeil. Il retourna en ville et s'arrêta à l'arrière du Black Magic. Le lieu, un dépotoir sordide, lui rappela la rue Patpong, à Bangkok. Le quartier chaud de la capitale thaïlandaise pourvoyait aux désirs des hétérosexuels, mais tout le monde savait qu'une zone, un peu plus au nord, était réservée aux homos. Et Pattaya, la célèbre station balnéaire située non loin de Bangkok, possédait toute une rue peuplée de petits garçons prêts à assouvir les fantasmes de leurs clients.

Dégueulasse, pensa George.

Il descendit de voiture et inspecta la ruelle. Personne. Des dizaines de sacs-poubelle en plastique s'entassaient à côté de l'entrée de derrière du bar. *Entrée de derrière*, s'amusa George. *Tout à fait approprié.*

Sûr que la voie était libre, il sortit le cadavre du coffre, le balança sur le tas d'ordures, puis remonta dans sa voiture et s'éloigna. À trois blocs de là, il se regarda dans le rétroviseur.

Merde. Sa coupe de cheveux était épouvantable.

5

SARA TRAÎNA LA PATTE DERRIÈRE HARVEY qui se préci-
pitait vers le service des urgences. À dix mètres de
l'entrée, il faillit percuter Eric Blake qui arrivait d'un
autre couloir.

— Ils vous ont prévenu, vous aussi ? demanda
Eric.

Harvey acquiesça. Sans presque ralentir l'allure,
les deux hommes se ruèrent dans la zone d'attente. Ils
repérèrent aussitôt Reece Porter.

— Qu'est-ce qui s'est passé ? demanda Harvey.

— Je ne sais pas. Mikey s'est agrippé le ventre
avant de s'effondrer. Il est là-dedans.

— Venez, Eric.

Les deux médecins disparurent derrière une porte
marquée « ENTRÉE INTERDITE ». Une seconde plus
tard, Sara arrivait.

Reece parut surpris de la trouver déjà là.

— Qu'est-ce que tu…

Sara l'interrompit :

— Où est-il ? Il va bien ?

— Le médecin urgentiste est avec lui. Harvey et
Eric y sont aussi.

— Qu'est-il arrivé ?

— Je ne sais pas. On s'entraînait comme d'habitude, en faisant des blagues et tout. Puis le coach a annoncé une pause, et Michael s'est écroulé. On a appelé une ambulance et j'ai embarqué avec lui. La douleur a paru se calmer un peu pendant le trajet. Quand on est arrivés, j'ai demandé à une infirmière de biper Eric et Harvey.

— Il est conscient ?

— Oui. C'est sûrement une intoxication alimentaire, avec toute cette bouffe chinoise qu'il ingurgite sans arrêt. Maintenant, à toi de répondre à ma question : qu'est-ce que tu fais là ?

— J'avais un rendez-vous chez le médecin dans le service d'à côté.

— Tu vas bien ?

La voix de Reece trahissait un souci sincère. Derrière eux, Sara entendit un enfant murmurer :

— Regarde, maman ! C'est Reece Porter.

Avec ses deux mètres cinq, Reece était dans la moyenne des joueurs de la NBA ; ailleurs, il faisait figure de géant. Sa taille lui valait toujours des regards fascinés.

— Je vais bien, répondit Sara en le serrant dans ses bras. Merci d'être venu avec lui, Reece.

— C'est mon ami, répondit simplement le basketteur. Et ne t'inquiète pas trop pour Mikey. Ce gars est béni des dieux. Tu te rappelles la trouille qu'on a eue la dernière fois qu'on s'est retrouvés à l'hôpital ?

Sara n'avait pas oublié. Tous les ans, Michael et elle partaient en vacances avec Reece et Kureen, sa femme eurasienne, pour déconnecter à la fin de la saison. Cinq ans plus tôt, alors que ça devenait sérieux entre Michael et elle, les deux couples avaient décidé de louer un petit bateau de croisière en Floride pour explorer les Keys et les Bahamas. La saison de basket avait été particulièrement longue, et s'était achevée par une victoire des Knicks sur les Seattle Supersonics au terme d'un match acharné et exténuant. Tous quatre avaient hâte d'échapper au monde, aux fans et à la presse.

Le troisième jour de leurs vacances, aux Bahamas, Michael et Reece avaient engagé un gamin avec un *speed boat* pour faire du ski nautique. Le môme avait effectué une fausse manœuvre, et Michael, sur les skis, avait été précipité sur un récif. Comme il perdait beaucoup de sang, on l'avait emmené d'urgence à l'hôpital local, où il avait passé les trois semaines suivantes alité.

— Comme dirait une de nos jeunes recrues, reprit Reece, Mikey est un vieux chnoque solide. Il s'en remettra.

Sara tenta de puiser du réconfort dans les paroles de leur ami, mais au fond d'elle-même une petite voix lui soufflait que Michael ne s'en remettrait pas si facilement, et que rien ne serait plus comme avant.

— Qu'est-ce qui se passe ? demanda Harvey.

Le jeune interne, John Richardson d'après son badge, leva les yeux.

— On ne sait pas encore. Il souffre d'une forte douleur abdominale. D'après l'examen physique, le foie est palpable quatre centimètres en dessous du rebord costal droit. Il est extrêmement sensible.

— Ça fait un mal de chien, vous voulez dire, corrigea Michael, couché sur le lit.

— Fonctions vitales ?

— Toutes stables.

Harvey s'approcha.

— Ça a l'air d'aller, champion.

— J'ai mal à crever, coach.

— Je plaisantais. Tu as une mine épouvantable.

Michael réussit à rire.

— Mais avec vous, j'ai la meilleure équipe, maintenant. Comment ça va, Eric ?

— Bien. Est-ce que j'appelle le Dr Sagarel, Harvey ?

Harvey lui fit signe que oui.

— À plus tard, Michael.

— Je t'attends ici, répondit Michael.

Puis, se tournant vers Harvey :

— Qui est le Dr Sagarel ?

— Un gastro-entérologue.

— Bien sûr. J'aurais dû le savoir.

— Bon sang, Michael, qu'est-ce que c'est que ce short ? Il est affreux… même selon tes critères.

— J'ai demandé un médecin, pas un critique de mode.

Harvey lui palpa la région du foie.

— Ça fait mal ?

— À hurler.

Harvey se tourna vers l'interne.

— Vous avez réalisé les examens sanguins ?

— Oui.

— Faites-lui passer une radio abdominale.

— J'aurais aussi besoin d'un historique, dit Richardson. Ça pourrait venir d'un aliment…

— Impossible. Il souffre depuis plusieurs semaines. Et il a un ictère.

Eric rentra dans la salle.

— Le Dr Sagarel passera dans une demi-heure environ.

— Michael, demanda Harvey, est-ce que tu as remarqué quelque chose d'anormal dans tes urines dernièrement ?

— Il en est sorti une Harley, l'autre jour.

— Hilarant. À présent, réponds à ma question.

Harvey vit l'ombre de la peur traverser le regard de son ami.

— Je ne sais pas. La couleur était peut-être un peu plus sombre.

Les médecins échangèrent des regards entendus.

— Quoi ? demanda Michael. Qu'est-ce que j'ai ?

— Je ne sais pas encore. Eric, assurez-vous qu'ils fassent un dépistage de l'hépatite. Et une sérologie EBV et CMV. Puis descendez-le pour un ultrason abdominal.

— C'est comme si c'était fait.

— Traduction ? demanda Michael.

— Tous les symptômes font penser à une hépatite, expliqua Harvey. Eric et le Dr Richardson vont t'emmener faire une échographie. On se revoit plus tard.

Le Dr Raymond Markey, sous-secrétaire à la Santé au ministère du même nom, regardait par sa fenêtre le complexe verdoyant de Bethesda, dans le Maryland. Le National Institutes of Health lui évoquait un croisement entre une station thermale européenne et une base militaire. De son bureau d'angle, on aurait pu penser que le site était perdu en pleine nature. En réalité, Markey avait tout à fait

117

conscience qu'à quinze kilomètres de là son patron, le président des États-Unis, devait entamer son rendez-vous hebdomadaire avec le vice-président. Les deux hommes se retrouvaient presque tous les lundis pour un brunch léger et une discussion qui l'était beaucoup moins. Raymond avait participé à quelques-unes de ces réunions. Ni la conversation ni la nourriture ne lui avaient beaucoup plu.

Il poussa un profond soupir, retira ses lunettes et se frotta les yeux. Lorsqu'il regardait le paysage environnant sans ses lunettes, le monde se transformait en un grand tableau abstrait. Les couleurs vives dégoulinaient les unes sur les autres et paraissaient se déplacer en motifs kaléidoscopiques.

Se détournant de la vue apaisante, il reporta son attention sur les deux rapports posés sur son bureau. Le premier, marqué « *confidentiel* », se trouvait dans une enveloppe scellée et spécialement traitée afin qu'on ne puisse voir son contenu par transparence. C'était beaucoup de précautions, mais elles étaient parfois nécessaires.

La seconde enveloppe indiquait « *Pavillon Sidney, Columbia Presbyterian Medical Center, New York* ». La sécurité entourant celle-là, quoique non négligeable, était un peu plus limitée.

Sous-secrétaire au ministère de la Santé était un titre pas très ronflant pour une position éminemment stratégique. Le département de Raymond Markey, en charge de la santé publique aux États-Unis, contrôlait la Food and Drug Administration, les Centers for Disease Control et le National Institute of Health. Pas vraiment ce qu'on appelait un poste subalterne ou honorifique.

À l'aide de son coupe-papier, Markey décacheta l'enveloppe confidentielle. Puis il posa les deux rapports l'un à côté de l'autre. Le rapport officiel émanait du Dr Harvey Riker, et pour la première fois la signature du Dr Bruce Grey n'y figurait pas. Dommage. Quant au rapport confidentiel... eh bien, par prudence, mieux valait ne pas penser à sa source. Prononcer à voix haute le nom de son auteur pourrait se révéler dommageable pour la santé. Voire fatal.

Markey compara les deux rapports, à la recherche de différences. Une lui sauta immédiatement aux yeux.

Le nombre de patients.

D'après le dossier de Riker, la clinique suivait quarante et un malades, dont deux avaient été assassinés ces dernières semaines. Le compte rendu était factuel et ne présentait pas de conclusions ; cependant, Riker mentionnait l'étrange coïncidence qui avait voulu que deux patients décèdent de multiples coups de couteau à quinze jours d'intervalle. Markey remarqua aussi que le médecin ne parlait jamais du décès de Bruce Grey comme d'un suicide, mais évoquait un « drame », une « mort incompréhensible ».

Étrange description...

Le rapport confidentiel affirmait sans équivoque qu'il n'y avait pas quarante et un, mais quarante-deux patients. Il ne pouvait s'agir d'une erreur : à ce niveau, personne n'en faisait. Alors, comment expliquer cet écart ?

Markey retourna au début du rapport confidentiel. Pas de doute pour lui : le problème venait d'Harvey Riker. Il le connaissait bien et ne lui faisait pas confiance. De nombreuses années plus tôt, alors que Raymond était à la tête de l'hôpital Saint-Barnabas, dans le New Jersey, il avait fait la connaissance d'un jeune interne fougueux appelé Harvey Riker. À l'époque déjà, ce dernier détestait les règles et les règlements. Et maintenant que ces règles venaient du gouvernement, Markey se doutait que Riker était encore plus enclin à les enfreindre. Cet homme avait un talent fou, mais peu de respect de la discipline. Il fallait le surveiller de très près.

Et voilà. Page 2.

Le rapport confidentiel recensait tous les membres du personnel et les patients du pavillon Sidney. Markey feuilleta le rapport de Riker pour y chercher la liste des patients. Il les compta. Oui, quarante-deux dans le rapport confidentiel. Quarante et un dans celui du médecin. Quel nom avait été omis dans celui-là ?

Il ne mit pas longtemps à le trouver.

Les mains tremblantes, Raymond décrocha le téléphone derrière son bureau – sa ligne privée, l'autre étant très probablement sur écoute. On répondit à la troisième sonnerie.

— Oui ?

— J'ai le rapport confidentiel sous les yeux. Il est arrivé ce matin.

— Et ?

Markey déglutit.

— Je ne l'ai pas encore étudié en détail, mais je crois qu'on doit agir vite. Ils se rapprochent.

— On va peut-être devoir envoyer quelqu'un à Bangkok. Quand puis-je en avoir une copie ?

— Je vous l'envoie aujourd'hui même.

— Bien.

— Il y a autre chose.

— Oui ?

— Le Dr Riker s'occupe en secret d'un important patient, dit Markey. Il ne l'a pas mentionné dans son rapport.

— Qui est-ce ?

— Bradley Jenkins. Le fils du…

— Je sais qui c'est.

Il y eut un bref silence.

— Ça explique beaucoup de choses, Raymond.

— Je sais, dit Markey.

— Faites-moi parvenir le rapport immédiatement.

— Il sera sur votre bureau demain matin.

— Merci, Raymond. Au revoir.

— Au revoir, révérend Sanders.

Sara se dirigeait vers la chambre de son mari, l'esprit en ébullition. Tout arrivait en même temps. La maladie de Michael, sa possible grossesse et l'étrange mystère entourant la clinique d'Harvey. Deux patients assassinés. Une coïncidence ? Possible, mais Sara en doutait. Elle prit note mentalement d'appeler Max Bernstein à la première occasion. Il était peut-être au courant de quelque chose.

Elle poussa la porte de la chambre de Michael. Son pied, tout raide aujourd'hui, lui faisait l'effet d'avoir un poids attaché à la jambe en lieu et place de chair et d'os.

Dès que Michael la vit entrer, son visage s'éclaira. Elle s'approcha du lit et l'embrassa.

— Tu te sens mieux ?

— Beaucoup mieux.

— Tu m'as fait une peur bleue. J'ai prévenu mon père. Il ne devrait pas tarder.

— Sara, demanda-t-il, qu'est-ce que tu faisais à l'hôpital ?

Elle hésita.

— Je ne voulais rien te dire avant d'être sûre.

Michael se redressa.

— Sûre de quoi ? demanda-t-il d'une voix soucieuse. Tout va bien ?

Elle hocha la tête. Son regard à la fois inquiet et tendre lui alla droit au cœur.

— J'ai six semaines de retard…

Il écarquilla les yeux.

— Tu es enceinte ?

— Je ne sais pas encore. On devrait avoir le résultat du test dans quelques heures.

— Enfin, Sara, pourquoi tu ne me l'as pas dit ?

Elle s'assit à côté de lui sur le lit et lui prit les mains.

— Je ne voulais pas susciter de faux espoirs. Je déteste te voir déçu…

Elle détourna les yeux, mais Michael l'obligea gentiment à le regarder.

— Sara, je t'aime. Et le fait qu'on n'ait pas encore réussi à avoir d'enfant n'y change rien.

Elle se blottit contre sa poitrine.

— Tu le penses ?

— Bien sûr que je le pense.

— En m'épousant, tu t'es retrouvé avec un fruit pourri.

— Pourri peut-être, mais délicieux. Surtout au lit.

— Je te rappelle que tu es censé être malade.

— Ça ne m'interdit pas quelques pensées coquines de temps en temps. Au contraire, le médecin affirme que c'est bon pour moi.

— C'est drôle, je ne l'ai pas entendu dire ça.

— Ah bon, et qu'as-tu entendu ?

— Que tu avais la jaunisse et que c'était peut-être une hépatite.

— Et alors, c'est vrai, j'ai la peau jaune ?

Elle l'examina.

— On dirait un poussin.

— Merci.

— C'est mignon, un poussin.

Un coup sonore retentit à la porte, et le père de Sara passa la tête dans l'entrebâillement.

— Je dérange ?

— Entrez, répondit Michael. J'ai bien besoin de tous les médecins disponibles.

John Lowell pénétra dans la chambre. De taille moyenne, l'homme était extrêmement séduisant. Sa crinière de cheveux blancs soigneusement peignée lui conférait une incroyable distinction. Il avait une fossette au menton et d'autres qui se creusaient sur ses joues lorsqu'il souriait, mais on était surtout attiré par ses yeux – des yeux aussi verts que ceux de Sara. Il traversa la pièce, embrassa sa fille et serra la main de Michael.

— Je crains de ne pas être dans ma spécialité. Qui vous a examiné ?

— Harvey et Eric – vous vous rappelez mon ami Eric Blake ?

— Bien sûr. J'ai entendu dire qu'il travaillait avec le Dr Riker à... à la clinique.

À ce mot, le visage de John Lowell s'assombrit. Michael décida de laisser glisser. Mais pas Sara.

— En effet, déclara-t-elle. Et la clinique fait des progrès extraordinaires.

— Tant mieux pour eux, répondit son père, d'un ton signifiant que le sujet était clos. Alors, Michael, quel semble être le problème ?

— On attend le résultat des analyses, mais ils penchent pour une hépatite.

— Quel spécialiste Harvey recommande-t-il ?

— Le Dr Sagarel.

— Un homme compétent. Écoutez ce que vous dit Sagarel, Michael, plutôt que vos deux amis épidémiologistes.

— Tu sais bien qu'Harvey Riker est un médecin exceptionnel, intervint Sara. L'un des meilleurs dans son domaine.

— J'en suis sûr…

— Et la clinique est au seuil d'une avancée majeure dans la lutte contre le sida.

— Je suis ravi de l'apprendre. Le plus tôt sera le mieux. On a besoin de ces fonds ailleurs.

— Comment peux-tu dire une chose pareille ?

— On ne va pas recommencer, si ? soupira son père. C'est une simple question économique.

— Économique ? répéta Sara. C'est plus important que de sauver des vies ?

— Je t'en prie, n'utilise pas cet argument simpliste avec moi, répondit son père d'un ton égal. Je m'en suis trop souvent servi moi-même devant les sous-commissions du Sénat. Le nœud du problème, c'est qu'une somme d'argent limitée est consacrée à la santé et la recherche médicale. Une partie va à l'Association de lutte contre les maladies cardiaques, une autre à mon Centre contre le cancer, sans parler de la dystrophie musculaire, de la polyarthrite chronique évolutive, de la gériatrie et autres… On se bat tous pour décrocher des subventions. Et aujourd'hui, le sida arrive et rafle la mise.

— À t'entendre, c'est une sorte de compétition, fit remarquer Sara. Est-ce que la compassion…

— Redescends sur Terre, l'interrompit son père. Dans le monde réel, il faut tenir compte des réalités économiques. La réalité, c'est que chaque dollar consacré au sida ne va pas à ces autres organismes.

— Faux, déclara une voix.

John Lowell se retourna et découvrit Harvey Riker dans l'embrasure de la porte.

— Les fonds pour la recherche contre le sida sont souvent levés séparément, poursuivit-il.

— Une partie peut-être, répliqua Lowell. Mais Liz Taylor et ses amis pourraient aussi bien organiser des vide-greniers au profit de l'Association de lutte contre les maladies cardiaques ou du Centre contre le cancer. Rappelez-moi quel est le plus gros contributeur de votre clinique ?

Au bout d'une minute, Harvey répondit :

— Le gouvernement fédéral et le conseil d'administration de l'hôpital.

— Et où irait cet argent s'il n'allait pas dans votre clinique ? Au traitement du cancer, de la polyarthrite ou des maladies cardiaques. Beaucoup de gens vont mourir du sida cette année, mais bien davantage vont décéder du cancer ou de maladies du cœur. Des victimes innocentes qui ne se sont pas adonnées à des activités immorales et autodestructrices…

— Non, mais écoutez-vous ! le coupa Harvey. On dirait le révérend Sanders.

Lowell fit un pas vers Harvey, ses yeux lançant des éclairs.

— Je ne connais pas Sanders personnellement, mais je vous interdis de me comparer à cet individu uniquement intéressé par l'argent. Et ne jouez pas les naïfs. Vous savez comme moi qu'il doit y avoir des priorités dans la recherche médicale – le nier, c'est nier la réalité. Certaines maladies doivent avoir la priorité sur d'autres.

— Et d'après vous, le sida ne devrait pas être prioritaire ?

— Cette maladie peut être évitée dans presque cent pour cent des cas, docteur Riker. Pouvez-vous en dire autant du cancer ? des maladies cardiaques ? de l'arthrite ? C'est la raison pour laquelle j'ai voté contre le financement de votre clinique à la réunion du conseil d'administration. Vous n'êtes pas idiot, docteur Riker. Vous savez que la communauté gay a ignoré tous les signaux d'alarme. Le virus Epstein Barr s'est propagé à travers eux, mais ils l'ont ignoré. Le cytomégalovirus et quantité d'autres virus ont infecté la communauté homosexuelle dans des proportions terrifiantes, sans qu'ils modifient en quoi que ce soit leurs pratiques débauchées.

— Donc, la promiscuité doit être punie de mort ? contra Harvey. C'est bien ce que vous dites ? Dans ce cas, beaucoup d'hétérosexuels devraient eux aussi prendre garde.

— Je dis simplement ceci : ils ont été avertis. Mais tous ceux qui se sont élevés contre leurs pratiques sexuelles débridées se sont fait traiter de bigots et d'homophobes. Avec toutes ces infections virales qui frappent la communauté homosexuelle depuis des années, ils s'attendaient à quoi ?

— C'est ridicule.

— Vraiment ? Vous ne trouvez pas que ces hommes sont responsables ? Qu'ils l'ont un peu cherché ?

— Papa !

Harvey parla d'une voix froide.

— Ils n'ont jamais demandé à mourir, docteur Lowell. Vous aurez beau faire, vous ne vous débarrasserez pas de cette maladie en niant son existence. On ne parle pas d'un mal qui affecte des animaux, des créatures bizarres ou des espèces de sous-hommes. Des milliers d'êtres humains connaissent une mort atroce à cause du sida.

— Je le sais bien, dit Lowell, et Dieu sait que j'aimerais voir ces garçons guéris. Mais il est scandaleux de dépenser autant d'argent pour le sida alors que l'abstinence pourrait enrayer la contagion.

Harvey secoua la tête.

— Vous vous trompez, docteur Lowell. Même d'un point de vue économique. Est-ce que vous savez combien nous coûtera le sida, au final, si on ne trouve pas de remède ? Est-ce que vous avez une idée des dépenses faramineuses nécessaires au traitement des patients du sida ? Tous les programmes sociaux et médicaux vont y passer. La facture sera si lourde que des villes entières vont faire faillite.

— Les malades n'ont qu'à payer eux-mêmes, répondit Lowell. Il y a d'autres priorités ; d'autres façons de dépenser cet argent.

Sa voix commença à trembler, et Sara sut ce qui allait venir. Elle ferma les yeux et attendit.

— J'ai vu le cancer tuer ma femme. Je l'ai vu ronger mon Erin jusque…

Il s'interrompit, la tête baissée, le visage douloureux.

— Et votre engagement est tout à fait admirable, dit Harvey. De mon côté, hélas, je n'ai pas eu l'occasion de voir mon frère mourir. Sidney a souffert seul, le corps ravagé par des lésions et des infections qui ont fini par le détruire. Tout le monde l'a fui ; sa famille l'a rejeté, même moi. La plupart de ces jeunes gens – des garçons de vingt ans, de trente ans – sont morts en lépreux. Si ce fléau avait touché un autre segment de la population, le gouvernement aurait réagi vite et en injectant beaucoup d'argent. Mais là, tout le monde s'est dit que c'était une maladie de « pédés », et qui se soucie d'une bande de pédés ?

— Ils auraient dû montrer un peu plus de tempérance.

— Vous ne pouvez pas jouer à Dieu, docteur Lowell. Et si je partage en partie vos prises de position musclées contre les fumeurs, j'aimerais savoir où vous posez les limites. Les minces devraient-ils avoir la priorité sur les obèses ? Doit-on dire à ceux qui ignorent les mises en garde de leur médecin à propos de leur taux de cholestérol qu'ils ont « bien cherché » leur crise cardiaque ? Où placez-vous la limite, docteur Lowell ? Et qui a le droit de se prendre pour Dieu ?

John Lowell ouvrit la bouche pour poursuivre la discussion, puis la referma. Son visage trahissait l'épuisement.

— Il n'empêche que les ressources sont limitées. Et qu'il faut faire des choix difficiles.

— Et qui va faire ces choix ?

John agita la main, comme pour écarter la question.

— Assez parlé de ça, dit-il d'une voix nerveuse. Je veux savoir comment va Michael.

L'inspecteur Max Bernstein, dit « Tic » Bernstein, détestait la fournaise qu'était New York l'été. Mais il ne connaissait rien d'autre. Il était né et avait grandi à Manhattan, avait fait ses études à la New York University de Manhattan, vivait avec Lenny à Manhattan et travaillait dans la police de Manhattan. Au service criminel. Les affaires marchaient bien en toute saison à la criminelle de Manhattan, mais en été tous les tarés semblaient de sortie.

Max gara sa Chevy Caprice banalisée (banalisée, tu parles, comme si les délinquants ne reconnaissaient pas une voiture de flic au premier coup d'œil) et s'approcha des barrières de police. Il ne ressemblait pas à un inspecteur de la criminelle. Trop jeune, les cheveux trop longs et bouclés, une moustache trop fournie, le nez et le visage un peu trop allongés et fins. On l'aurait plus volontiers imaginé en train de livrer des pizzas que de traquer les meurtriers.

Il contourna le bâtiment, dont la porte était surmontée de l'enseigne « BLACK MAGIC BAR AND GRILL ». À une époque plus libre et plus insouciante, Max avait fréquenté l'établissement. Toujours en secret. Et sous un nom d'emprunt.

Il montra son insigne à deux uniformes et s'engagea dans la ruelle. Le brigadier Willie Monticelli le salua.

— Comment ça va, Tic ?

Bernstein n'appréciait que moyennement le surnom qu'on lui donnait. D'abord, parce qu'il n'avait pas de tics. Certes, il s'agitait beaucoup, faisait de grands gestes, se rongeait les ongles, tripotait tout ce qui lui tombait sous la main et était incapable de rester assis ou immobile, au point qu'on lui demandait toujours quand il avait arrêté de fumer.

Mais il n'avait pas de tics.

— J'allais mieux avant de recevoir cet appel, répondit-il. Dites-moi, vous n'avez pas un peu grossi, Willie ?

Monticelli tapota sa petite bedaine.

— Ça fait du bien de croiser quelqu'un qui échappe à la folie des régimes, hein ?

— Sûr.

Bernstein sortit son stylo, le porta à sa bouche et mâchouilla. L'objet ressemblait déjà à un jouet pour chiens très usé.

— Alors, c'est quoi, l'histoire ?

— Un éboueur l'a trouvé il y a une demi-heure. Vous voulez voir ?

Sentant déjà son estomac se soulever, Max hocha la tête en mordant plus fort dans son stylo. Il détestait ce moment.

— Bien obligé. C'est pour ça qu'on me paie aussi cher.

— Oui, je vois ça à votre jolie bagnole.

Willie s'approcha de la forme étalée dans les ordures et souleva le drap. Max ravala sa nausée, puis se pencha pour examiner ce qui avait un jour été un homme vivant.

— Atroce.

— J'ai l'impression que le Poignardeur de gays est de retour, déclara Willie. C'est le même mode opératoire qu'avec les deux autres.

— À une grande différence près, dit Max, presque à voix basse. Et ne l'appelez pas comme ça. La presse va s'en délecter.

— Ils s'en délecteront de toute façon.

— Ils ne sont pas au courant, pour les deux premières victimes.

— Ils sauront, pour celle-là.

— Qu'est-ce qui vous fait dire ça ?

— Vous savez qui c'est ?

Bernstein baissa les yeux vers le visage défiguré puis les releva.

— Même sa mère ne le reconnaîtrait pas.

— Ça ne va pas vous plaire...

— Ce ne sera pas la première fois.

— D'après ses papiers, il s'appelle Bradley Jenkins. Je me suis renseigné. Son père est...

— Un sénateur, je sais.

Max se détourna et, les yeux fermés, caressa sa moustache.

— Exact. Bradley vit dans la 12ᵉ Rue. Ses parents ont une maison dans les Hampton. Bizarre, non ? Un sénateur de l'Arkansas qui passe ses vacances à Long Island ?

— Le sénateur Jenkins a toujours habité ici, depuis son entrée à la maternelle, expliqua Max. Je doute qu'il soit jamais resté cinq jours d'affilée dans l'Arkansas, sauf pendant les campagnes électorales.

— Comment savez-vous tout ça ?

Max passa plusieurs fois la main dans ses épaisses boucles noires.

— D'abord, parce que c'est le chef de la minorité au Sénat. Ensuite, parce qu'il m'arrive de lire les journaux.

— Et enfin ?

— Bradley est un ami intime de Sara Lowell. Je l'ai rencontré une fois.

— Oh, dommage, dit Willie. Vous pensez que Sara va couvrir l'affaire ? Ce serait bien d'avoir un représentant de la presse de notre côté, pour une fois.

— Ça m'étonnerait.

— Je vois, elle ne va plus perdre son temps avec nous. C'est une star, maintenant. Vous avez vu l'émission, hier ?

Max hocha la tête sans cesser de marcher de long en large, cinq pas dans un sens, cinq pas dans l'autre.

— Vous avez le *Herald* d'aujourd'hui dans votre voiture ?

— Bien sûr, pourquoi ?

— Allez le chercher. J'ai quelque chose à vous montrer.

Willie obéit et tendit le journal à Bernstein, qui le feuilleta rapidement, déchirant quelques pages dans sa hâte.

— Eh oh, Tic, du calme.

— C'est juste là…

— Quoi donc ?

— Vous avez lu le carnet mondain ?

— Vous rigolez ? Je ne lis jamais ces conneries. Mais j'ai regardé les résultats sportifs.

— Ça, ça devrait beaucoup nous aider, fit remarquer Max.

Son stylo à la bouche, son pied droit martelant le pavé avec impatience, il tourna encore quelques pages.

— Voilà ! Regardez-moi ça.

Sur toute la page, des photos montraient les gens en grande tenue qui avaient participé à la soirée de gala du Dr John Lowell la veille. Max désigna un cliché dans le coin supérieur droit.

— Là.

— Putain, murmura Willie.

La légende disait : « *La lumineuse Sara Lowell profite de la fête après ses débuts triomphants à* NewsFlash *avec* (à droite) *son séduisant époux et star des Knicks Michael Silverman et* (à gauche) *Bradley, le fringant fils du sénateur Stephen Jenkins.* »

— C'est lui ! s'exclama Willie en le pointant du doigt. C'est Bradley Jenkins.

— Exact.

— Même s'il n'y a plus trop de ressemblance. Peut-être un peu au niveau des oreilles.

— Très drôle.

— Bon sang, je déteste les grosses affaires, dit Willie. Le maire ne va pas nous lâcher. Tout le monde voudra des réponses.

— Alors, autant se mettre au boulot. Je veux que vous ratissiez le périmètre, au cas où quelqu'un aurait vu quelque chose.

— Il y a forcément eu des cris ou des bruits de lutte.

Bernstein secoua la tête.

— Je ne crois pas que le meurtre ait eu lieu ici.

— Qu'est-ce qui vous fait penser ça ?

— Regardez le corps. Bradley Jenkins est mort hier soir, non ?

— J'en ai bien l'impression.

— La nuit, cette ruelle est pleine de clients du Black Magic.

— Des clients ? C'est comme ça qu'on les appelle, maintenant ?

Bernstein accueillit la remarque avec un petit sourire en coin. *Oh, Willie, si vous saviez...*

— Si le meurtre avait été commis ici la nuit dernière, il y aurait des témoins. En plus, il n'y a du sang que sur le cadavre, pas autour. S'il avait été lardé de coups de couteau ici, le sang aurait giclé partout dans la ruelle. Non, je crois que Jenkins a été tué ailleurs, et qu'on a déposé son corps ici. C'est en cela que le mode opératoire est différent.

Willie suivait des yeux les déambulations du jeune inspecteur, tournant la tête de gauche à droite comme s'il regardait un match de tennis.

— C'est pas logique, Tic. Il y a beaucoup d'autres endroits moins risqués pour se débarrasser d'un cadavre. Pourquoi ici ?

— Je ne sais pas.

— Voulez-vous que je découvre si Bradley était gay ?

Sentant naître un sérieux mal de tête, Max se massa les tempes du bout des doigts. Le fils d'un sénateur conservateur de premier plan retrouvé poignardé derrière un bar gay... Même l'aspirine ne serait d'aucun secours.

— Inutile, répondit il. Je vais poser la question à Sara.

— Vous lui transmettrez mes condoléances.

— OK. Je veux que les gars du labo passent cette ruelle au peigne fin et qu'on quadrille tout le quartier. Demandez si quelqu'un a remarqué quoi que ce soit de particulier hier soir ou cette nuit.

— Compris. Oh, et encore une chose…

— Quoi ?

— Bonne chance avec la presse. Ces salauds. En moins de deux, on aura tous les tarés du coin qui avoueront le meurtre ou imiteront le meurtrier.

Max acquiesça et serra les dents. Le stylo dans sa bouche se brisa en deux, manquant lui entailler les gencives.

La semaine s'annonçait mauvaise.

6

— COMMENT TU TE SENS ? demanda Sara à Michael pour la vingtième fois.

— Repose-moi encore la question et je hurle.

— Je m'inquiète, c'est tout.

— Dans cas, fais quelque chose d'utile, dit Michael.

— Comme quoi ?

— Ferme la porte et déshabille-toi.

— Je l'ai bien cherchée, celle-là, pas vrai ?

Avant que Michael ait pu répondre, une voix féminine s'éleva derrière eux.

— Sara ?

Tous deux se tournèrent pour découvrir le Dr Carol Simpson sur le seuil. À côté du lit, le petit lecteur de CD de Michael diffusait le *Concerto en* ré *mineur*, de Chopin. Si incroyable que ça paraisse, c'était Reece qui était allé chercher l'appareil dans le vestiaire des Knicks au Madison Square Garden et l'avait déposé à l'hôpital, affirmant : « Ce truc me rend malade, mais ça fera peut-être du bien à ce vieux Mikey. »

— Michael, déclara Sara, voici le Dr Simpson, l'obstétricien dont je te parlais.

— Ravie de vous rencontrer, Michael, dit Carol Simpson.

— Moi de même.

— J'ai entendu dire qu'on vous avait amené ici en urgence. Comment vous sentez-vous ?

— Mieux, merci.

— Très bien, répondit-elle. Vous sachant tous les deux ici, je me suis dit que j'allais passer vous annoncer la nouvelle.

Michael se redressa.

— La nouvelle ? demanda-t-il, la gorge soudain sèche.

— Oui, j'ai les résultats des examens de Sara.

— Et ? demanda celle-ci.

— Félicitations. Vous êtes enceinte.

Sara porta ses mains à sa bouche.

— Vous êtes sûre ?

— Absolument. De deux mois, je dirais.

Sara se tourna vers Michael.

— Tu entends, chéri ?

Incapable de prononcer un mot, Michael se contenta de hocher la tête.

— Excusez-moi, docteur, réussit-il enfin à balbu-tier. Simplement, c'est…

— Inutile de vous excuser. C'est très mignon à voir.

Sara le prit dans ses bras et l'attira contre elle, l'étouffant presque sous son étreinte.

— Bon, je vais vous laisser. Sara, vous pouvez passer me voir demain matin ?

— D'accord.

Michael se dégagea.

— Merci, docteur.

— Soignez-vous bien, Michael. Et encore une fois : félicitations.

Dès qu'ils furent seuls, Michael sourit jusqu'aux oreilles.

— Dois-je bientôt me mettre à t'appeler maman ?

— Et moi, je t'appellerai papa.

— Même au lit ?

— Non, là, j'aurai encore le droit de t'appeler par ton petit nom.

— Mon fier étalon ?

— Rêve toujours.

— Bon sang, j'ai du mal à y croire. On va être parents, Sara. On va être trois : toi, moi et le bébé !

Ils s'embrassèrent.

— Je t'aime, Michael.

— Moi aussi, je t'aime, dit-il en caressant son ventre encore ferme. Je vous aime tous les deux.

Alors qu'ils s'embrassaient de nouveau, le téléphone sonna. Michael répondit à contrecœur et, après avoir écouté son correspondant, tendit le combiné à Sara.

— C'est pour toi.

— Qui est-ce ?

— Je ne sais pas.

À l'autre bout du fil, une voix féminine nasillarde annonça :

— Ne quittez pas, s'il vous plaît, vous allez être mis en relation.

Il y eut une nouvelle tonalité, avant qu'on décroche.

— Sara ?

— Max ?

— Eh bien, tu n'as pas été facile à localiser. J'ai mis une heure à retrouver ta trace. Comment ça va ?

— Merveilleusement bien.

— Content de l'apprendre.

Elle le voyait presque se ronger les ongles à l'autre bout de la ligne.

— Ce n'est pas un simple coup de fil amical, si ?

— Non.

— Que se passe-t-il, Max ?

Max Bernstein poussa un long soupir.

— Bradley Jenkins a été assassiné. Il faut que je te parle immédiatement.

Ils se rejoignirent une demi-heure plus tard dans un coin tranquille de la cafétéria de l'hôpital.

— Tout ce qu'on va se dire maintenant restera officieux et confidentiel, d'accord ?

— D'accord.

— Je dois te poser une question directe, pour commencer.

— Je t'écoute.

— Bradley Jenkins était-il gay ?

— Oui.

Max s'était attendu à cette réponse. Il hocha la tête, et ses boucles brunes s'agitèrent dans le mouvement. Il se fourra un nouveau stylo dans la bouche et commença à mâchouiller. Puis il croisa les jambes, se passa la main dans les cheveux, reposa le pied par terre et croisa l'autre jambe.

À trente-deux ans, Bernstein en paraissait cinq de moins. Sara savait que la police – et le monde en général, d'ailleurs – considérait Tic Bernstein comme une énigme. Bien qu'inspecteur principal à la Criminelle, il n'aimait pas le danger. Il détestait porter une arme et n'en avait jamais fait usage dans l'exercice de ses fonctions. Il était à peine capable de se défendre avec ses poings et essayait d'éviter la violence chaque fois que c'était possible.

Ce qui l'intéressait, c'était de résoudre des énigmes – plus elles étaient compliquées, plus il excellait dans l'exercice. Personne ne savait vraiment comment il procédait, mais il avait le don, à sa manière brouillonne, agitée et nerveuse, de remonter jusqu'à la vérité.

— À moi de te poser une question, dit Sara. Qu'est-il arrivé à Bradley et pourquoi voulais-tu savoir s'il était gay ?

— Ça fait deux questions.

— Max…

— Désolé, je voulais juste alléger l'atmosphère. On a retrouvé son corps ce matin derrière un bar gay de Greenwich Village.

— Mon Dieu !

— On n'a pas encore les résultats de l'autopsie, mais il a été lacéré de coups de couteau. On pense… Sara, ça va ?

Elle avait les yeux écarquillés et le visage livide.

— Ce n'est pas le premier meurtre, murmura-t-elle.

— Qu'est-ce qui te fait dire ça ?

— Ne joue pas avec moi, Max.

— On a peut-être affaire à un tueur en série, dit-il. Je n'ai pas participé à l'enquête sur les premiers cas, mais deux autres hommes ont été tués de cette façon barbare. On soupçonne la même personne d'avoir commis les trois meurtres.

— Et pourquoi m'as-tu demandé si Bradley était homosexuel ?

— Parce que les deux autres victimes l'étaient. Comme si le meurtrier ciblait la communauté homosexuelle. À moi, maintenant. Comment savais-tu qu'il y avait eu d'autres cas ?

— J'imagine que tu as déjà rencontré le Dr Harvey Riker ? commença-t-elle.

— Bien sûr.

— Tu sais qu'il dirige un service dédié au sida ici ?

— Et ?

— Les deux premières victimes… Quels sont leurs noms ?

— Bill Whitherson et Scott Trian.

— C'est ça. Ils faisaient partie d'un groupe choisi de patients soignés dans cette clinique. Tu devrais avoir ça dans tes dossiers.

La jambe de Bernstein se mit à tressauter.

— Pour dire la vérité, je n'ai pas encore eu le temps de les étudier en profondeur. J'ai récupéré l'affaire il y a une heure.

— Bref, Harvey m'en a parlé hier soir.

— Question évidente : Bradley était-il lui aussi suivi ici ?

Sara porta sa tasse de café à ses lèvres et but une gorgée.

— Je ne sais pas, dit-elle. Tu devras interroger Harvey.

— Est-ce que Bradley avait le sida ?

— Ça ne doit pas sortir de cette pièce, affirma Sara.

— Promis.

— La réponse est oui.

— Est-ce qu'il était suivi médicalement ?

— Oui, mais j'ignore où. C'était un grand secret, et je ne voulais pas qu'il me le dise.

— Pourquoi ?

— Tu sais qui est son père, évidemment ? Le sénateur était furieux quand il a appris que j'étais au courant pour la maladie de Bradley. Il était terrifié à l'idée que ça s'ébruite.

— Parce que ça ficherait en l'air sa carrière ?

— Exactement. Donc, on essayait de ne pas en parler.

— Je vois.

Pensif, Max contempla le ciel tout en se grattant le cou.

— Le Dr Riker ne t'en aurait pas parlé, s'il traitait Bradley ?

— En aucun cas. Tout ce qui touche à la clinique est top secret. Je ne connais le nom d'aucun patient.

— Intéressant, commenta Max. Alors, pourquoi le Dr Riker t'a-t-il parlé des deux meurtres, hier soir ?

Elle hésita.

— Tu ferais mieux de poser la question à Harvey.

— Sara, tu ne vas pas me faire le coup du « Je ne peux pas révéler mes sources » ? Pas à moi.

— Pour l'instant, j'ai bien peur que si. Mais parle à Harvey. Il t'éclairera bien mieux que je ne pourrais le faire, de toute façon.

Max haussa les épaules.

— OK, allons le voir.

Après avoir franchi deux points de contrôle, Max et Sara trouvèrent Harvey dans son bureau du pavillon Sidney. À leur entrée, il leva des yeux rougis et fatigués de sa table encombrée de papiers.

— Qu'est-ce qui se passe ? demanda-t-il.

— Harvey, tu te souviens de l'inspecteur Bernstein ?

— Bien sûr. Bonjour, inspecteur.

— Comment allez-vous, docteur ?

— Bien, merci, répondit-il. Sara, je viens de parler à Michael. Comme nous le soupçonnions, l'échographie a révélé une augmentation du volume du foie.

— Ce qui veut dire quoi ?

— Ça peut vouloir dire un tas de choses, mais le Dr Sagarel, Eric et moi pensons toujours qu'il s'agit probablement d'une hépatite. On devrait avoir les résultats des examens de sang dans un jour ou deux. A priori, on le gardera ici deux semaines, puis il devra rester alité pendant au moins un mois.

— Et le basket ?

— Pas cette saison, Sara. Il reste une toute petite chance pour qu'il puisse jouer les matchs de qualification.

— Il le sait ?

— Je le lui ai dit. Mais, curieusement, ça n'a pas eu l'air de le gêner plus que ça. Il m'a annoncé la bonne nouvelle de ta grossesse. En fait, rien d'autre ne l'intéressait.

— Ta grossesse ? intervint Max. Tu ne m'as rien dit.

— Je n'ai pas vraiment eu le temps.

— Félicitations, dit Max.

— Merci. Harvey, l'inspecteur Bernstein voudrait te parler.

143

Harvey se leva et contourna son bureau.

— À propos de ce dont on a discuté hier soir ?

— Possible, répondit Max, tentant de prendre un ton professionnel mais donnant l'impression d'un mauvais acteur dans un vieux film policier.

Il n'avait jamais été très à l'aise dans la peau du dur à cuire.

— Bradley Jenkins est-il un de vos patients ?

Les traits d'Harvey se déformèrent, trahissant confusion et agacement.

— Quel rapport avec quoi que ce soit ?

Bernstein s'éclaircit la gorge.

— Ça vous ennuie de répondre à mes questions ?

— Oui, ça m'ennuie.

Puis, se tournant vers Sara, Harvey ajouta :

— Qu'est-ce qui se passe, là ?

Avant de parler, Sara quêta du regard l'approbation de Max.

— Bradley a été retrouvé assassiné ce matin.

— Quoi ?

— Multiples coups de couteau, précisa Bernstein. Nous soupçonnons sa mort d'être en rapport avec le meurtre de deux patients de votre clinique, Bill Whitherson et Scott Trian.

— Mon Dieu !

— Maintenant, pouvez-vous me répondre ? Bradley Jenkins était-il votre patient ?

Harvey tituba jusqu'à son fauteuil, comme un homme qui a reçu trop de coups. Il s'assit et se prit la tête entre les mains.

— Sara ? demanda-t-il au bout d'un instant. On peut lui faire confiance ?

— Oui.

Son regard tenta d'accrocher les yeux de Bernstein, mais ces derniers étaient trop occupés à papillonner dans le petit bureau.

— Jurez-moi de ne pas en parler à la presse.

— Juré.

— Oui, Bradley Jenkins était mon patient – un patient ultraconfidentiel.

— Depuis combien de temps était-il en traitement ici ?

— Pas longtemps. Environ quatre mois.

— Et les deux autres, Whitherson et Trian ?

— Tous les deux étaient là presque dès l'origine.

— C'était quand ?

— Il y a trois ans.

Max finit par sortir son stylo de sa bouche pour écrire dans son calepin.

— Et si vous me racontiez votre conversation d'hier avec Sara ?

Harvey lança un coup d'œil à la jeune femme.

— Tu peux lui faire confiance, dit-elle.

Avec hésitation, Harvey expliqua à Max qu'il soupçonnait les meurtres d'avoir un lien avec la clinique. Puis il lui révéla qu'ils étaient tout près de découvrir un traitement contre le sida. Max hochait vigoureusement la tête, prenait des notes et écoutait sans faire de commentaires.

Quand Harvey s'interrompit, il lui demanda :

— Vous avez dit « nous avons » peut-être trouvé un remède. Qui est ce « nous » ?

— Essentiellement moi, mon associé, le Dr Bruce Grey, et un nouveau membre de l'équipe, le Dr Eric Blake.

— Blake est un ami de Michael, non ?

145

— Oui, répondit Sara.

Tandis que Max réfléchissait, son stylo retrouva d'instinct le chemin de sa bouche.

— Le Dr Bruce Grey… Ce n'est pas lui qui s'est jeté de la fenêtre d'une chambre d'hôtel il y a quelques semaines ?

Harvey confirma.

— Intéressant, nota Max. Que pensez-vous de cette mort, docteur Riker ?

— Je ne sais pas, répondit Harvey. La police a conclu à un suicide. Ce que j'ai raconté à Sara n'est sans doute qu'une construction tordue inventée par un esprit surmené et une imagination débridée. C'est de la folie.

Max s'avança vers la chaise face au bureau et s'assit.

— La folie m'intéresse.

Cassandra descendit l'escalier sur la pointe des pieds. De la soirée de la veille lui restaient une gueule de bois légère et quelques souvenirs fragmentaires : elle avait eu une discussion pénible avec Michael ; avait couché avec le sénateur Jenkins dans le *pool house* ; avait beaucoup trop bu.

Un moment précis, cependant, lui revint en mémoire. Vers la fin de la réception, alors qu'elle se faisait servir un dernier verre au bar, elle avait engagé la conversation avec un homme, lui aussi un peu éméché. Ils s'étaient déjà rencontrés plusieurs fois, mais elle ne lui avait jamais prêté beaucoup d'attention (voire pas la moindre). Il n'y avait personne d'autre autour, et Cassandra s'était sentie d'humeur charitable.

146

Une heure plus tard, elle discutait toujours avec le même homme. Elle ne flirtait pas, ne draguait pas, ne se faisait pas draguer, ne couchait pas. Elle discutait. Nul doute qu'elle devait être sacrément imbibée. Dans des circonstances normales, c'est-à-dire moins alcoolisées, elle n'aurait pas gâché une seconde avec lui.

Mais il s'était montré un parfait gentleman. Il l'avait écoutée. Oh, certes, elle avait vu des hommes faire mine de s'intéresser à ce qu'elle avait à dire pour arriver jusqu'à son lit, mais ce n'était pas le cas de celui-là.

Bizarre.

Plus bizarre encore, quand elle lui avait proposé de monter avec elle, il avait répondu :

— Pas ce soir.

— Pourquoi ?

L'homme avait secoué la tête en souriant.

— Vous n'avez pas vu cet épisode de *La Quatrième Dimension* ? Dans lequel l'homme laid et la femme sublime échangent leurs places ? J'ai du mal à croire que je suis en train de dire ça, mais… je ne veux pas être uniquement une nouvelle proie à votre tableau de chasse.

— Pardon ?

— Je sais, je sais. Je m'étonne moi-même. Écoutez, Cassandra, je donnerais cher pour passer une nuit avec vous.

— Et alors ?

Il avait levé les mains d'un geste d'impuissance.

— Si je monte avec vous, ce sera fini. Mais, en refusant, j'ai une chance de piquer votre curiosité. Vous aurez peut-être envie de poursuivre – même si je ne peux pas m'empêcher de penser qu'une fois sobre cette conversation vous apparaîtra comme un cauchemar.

Cassandra avait souri.

— Vous dévoilez votre tactique, Harvey.

— Oui, eh bien, je n'ai jamais été très bon stratège, et en plus je manque de pratique. Rendez-vous service, Cassandra : gardez vos distances. Je ne suis vraiment pas un cadeau.

— Cette fois, vous avez réussi à piquer ma curiosité.

— Pas de quoi, sincèrement. Je suis juste un drogué du boulot qui passe chaque heure de veille dans une clinique de Spanish Harlem. Je n'ai pas de temps pour une vie sociale. C'était une soirée plaisante, une merveilleuse distraction, mais je dois redescendre sur la planète Terre.

— J'aimerais bien que vous y réfléchissiez, avait-elle dit.

Harvey s'était tapé sur la tempe, comme pour s'éclaircir l'esprit.

— Je suis en train de rêver, n'est-ce pas ? Toute cette conversation était un rêve ?

— Peut-être. Nous le saurons sans doute demain.

Le lendemain était arrivé, et, pour une raison inexplicable, Cassandra avait envie de revoir Harvey Riker. Un problème, cependant : elle avait passé une bonne partie de la matinée à se demander comment agir, sans trouver de réponse. Fallait-il attendre qu'Harvey l'appelle ? Mais s'il ne le faisait pas ? C'est lui qui avait parlé de manque de pratique : or il y avait des années que Cassandra ne s'était plus souciée qu'un homme la rappelle ou non.

Puis une solution s'était présentée quand son père était rentré à la maison.

— Où étais-tu ? lui avait-elle demandé.

— Au Columbia Presbyterian, avait-il répondu, distrait. Michael y a été admis d'urgence.

— Il va bien ?

— Je pense. Ses amis s'occupent de lui.

— Harvey Riker ?

— Oui. Ils estiment qu'il s'agit d'une hépatite.

— Je vais peut-être passer lui rendre visite.

— Comme tu veux. Quand comptes-tu y aller ?

— Dans dix minutes.

— Bien. J'ai un rendez-vous dans un petit moment, et je ne veux voir personne aux alentours quand mon hôte arrivera. Compris ?

Cette conversation avait eu lieu une heure plus tôt, et c'était la raison pour laquelle Cassandra marchait sur la pointe des pieds. Les rendez-vous privés de son père étaient entourés de secret. Il n'apprécierait pas de la savoir encore à la maison. Traversant sans bruit le couloir pour aller au garage, elle perçut la voix de son père derrière la lourde porte en bois de son bureau. Il paraissait furieux.

— Bon sang, vous ne devriez pas être là ! s'écriait-il.

— Du calme, répondit une voix que Cassandra eut du mal à reconnaître. Vous m'aviez dit que vous seriez seul.

— Peu importe. Je ne veux pas vous voir dans ma maison.

— Arrêtez de vous tracasser. On a du travail à faire.

Qui était-ce ? Cassandra s'éloigna prudemment de la porte, l'esprit en ébullition. Cette voix lui était familière. Elle était sûre de l'avoir déjà entendue. Mais où ? Et à qui appartenait-elle ?

Elle était arrêtée à un feu rouge, à deux kilomètres de là, quand la réponse lui apparut.

7

— C'EST ASSEZ RARE, CE QUE J'AI DÉCOUVERT dans la note du Dr Grey, disait l'expert graphologue.

— Je sais, acquiesça l'inspecteur Bernstein. Ça explique peut-être tout.

— Comme quoi ?

— Plus tard, dit Max. J'ai un million de choses à faire.

— OK, je vous laisse.

Max serra la main de Swinster et lui donna une bourrade dans le dos.

— Merci encore, Bob. J'apprécie vraiment.

— Pas de problème, Tic. Ravi d'avoir pu vous aider.

Robert Swinster s'éloigna du bureau de Bernstein au moment où Sara s'en approchait.

— Salut, Max.

— Merci d'être venue aussi vite. Assieds-toi.

Sara examina son ami. Elle le retrouvait tel qu'en lui-même – les yeux rougis, les ongles rongés, le front barré de rides de concentration, les doigts qui jouaient avec le stylo, la main qui frictionnait sans cesse le visage pas rasé. Son bureau était jonché de trombones sectionnés.

Depuis trois jours, Max et ses hommes enquêtaient sur le meurtre à sensation du jeune Bradley Jenkins par le maintenant tristement célèbre Poignardeur de gays. Très éprouvé, le sénateur Jenkins se refusait à tout commentaire à propos des rumeurs entourant la mort de son fils. Son porte-parole au Sénat débitait toujours le même discours : le meurtre était un complot fomenté par certains groupes subversifs pour ruiner la réputation et la vie privée du sénateur.

Max avait interrogé Jenkins la veille, après l'enterrement de son fils. Au cours de ses années à la Criminelle, il avait vu la tragédie détruire les hommes les plus endurcis, mais n'en avait pas moins été décontenancé par l'apparence du sénateur : sa peau couleur de cendre, ses yeux hagards, ses épaules tombantes, son allure vaincue. Le sénateur avait répondu aux questions de Max d'une voix plate et distante, mais apparemment il ne savait pas grand-chose qui aurait pu les aider à découvrir le meurtrier.

— Qui était-ce ? demanda Sara.

— Robert Swinster, un graphologue. Il revérifiait la note laissée par Bruce Grey.

— Il a trouvé quelque chose ?

Le téléphone sur le bureau trilla. Max fit signe à Sara de patienter une seconde et décrocha.

— Oui ?

— Vous avez le *Daily News* sur la ligne cinq. Et ABC-TV sur la huit.

— Je ne parle pas à la presse pour l'instant, répliqua-t-il, avant de raccrocher brusquement. Foutus journalistes. C'est à devenir dingue !

— Du calme, du calme.

— Tout le monde hurle qu'on ne fait pas notre boulot, mais comment pourrait-on faire quoi que ce soit avec la presse qui nous harcèle sans arrêt ? Une bande de charognards – toi mise à part, évidemment. Tu sais quoi ? Je pense que les médias espèrent que le tueur va encore frapper.

— Ça fait partie du job, répondit Sara.

— Je sais, mais la pression devient insoutenable. L'autre jour, à la conférence de presse, je me suis fait l'effet d'être un quartier de viande fraîche devant une meute de dobermans affamés. Et je ne te parle pas du reste. Le maire qui exige des réponses. Tous les militants de la cause gay qui sortent du bois pour accuser la police fasciste de discrimination contre les homosexuels. Et rien qu'aujourd'hui j'ai eu une dizaine d'aveux bidons. Tout le monde veut être le Poignardeur de gays.

Il prit une profonde inspiration.

— Ah, laisse tomber… Comment va Michael ?

— Mieux. Ses coéquipiers sont avec lui en ce moment.

— Bien. J'avais besoin de discuter de tout ça avec toi.

— C'est l'heure du brainstorming ?

Max eut un sourire las. Quelques années plus tôt, Sara l'avait aidé à retrouver un tueur qui avait abattu quatre policiers en l'espace d'une semaine. De cette expérience, Max avait appris qu'il aimait bien lancer des idées devant un auditeur intelligent, or il n'y avait pas d'esprit plus affûté que celui de Sara. Il leur arrivait souvent de se dire des choses dingues, de formuler des hypothèses dingues, de se traiter de dingues, mais à la fin les affirmations irrationnelles commençaient à s'emboîter avec les faits rationnels, jusqu'à former des solutions solides.

— Cette affaire est-elle particulièrement difficile pour toi ? demanda-t-elle.

— Ce qui veut dire ?

— Tu le sais très bien.

Il eut un sourire nerveux, et regarda autour de lui pour s'assurer que personne n'était à portée de voix.

— Ça ferait un angle journalistique intéressant, pas vrai ? Le flic pédé chargé de mettre la main sur le Poignardeur de gays ?

Elle ne dit rien.

— Sara, tu es toujours la seule à savoir, en dehors de Lenny et de ma mère. Je regrette de ne pas pouvoir en parler, mais tu as idée de ce qui m'arriverait si ça se savait dans la police ? Je perdrais tout. Et j'aurais de la chance s'ils me laissaient encore travailler comme aubergine.

— Tu n'as pas à te justifier vis-à-vis de moi, Max.

Il acquiesça de la tête, les yeux baissés.

— Au fait, tu as le bonjour de Lenny.

— Comment va-t-il ?

— Il est tout le temps sur mon dos, mais je l'aime.

— Tant que vous êtes heureux.

— J'ai l'impression d'entendre ma mère ! Bon, revenons à notre affaire.

— OK, dit Sara. Qu'est-ce que tu as jusqu'ici ?

— Pas grand-chose. On a un poivrot qui a vu quelqu'un balancer le corps de Bradley derrière le Black Magic tôt dans la matinée. On a aussi localisé la voiture que le tueur conduisait à ce moment-là. C'est à peu près tout.

— Développe.

— Le témoin en question, un certain Louis Bluwell, était apparemment en train de cuver son gin sous des sacs-poubelle quand il a entendu une voiture, et vu un homme qu'il a décrit comme un « gros malabar » en sortir et jeter le cadavre dans les ordures. D'après M. Bluwell, il s'agissait d'une vieille Chevy verte. On a retrouvé le véhicule, abandonné sur Riverside Drive au niveau de la 145e Rue. Le coffre est plein d'une grande quantité – pour ne pas dire des litres – de sang de la victime. La voiture avait été volée le soir précédent.

— Le labo a relevé autre chose dedans ?

— Une série d'empreintes digitales et des cheveux, appartenant à la victime.

— Logique, commenta Sara. Rien d'autre ?

— D'après M. Bluwell, le type était énorme et brun. Pas de traits distinctifs.

— Et qu'est-ce que ça t'inspire ?

Bernstein se cala dans son fauteuil, joignit les mains, les index contre son nez, et posa les pieds sur son bureau.

— Je trouve ça intéressant.

— En quoi ?

Parce que ça cloche.

— Quoi donc ?

— OK, j'ai besoin de ton aide là-dessus. Que sait-on jusqu'ici ? Premièrement, les trois victimes sont homosexuelles. Deuxièmement, elles étaient toutes les trois suivies dans la même clinique, une clinique spécialisée dans la lutte contre le sida. Troisièmement, elles sont toutes les trois mortes de blessures à l'arme blanche au cours des trois dernières semaines.

— Alors ?

— Alors, examinons les trois cas un par un.

Max se redressa vivement, ouvrit son calepin et lut :

— Première victime : Scott Trian. Retrouvé attaché à son lit, bras et jambes écartés, dans son appartement, le 8G, au 27 Christopher Street. Atteint de vingt-sept coups de couteau. Le tueur lui a tranché l'oreille gauche, les deux pouces et le téton gauche – pendant qu'il était encore en vie, probablement. Il l'a aussi castré.

— Incroyable, marmonna Sara.

— Plus incroyable encore, la presse n'est pas encore au courant pour la torture et les mutilations.

— Ça ne durera pas, fit remarquer Sara. Quelqu'un finira par l'ouvrir.

— C'est vrai, mais en attendant ça me permet d'éliminer tous les Poignardeurs de gays autoproclamés. Quand on leur demande des détails concernant les meurtres, aucun ne mentionne ces mutilations. Ils ne savent que ce qu'ils ont lu dans les journaux… Mais on s'éloigne du sujet. Passons à la deuxième victime.

Bernstein mouilla son index et tourna quelques pages.

— Deuxième victime : William Whitherson. Le compagnon de M. Whitherson, un certain Stuart Lebrinski, a quitté leur appartement de l'Upper West Side pour aller faire quelques courses. Quand il est revenu, une heure plus tard, Whitherson était mort.

De vingt-trois coups de couteau. Pas de mutilation ni de traces de torture.

— Le temps manquait, dit Sara. Le copain n'est sorti qu'une heure.

— Possible, admit Max. Mais écoute, les choses deviennent intéressantes. Troisième victime : Bradley Jenkins.

Une fois encore, Max tourna plusieurs pages avant de continuer :

— Un chauffeur de maître dépose Bradley devant son immeuble après la soirée caritative chez ton père. Un voisin croit avoir vu Jenkins ressortir de l'immeuble quelques minutes plus tard avec un autre homme qu'il décrit comme « très gros ».

— Sûrement le type qu'a vu l'ivrogne.

— Ça se tient, acquiesça Max. Tout ce qu'on sait, c'est qu'ensuite on retrouve le corps de Jenkins derrière le Black Magic. Plusieurs clients du bar ont reconnu Bradley d'après sa photo, mais tous assurent ne pas l'avoir vu de la soirée.

— Normal. Il est resté très tard chez mon père.

— Autre chose : la porte de l'appartement de Bradley a été forcée.

— Le gros type a donc dû entrer par effraction, dit Sara. Je ne vois pas ce qui cloche.

Max reposa son calepin.

— Regarde l'ensemble, Sara. D'abord, Bradley revient chez lui après la fête. Puis un gros type force la serrure et pénètre dans l'appartement. Jusque-là, tu me suis ?

— Continue.

— D'après l'état de l'appartement de Bradley, la lutte – si lutte il y a eu – a été très brève. Ensuite,

157

Bradley et le tueur sortent de l'immeuble et s'en vont. À en juger par la quantité de sang qu'il y avait dans le coffre, on peut avancer l'hypothèse qu'il a été tué alors qu'il se trouvait à l'intérieur. Pas de mutilation mais, comme pour les deux autres, une vingtaine de coups de couteau au visage, à la poitrine et à l'aine. Le tueur laisse le corps dans le coffre pendant toute la nuit et le balance derrière un bar gay le lendemain matin.

— Bradley connaissait peut-être le meurtrier, dit Sara. Non, attends, on oublie ça. S'ils se connaissaient, le type n'aurait pas eu besoin de forcer la serrure.

Max eut un petit sourire.

— Et moi qui m'apprêtais à souligner ton erreur…

— Désolée de te gâcher ton plaisir.

— Tant pis. Mais tu négliges la question la plus importante.

— Qui est ?

— Pourquoi le tueur a-t-il emmené Bradley hors de l'appartement ? Réfléchis. Trian et Whitherson ont tous deux été tués chez eux. Le tueur les a surpris seuls, a réglé son affaire et laissé les cadavres sur place. Mais dans le cas de Bradley, il s'est donné la peine de le faire sortir. Ce qui signifie d'abord qu'il a dû voler une voiture. Ensuite, qu'il a pris le risque d'être vu en quittant l'immeuble puis en se débarrassant du corps derrière le Black Magic. Pourquoi ? Pourquoi ne s'est-il pas contenté de le tuer, comme il l'avait fait avec les deux autres ? Et pourquoi jeter le corps derrière un bar gay ?

— Je vois ce que tu veux dire, commenta Sara, songeuse. Écoute, Max, je sais que ça chauffe de plus en plus pour toi, mais je ne vais pas pouvoir retenir l'info beaucoup plus longtemps. Je ne parlerai pas des mutilations de Trian, mais je dois informer le public du lien entre les trois meurtres et la clinique.

— Sara…

— De toute façon, ça sortira bientôt, et le père de Bradley ne peut pas être plus touché qu'il ne l'est déjà.

Elle agrippa sa canne.

— Surtout, Harvey est décidé à communiquer sur les succès de la clinique. Il a besoin de lever des fonds. Il y aura un reportage d'une heure consacré à son traitement contre le sida dans *NewsFlash*.

Max lâcha un sifflement.

— Ça, c'est un sacré scoop, dit-il. De quoi décrocher un prix Pulitzer, Sara. Ce serait dommage de passer à côté.

— Tu es injuste, Max.

— Je sais. Encore mon préjugé contre les journalistes. Désolé.

— OK, on oublie.

Elle le regarda commencer à ronger non plus ses ongles, mais ses doigts.

— Max, tu ne crois pas que le lien avec la clinique est important ?

— Décisif, répondit-il, sortant ses doigts de sa bouche pour se frictionner le visage. Mes agents sont en train de passer en revue tous les gens en rapport avec cet endroit.

— C'est le nœud de l'affaire, pas vrai ? Tout le monde pense qu'un psychopathe s'en prend à des homosexuels, mais en fait ses cibles pourraient plutôt être des patients traités contre le sida ou, plus spécifiquement encore, des patients du service d'Harvey.

— Très possible.

— Que penses-tu de la peur d'Harvey que quelqu'un veuille saboter la clinique ?

Bernstein se leva et se mit à marcher de long en large.

— Pas impossible, mais ce serait aller chercher un peu loin. D'après Harvey, personne en dehors de la clinique – ni la FDA ni qui que ce soit d'autre – ne savait à quel point ils étaient près de trouver un traitement. Certes, il y a eu des rumeurs, mais en général on n'essaie pas de saboter une rumeur.

— Je ne suis pas d'accord avec toi là-dessus. On a tous les deux déjà vu des gens agir sur la foi de rumeurs beaucoup moins substantielles que celle-là.

— C'est vrai, mais regarde : si quelqu'un voulait détruire le travail d'Harvey et de Bruce, pourquoi se donnerait-il la peine de tuer ces hommes de cette manière abominable ? Pourquoi ne pas plutôt mettre le feu à la clinique ? Ou éliminer simplement… ?

Sa voix dérailla.

— J'allais dire : pourquoi ne pas éliminer les médecins ?

Il y eut un long silence.

— Max, qu'a dit le graphologue ?

— Que la note a bien été écrite par Bruce Grey, sans aucun doute possible.

— Ça confirme qu'il s'est vraiment suicidé ?

— Pas nécessairement, répondit Max en se grattant le menton. À cause de cette note, le suicide n'a pas été mis en doute. L'affaire a été classée.

— Et maintenant ?

— Il y a tellement de trous noirs, Sara ! J'ai vérifié l'historique de Grey. Il avait l'air assez heureux, assez normal, et ne présentait aucun signe de dépression ou de troubles psychologiques.

— Mais si Bruce a écrit ce mot…

— Oui, mais *comment* l'a-t-il écrit ?

— Je ne te suis pas.

— Eh bien, l'expert a remarqué que l'écriture était inhabituellement tremblée. Les lettres et les mots se chevauchent. Alors, certes, le message a bien été écrit par Grey, mais pas de son écriture habituelle. Il était très pressé ou sous pression.

— N'est-ce pas normal dans le cas d'un suicide ?

— Pas vraiment. D'habitude, l'écriture est lente, régulière et assez normale. Grey écrivait toujours très soigneusement, même quand il rédigeait une ordonnance. Or la lettre de suicide est particulièrement brouillonne. Elle a pu être écrite – et je dis bien « pu » – sous la contrainte.

Sara se pencha en avant.

— Quelqu'un aurait obligé Bruce à l'écrire ? En lui mettant un pistolet sur la tempe ?

— Tout doux, Sara. Pour l'instant, on ne sait rien du tout.

Et si c'est le cas, Harvey pourrait être en danger.

Bernstein parut sceptique.

— Ne commence pas à te monter la tête. Il y a plein d'explications plus satisfaisantes. Si ça se trouve, Grey avait simplement froid au point que ses mains tremblaient en écrivant le mot.

— Mais tu n'y crois pas.

161

Max empocha ses clés.

— Où vas-tu ? lui demanda Sara.

— Au Days Inn. Je veux examiner la chambre de Grey.

— Salut, Mikey ! Comment tu te sens ?

Michael sourit en voyant Reece et Jerome entrer dans sa chambre, suivis de près par la moitié de l'équipe de Knicks.

— Quelle jolie bande d'infirmières vous faites ! s'exclama Michael.

— Et regarde ce qu'on t'apporte, dit Jerome en levant un sac en papier brun.

— Qu'est-ce que c'est ?

— La nourriture à l'hôpital est infecte, non ?

— Tu parles ! Deux jours à ce régime et je suis déjà en train de devenir fou.

— Tiens, dit Reece. En direct du Hunan Empire.

— Oh, je crois que je vous aime, les gars.

— Pas trop d'effusions avec nous, vieux.

— Je vais essayer de me retenir.

— Alors, Mikey, comment ça va ?

— Correctement.

— Quand est-ce que tu reviens ?

— Probablement pas avant la saison prochaine.

— Merde.

— Comme tu dis. Mais bon, vous savez quoi, les gars ?

Il y eut un instant de silence.

— Je vais être papa.

Une explosion de joie retentit dans la chambre. Tous les joueurs l'entourèrent pour le féliciter.

— Eh, vieux chnoque, comment vas-tu m'apprendre quoi que ce soit de ton lit d'hôpital ? demanda Jerome quand le calme fut revenu.

— Regarde les enregistrements des anciens matchs, suggéra Reece. Tu verras comment jouait Mikey dans sa folle jeunesse.

— Il y avait déjà des caméras, à l'époque ? s'étonna faussement Jerome.

Reece rigola.

— Qu'est-ce qui te fait rire ? demanda Michael. Je te rappelle que tu n'as qu'un an de moins que moi.

— Je sais. C'est pour ça que je voudrais te voir revenir. Je n'ai pas envie d'être le nouveau « vieux chnoque ».

— Tu m'étonnes. Alors, comment se passe l'entraînement ?

— Tu nous manques, Mikey, dit Reece.

— Sympa à entendre.

— Ouais, lança Jerome, ça me manque, de ne plus bloquer tes tirs et t'en mettre plein la vue.

— Passe-moi mes petits plats, Jerome, avant que mon médecin ne les voie.

— Trop tard.

Les joueurs des Knicks se retournèrent pour découvrir Harvey, appuyé contre le montant de la porte.

— Salut, Harvey, dit Reece.

— Comment vas-tu, Reece ?

— Pas trop mal.

— Pourriez-vous tous me laisser quelques minutes seul avec Michael ?

— Bien sûr que non.

— Parfait, répliqua Harvey. En attendant, je vais demander à des infirmières de vous emmener faire un tour au pavillon pédiatrique. Il y a là-bas des gamins dont vous allez pouvoir faire le bonheur.

— Avec plaisir, dit Reece. Allez, les gars, on y va.

Une fois les équipiers de Michael sortis, Harvey referma la porte et s'approcha du lit.

— Alors, quoi de neuf ? demanda Michael.

— On vient d'avoir le résultat de tes tests sanguins, commença Harvey. Tu es HBV positif.

— Ce qui veut dire ?

— Que tu as une hépatite.

— Ce n'est pas ce que vous attendiez ?

— Oui et non.

— Explique-moi, s'il te plaît.

— Franchement, c'est un peu bizarre. Tu as une hépatite B, pas une hépatite A.

— C'est si grave que ça ?

— Quatre-vingt-dix pour cent des patients atteints d'hépatite B guérissent complètement en trois ou quatre mois. Avec un peu de chance et un bon entraînement, tu pourrais même assurer la fin de la saison et les matchs de qualification.

— Super.

— Mais nous aimerions effectuer quelques examens supplémentaires, dit Harvey, dont une numération des lymphocytes T et un test VIH.

Michael se redressa et chercha le regard d'Harvey.

— Un test VIH ? Ce n'est pas…

— Si, c'est un test censé indiquer si tu es porteur du virus du sida.

— Pourquoi devrais-je faire cet examen ?

164

— C'est une simple précaution. On est sûrs que tu n'as pas le sida. Tu n'es ni homosexuel ni un consommateur de drogue par intraveineuse, si bien que les risques que tu l'aies sont quasi nuls.

— Eh bien, alors ?

— Eric et moi en avons discuté. Nous avons aussi consulté le Dr Sagarel, le gastro-entérologue. Le problème, c'est qu'on ne comprend pas comment tu as contracté l'hépatite B.

— Des fruits de mer pas frais ?

— Là, tu penses à l'hépatite A, rectifia Harvey. L'hépatite B se transmet par transfusion sanguine, par la salive ou le sperme. Bon, tu vas m'en vouloir de te poser la question, mais je dois le faire quand même. Et il est important que tu me dises la vérité.

— Je t'écoute.

— Je sais que tu aimes Sara, mais as-tu eu des aventures extraconjugales ? Un écart lors d'un déplacement des Knicks ?

— Non, répondit Michael. Jamais.

— Normalement, on n'aurait pas pensé à te faire le test du VIH, mais quand Eric a étudié ton dossier, il a vu que tu avais reçu une transfusion sanguine après ton accident de bateau aux Bahamas.

— Mais c'était il y a des années.

— Justement. Si c'était plus récent, je ne m'inquiéterais pas autant. Aujourd'hui, on dispose de la technologie nécessaire pour analyser les dons de sang, de sorte qu'il est presque impossible qu'un patient reçoive du sang contaminé. À l'époque, ce test n'existait pas.

— Donc, tu es en train de me dire…

— Je ne dis rien. Écoute, Michael, Eric et moi avons le VIH en tête à cause de la clinique. Mais tu n'as pas le sida, j'en suis presque sûr. En d'autres circonstances, j'aurais procédé aux examens sans t'en parler.

— Et le Dr Sagarel est d'accord avec Eric et toi là-dessus ?

L'espace d'une seconde, le visage d'Harvey parut s'assombrir.

— Oui, Michael, il est d'accord.

— Écoute, Harvey, je ne veux pas mettre en cause ton jugement…

Harvey agita la main.

— Ne t'inquiète pas pour ça. Tu as eu raison de poser la question.

— Bon, et maintenant ?

— Je voudrais te faire une prise de sang, si tu es d'accord.

Michael haussa les épaules, même si son regard trahissait encore sa peur.

— C'est vous les médecins, finit-il par dire.

— Bien. Donne-moi ton bras.

— Tiens, choisis ta veine.

Harvey inséra la seringue.

— Crois-moi, Michael, c'est une simple formalité.

— Je l'espère.

Une fois le sang prélevé, Harvey se dirigea vers la porte.

— Janice ?

Sur les ordres d'Harvey, Janice Matley, son infirmière la plus fidèle et la plus digne de confiance, attendait dans le couloir. Il n'aurait confié la tâche à personne d'autre.

— Oui, docteur ?

Il lui tendit l'échantillon de sang.

— Donnez ça à Eric ou Winston. À personne d'autre. S'ils ne sont pas là, attendez.

Elle acquiesça d'un signe de tête et s'éloigna. Harvey rentra dans la chambre de Michael.

— Quand aura-t-on les résultats ? demanda celui-ci.

— Dans une semaine, répondit Harvey. Maintenant, arrête de te tracasser. Il n'y a aucune raison de croire que tu as autre chose qu'une hépatite.

M. Philip Adams, le directeur adjoint de l'hôtel Days Inn, déverrouilla la porte.

— Voilà, dit-il. Chambre 1118.

— Aïe, fit l'inspecteur Bernstein.

— Un problème ?

Max sortit son doigt de sa bouche.

— J'ai des petites peaux qui me font mal. Ça me rend dingue.

Avec un air presque horrifié, Philip Adams regarda l'inspecteur de police régler le problème d'un coup de dents.

— Il y aura autre chose ?

— Quelqu'un a-t-il utilisé cette chambre depuis le suicide ?

— Eh bien, l'activité a été un peu molle ces derniers temps, donc non, elle est restée vide.

— A-t-elle été nettoyée depuis l'incident ?

— Oui, bien sûr.

— Pouvez-vous me trouver la femme de chambre qui s'en est occupée ?

— Elle est en congé aujourd'hui.

— Quand sera-t-elle là ?

— Demain matin.

— J'aimerais qu'elle m'appelle à son arrivée.

— Bien sûr, inspecteur, mais pourquoi enquêtez-vous maintenant ? Le suicide remonte à plus de quinze jours.

— J'essaie juste de répondre à quelques interrogations restées en suspens. Pouvez-vous également me trouver le réceptionniste qui était là la nuit du suicide ?

— C'est Hector qui a accueilli le Dr Grey, dit Adams. Vos collègues lui ont déjà parlé.

— À quelle heure arrive-t-il ?

— Il est là.

— Dites-lui de monter, s'il vous plaît.

— Pas de problème.

— Avez-vous fait des travaux dans la chambre depuis le drame ?

Adams toussa dans sa main.

— Nous avons remplacé la fenêtre cassée, évidemment.

— Rien d'autre ?

— Non.

— Très bien, merci.

— Voici la clé, inspecteur.

— Je vous la déposerai en repartant.

— Merci.

Resté seul, Bernstein fit le tour de la pièce, en espérant saisir l'atmosphère du lieu. Puis il ferma les yeux et tenta de se mettre dans la peau du bon docteur. Il l'imagina, se présentant à la réception de l'hôtel, prenant l'ascenseur jusqu'au onzième étage, introduisant la clé dans la serrure et entrant dans la chambre. Puis essayant d'ouvrir la fenêtre et s'apercevant qu'elle était scellée. Qu'avait-il fait après ? Il avait dû décider de prendre son élan pour se jeter à travers la vitre. Max l'imagina se reculant, s'élançant, la brisant en mille morceaux et se coupant dans la manœuvre. Pas très propre, comme suicide. Et douloureux.

Quelque chose cloche, là, Tic.

En effet. Pourquoi venir ici ? Pourquoi se jeter par la fenêtre ? Pourquoi se jeter par la fenêtre en brisant une vitre ? Ça ne collait pas. L'homme était au seuil d'une percée médicale majeure. Il était divorcé depuis sept ans, avait un enfant qu'il ne voyait pas assez, aimait la lecture, aimait son travail, et était assez casanier. D'après Harvey Riker et plusieurs autres amis de Bruce, celui-ci voyageait peu et n'était allé que trois fois à l'étranger – à Cancún, au Mexique, très récemment (pour des vacances, juste avant un suicide ?), et deux fois à Bangkok, au cours des dernières années, là où la clinique conservait tous les échantillons de sang et les résultats des analyses. Max avait appris qu'Harvey et Bruce avaient une peur panique des fuites, sabotages, interférences gouvernementales et autres – d'où la décision de mettre données et matériaux sensibles dans un endroit sûr en Thaïlande. À l'époque, ç'avait pu apparaître comme de la paranoïa, mais maintenant…

Le fil des pensées de Max fut brusquement interrompu.

Son regard se fixa sur le mur, à gauche de la porte. Lentement, il traversa la chambre et examina la chaîne de sécurité, qui pendait en deux morceaux séparés, l'un accroché au mur, l'autre à la porte. Max se penchait pour mieux voir quand un coup frappé à l'huisserie le fit sursauter.

— Qui est là ? demanda-t-il.

— Hector Rodriguez, répondit une voix à l'accent hispanique. M. Adams m'a dit que vous vouliez me voir.

Bernstein ouvrit.

Un homme en uniforme de l'hôtel entra. Mince, le teint mat, il portait une barbiche qui semblait avoir été dessinée sur son visage.

— Dites, Hector, quelqu'un a-t-il remarqué ça ?

Le réceptionniste examina la chaîne.

— Je ne pense pas. La chambre n'a pas été utilisée depuis le suicide.

— Et c'est courant, les chaînes de sécurité cassées, dans cet établissement ?

— Non, monsieur, pas du tout. Je vais la faire remplacer sur-le-champ.

Bernstein se demanda si la chaîne était déjà brisée quand Bruce Grey était arrivé. Il en doutait.

— Vous vous souvenez de l'arrivée du Dr Grey ?

— Un peu, répondit Hector. Vous comprenez, il s'est jeté par la fenêtre cinq minutes après.

— Qu'est-ce que vous vous rappelez de lui ?

— Il était très blond…

— Je ne parle pas de son physique. Ce qui m'intéresse, c'est la façon dont il se comportait. Est-ce qu'il était déprimé, par exemple ?

— Non, répondit l'employé. Pas déprimé ; je dirais plutôt nerveux. Il transpirait comme un cochon.

— Je vois…

Max s'interrompit soudain et leva les mains.

— Attendez ! Vous avez dit que le Dr Grey était blond ?

— Très blond.

Perplexe, Max ouvrit son dossier et regarda une photo récente de Bruce Grey. Il avait les cheveux d'un noir de jais.

— C'est bien l'homme qui a pris une chambre ?

Hector contempla la photo pendant dix bonnes secondes.

— Je ne suis pas sûr. Il est très différent. Il n'avait pas de barbe et, comme je viens de vous dire, il était blond.

Bernstein feuilleta de nouveau le dossier. Jusqu'ici, il avait évité de regarder les clichés de police parce qu'il n'aimait pas beaucoup regarder les cadavres, mais cette fois il y était contraint. Le visage était trop amoché pour qu'il sache si la victime portait une barbe ; cependant, en dépit des épaisses taches de sang, il était clair que les cheveux étaient blonds. Comme l'avait dit Hector, très blonds.

Max referma le dossier et les yeux. Pourquoi ce changement soudain d'apparence ? Se faire une nouvelle couleur de cheveux et un rasage complet avant de se jeter par la fenêtre paraissait un tantinet bizarre.

— Racontez-moi ce que vous a dit le Dr Grey en arrivant.

— Rien de spécial. Il m'a juste dit qu'il voulait une chambre. Je lui ai demandé pour combien de nuits et il m'a répondu : « Une. »

— C'est tout ?

— Je lui ai demandé : « Vous réglez comment ? » Il m'a dit : « En liquide. » Ensuite, je lui ai donné la clé et il s'est éloigné.

— Rien d'autre ?

— Non.

— Vous en êtes certain ?

Hector se creusa la tête.

— Certain.

— Il n'a pas eu de requête spéciale concernant la chambre ?

— Non.

— Il n'a pas réclamé un étage en particulier ?

— Non. Je ne suis même pas sûr qu'il ait regardé le numéro sur la clé avant d'entrer dans l'ascenseur.

Bernstein sentit une sueur froide glisser le long de sa poitrine. Instinctivement, il porta le doigt à sa bouche, mais il n'y avait plus rien à ronger. Toute cette histoire commençait à se compliquer, et à sentir très mauvais. Bruce Grey n'avait pas réclamé de chambre en particulier : une chambre avec vue, ou près d'un ascenseur, ou une de ces nouvelles chambres non-fumeur. Surtout, il n'avait pas spécifié qu'il désirait un étage élevé. De toute évidence, il aurait pu se retrouver avec une chambre au rez-de-chaussée.

— Il y a autre chose, inspecteur ?

— Non, c'est tout pour le moment.

Hector Rodriguez se retourna pour partir, puis s'arrêta.

— J'ai vu votre nom dans le *Herald*, inspecteur. J'espère que vous attraperez ce dingue avant qu'il ne coupe les parties de quelqu'un d'autre.

Max releva brusquement la tête.

— Qu'avez-vous dit ?

— Trancher les couilles d'un homme… c'est de la folie, hein, inspecteur ?

— Vous avez lu ça où ?

— Dans l'édition du soir. C'était à la une. Comment peut-on faire un truc pareil ? Cette ville est pleine de tarés.

Une fois encore, Max se frictionna le visage de la main droite. La presse. Le maire. Les militants gays.

Au secours !

8

LA SONNERIE DU TÉLÉPHONE TIRA GEORGE DU SOMMEIL. Aussitôt en alerte, il décrocha avant la deuxième sonnerie.

— Allô ?

— Vous avez lu les journaux du matin ?

George se redressa et consulta sa montre. La voix, à l'autre bout du fil, paraissait différente – toujours agitée et tendue, mais aussi chargée d'autre chose. De peur. Et peut-être de colère.

— Non, pourquoi ? J'aurais dû ?

— D'après le *Herald*, le Poignardeur de gays a torturé et castré Scott Trian avant de le tuer.

— Vous avez l'air contrarié.

— Ils étaient censés mourir instantanément, bon sang ! Je n'ai jamais parlé de torture ou de mutilation.

— Si vous n'êtes pas satisfait de mon travail…

— Pas satisfait ? Je croyais avoir affaire à un professionnel, mais vous n'êtes qu'un psychopathe !

— Je suivais vos ordres, dit George. La mutilation, c'était pour faire plus crédible. Vous avez aussi dû lire que tout s'est bien passé avec le meurtre de Jenkins. J'ai abandonné le corps à l'endroit demandé.

— L'avez-vous… l'avez-vous défiguré ?

— Il est mort du premier coup de couteau. Même chose pour Whitherson.

— Vous en êtes sûr ?

— Ne m'obligez pas à me répéter.

— Alors, jurez-moi que les autres ne souffriront pas.

George faillit sourire.

— Je ne suis que l'exécuteur, qui appuie sur la détente ou retire la goupille. Mais vous, vous êtes le juge et le jury. C'est vous qui ordonnez leur mort.

— Non. C'est faux.

Il y eut un autre silence, avant que la voix reprenne :

— Promettez-moi qu'aucun autre ne sera inutilement torturé.

— OK. Mais je vous assure que c'était pour le mieux.

Son correspondant lâcha une longue expiration.

— La situation a changé. Vous allez devoir faire plus attention. La police va commencer à surveiller.

— Surveiller quoi ? demanda George. Ils ne vont pas mettre un flic derrière chaque pédé de Manhattan… sauf s'il y a autre chose.

— Autre chose ? Je ne saisis pas.

Je crois que si, dit George. Écoutez, je me fiche de qui vous êtes et de la raison pour laquelle vous voulez tuer ces types. Ce n'est pas mon affaire. En revanche, je dois savoir ce que pense la police. Je dois connaître le vrai lien entre les victimes afin de pouvoir me préparer correctement. Sinon, des erreurs risquent d'être commises.

Silence.

— J'ai raison de croire que ces hommes ont autre chose en commun que leur homosexualité ?

— Ils sont tous traités dans une clinique spécialisée dans la lutte contre le sida.

— Et le Dr Grey travaillait dans cette clinique ?

— Oui.

— Et les flics savent tout ça ?

— Presque tout. Quant au reste, ils ne tarderont pas à le savoir.

— Donc, il n'est pas impossible qu'ils enquêtent sur le suicide de Bruce Grey.

— Pas impossible, non.

George réfléchit un instant.

— J'ai une idée, mais ce sera coûteux pour vous.

— Je vous écoute.

— Je peux éliminer quelques pédés au hasard.

— Non !

— Écoutez-moi jusqu'au bout. Je tue deux pédés qui n'ont pas le sida ou qui ne sont pas traités dans cette clinique. J'embrouille les flics. Pour que ça ressemble vraiment à un acte de psychopathe homophobe.

— Non !

— Ou alors, je change de méthode pour les suivants. Je fais en sorte que ça ait l'air d'un accident ou, mieux encore, d'un suicide. Si ces types ont le sida et sont condamnés, un suicide ne fera pas l'objet d'une enquête trop poussée.

— Les policiers s'attendront à quelque chose comme ça. Vous ne vous en tireriez pas.

— Ça vaut le coup d'essayer.

— Non, je veux que vous vous en teniez à la même méthode, sauf avis contraire de ma part.

George haussa les épaules.

— OK, c'est vous qui payez.

— Et n'oubliez pas : seuls ceux que je désignerai doivent trouver la mort.

— Pas trouver la mort.

— Pardon ?

— Ils ne trouvent pas la mort, dit George. Ils sont assassinés.

— Tu déjeunes ici tous les midis ? demanda Sara.

— Non, répondit Eric Blake.

Ils poussèrent leurs plateaux sur la glissière du self-service de l'hôpital. La salle était pleine de médecins, d'infirmières et de techniciens de laboratoire, tous vêtus de blouses blanches ou de tabliers bleus ornés des mots « PROPRIÉTÉ DU COLUMBIA PRESBYTERIAN – NE PAS EMPORTER ». Les hommes n'étaient pas rasés, les femmes avaient des poches sous les yeux : tous paraissaient épuisés à force d'enchaîner des gardes de quarante heures.

Découvrant la pizza de l'hôpital, Sara plissa le nez.

— Eric, c'est normal que la mozzarella soit verte ?

— C'est un des meilleurs plats au menu.

— Je crois que je vais m'abstenir.

— Je peux nous faire livrer du chinois, si tu veux.

Elle secoua la tête.

— Michael me tuerait. Il n'a pas mangé chinois depuis deux jours et souffre déjà du manque.

Ils trouvèrent une table au calme dans le fond.

— Comment se sent-il ? demanda Eric. Je n'ai pas eu le temps de passer le voir aujourd'hui.

— À peu près pareil. En ce moment, il fait la sieste. Mais je ne sais pas… Je ne le trouve vraiment pas en forme.

— Il se remettra.

Eric ouvrit soigneusement sa brique de lait. Et alors que tout le monde, autour d'eux, buvait à la bouteille, le médecin remplit son verre et le porta à ses lèvres.

— Tu sais, ça me fait drôle de voir Michael ici. Comme une désagréable sensation de déjà-vu.

— Qu'est-ce que tu veux dire ?

— Ça me rappelle notre enfance. À l'époque où le beau-père de Michael le battait.

Sara fit la grimace.

— Il n'en parle presque jamais.

— Je sais, et je le comprends. C'était une période sombre, qui gagne à être oubliée.

Sara hocha lentement la tête, imaginant Michael sous les traits d'un enfant sans défense sur un lit d'hôpital. Une vague d'angoisse et de colère monta en elle. En pensée, elle revint cinq ans en arrière, quand elle avait pour la première fois entendu parler du passé de Michael, quelques heures avant de faire sa connaissance.

— *Je veux que tu fasses une interview de Michael Silverman, lui avait dit Larry Simmons, le directeur de la rédaction du* New York Herald.

— *Le joueur de basket ?*

— *Lui-même.*

— *Pourquoi ? Le basket n'est pas franchement ma spécialité.*

— *Ce n'est pas le basket qui m'intéresse, c'est l'homme. On est en plein dans les finales de la NBA* et tout le monde parle des prouesses de Silverman sur le terrain. Mais d'où vient-il ? Comment ce petit Juif du New Jersey est-il devenu cet athlète extraordinaire ?

— Le sujet n'a pas déjà été traité ?

— Tous ceux qui ont essayé se sont cassé les dents. Silverman refuse de parler de sa vie privée à la presse. Pose-lui des questions sur les tirs en suspension ou les paniers, et il sera aussi prolixe que Proust. Mais si tu l'interroges sur sa jeunesse, il se refermera comme une huître.

— Qu'attends-tu de moi, exactement ?

— Que tu le fasses parler. Que tu découvres qui il est. Sois honnête et franche avec lui. Si ça ne marche pas, sois retorse.

Elle avait ri.

— Et si aucune des deux méthodes ne marche, je lui tape sur la tête avec ma canne ?

— C'est toi qui l'as dit.

Une demi-heure plus tard, elle appelait Michael chez lui.

— Monsieur Silverman ?

— Oui ?

— Je m'appelle Sara Lowell. Je suis journaliste au New York Herald.

— Ah, oui, répondit Michael, j'ai déjà lu vos papiers, mademoiselle Lowell. J'ai bien aimé le dossier que vous avez consacré au commissaire au logement. Très intéressant.

— Merci.

— Maintenant, dites-moi, que puis-je faire pour vous ?

179

Sara n'en revenait pas. Elle s'était attendue à parler à un ogre, ou du moins à un homme méfiant à l'égard de la presse. Or il se révélait très poli, même aimable.

— J'aimerais beaucoup vous interviewer, au moment qui vous conviendra le mieux.

— Je vois. Vous êtes devenue journaliste sportive, mademoiselle Lowell ?

— Pas vraiment.

— Alors, quel genre d'article comptez-vous écrire ?

— Oh, je ne sais pas. Un article général sur Michael Silverman hors du terrain. Vos centres d'intérêt, vos passions. Afin que vos fans vous connaissent un peu mieux.

— Ça paraît assez ennuyeux.

— Au contraire. D'après ce que j'ai entendu dire, vous êtes une personnalité très intéressante.

— Donc, tout ce que vous voulez, c'est faire un article léger pour raconter que j'aime aller au théâtre, que je collectionne les lapins, que je jardine en caleçon, ce genre de choses ?

— À peu près, oui.

— Vous savez sûrement, mademoiselle Lowell, que je ne donne aucune interview sur ma vie privée ?

— Je l'ai entendu dire, oui.

— Vous ne me poserez donc pas de questions personnelles ? Rien sur ma vie amoureuse ou mon enfance ?

— Vous pourrez toujours me répondre : « Sans commentaire. »

Michael s'esclaffa.

— Vous oubliez, mademoiselle Lowell, que je lis vos articles. Vous ne faites pas dans le superficiel. Vous sondez, vous ferrez votre proie puis ne la lâchez plus.

— Monsieur Silverman, cet article ne sera pas...

— Expliquez-moi une chose, l'interrompit-il. Pourquoi vous, les journalistes, n'arrivez-vous pas à comprendre que ma vie privée ne regarde personne ? Pourquoi ne pas vous contenter de commenter ce qui se passe sur le terrain et me foutre la paix ?

— Le public veut en savoir davantage.

— Très franchement, je me contrefous de ce que veut le public. Comment se fait-il que la vie privée des journalistes ne s'étale jamais en couverture des magazines ? Comment se fait-il que je n'aie jamais lu d'article racontant comment vous avez perdu votre virginité, mademoiselle Lowell, ou relatant ce week-end de folie où vous vous êtes saoulée quand vous étiez étudiante ?

— Ma vie n'intéresse personne, monsieur Silverman.

— La mienne non plus, sauf si je marque des points au basket.

— C'est faux.

— Écoutez, je ne suis pas d'humeur à être le scoop de la semaine, OK ? Fichez-moi la paix. En plus, je n'apprécie pas du tout votre façon de tourner autour du pot. Pourquoi n'avez-vous pas eu l'honnêteté de me dire franchement ce que vous vouliez ?

Elle hésita avant de répondre :

— Parce que vous m'auriez sans doute raccroché au nez.

— *Bonne déduction de votre part. Au revoir, mademoiselle Lowell.*

Elle l'entendit raccrocher.

— *Allez au diable, monsieur Silverman.*

Pour un type sympathique et facile d'accès... Elle se leva et se dirigea vers la porte.

— *Où vas-tu ? l'interpella Larry Simmons.*

— *Chez Silverman.*

— *Il a accepté l'interview ?*

— *Non, il m'a raccroché au nez.*

— *Donc ?*

— *La méthode sournoise n'a pas marché. Je vais voir si le coup de canne sur la tête est plus persuasif.*

— *Avant de partir, dit Larry, il vaut peut-être mieux que tu lises son dossier.*

Il lui tendit une enveloppe kraft.

Le dossier en question était court, puisqu'il tenait en une page, mais les informations qu'il contenait étaient lourdes.

— *Incroyable, murmura Sara.*

— *Je me doutais que ça t'intriguerait.*

Elle lut à voix haute :

— *Né à l'hôpital Beth Israel de Newark dans le New Jersey. Son père, Samuel Silverman, est mort dans un accident de voiture quand il avait cinq ans. Sa mère, Estelle Silverman, s'est remariée un an plus tard à Martin Johnson. Entre six et neuf ans, Michael a été hospitalisé huit fois. Ses blessures, supposément le fait de mauvais traitements infligés par son beau-père, comptent plusieurs os brisés et trois commotions cérébrales. Quand il a dix ans, sa mère se tire une balle dans la tête. C'est Michael qui découvre le corps. Il n'a ni frère ni sœur. Son* beau-père l'abandonne après le suicide. Pour seule famille, il ne lui reste que sa grand-mère paternelle, Sadie Silverman, qui s'occupe de lui jusqu'à sa mort, quand Michael a dix-neuf ans.

Elle leva les yeux.

— Bon sang, Larry, tu veux que je harcèle ce gars-là ?

— Rien de tout ça n'a jamais été publié parce que les détails sont trop parcellaires. Continue ta lecture.

— Michael a reçu une bourse complète pour aller à Stanford, avec une spécialisation en basket et en piano.

Elle marqua une pause.

— Il est pianiste ?

— Cette partie-là est assez connue, fit remarquer Larry.

— Il a fait partie de l'Academic All-American, distinguant les meilleurs étudiants athlètes, quatre années d'affilée... réputation de play-boy...

— C'est un euphémisme, commenta Larry. Ce gars-là change de petite amie comme d'autres de chaussettes.

Il sourit.

— J'espère que tu sauras résister.

— Un mec qui change de copine comme de chaussettes ? Très tentant, mais pas trop mon genre.

— Personne n'est ton genre.

— Ça veut dire quoi ?

— Ça veut dire que tu ne sors jamais avec personne.

— J'ai trop de boulot.

— Un faux prétexte.

— Et personne ne m'intéresse en ce moment.

— Écoute, Sara, j'ai soixante-sept ans, sept petits-enfants, et je suis heureux en ménage depuis quarante-quatre ans.

— Donc ?

— Donc, tu vas devoir trouver quelqu'un d'autre. Je ne suis pas libre.

Elle sourit à son tour.

— Zut, tu m'as percée à jour.

— Et ne sois pas si prompte à juger Silverman, ajouta-t-il. Regarde son passé. Si tu avais eu une enfance comme la sienne, tu n'aurais peut-être pas non plus très envie de te lier à quiconque.

Elle reposa le dossier sur le bureau.

— Ce sujet risque de tomber dans le sensationnalisme de bas étage.

— Ça dépend de la façon dont tu le traiteras. Le fait est que Michael Silverman est une idole sportive. Nous, les Juifs, nous l'adorons, parce qu'on est peu nombreux à réussir dans ce domaine. La dernière fois qu'il y a eu un athlète juif aussi célèbre remonte à… à Sandy Koufax.

— Où veux-tu en venir, Larry ?

— C'est une aventure humaine intéressante. Un homme qui a surmonté des épreuves incroyables pour devenir un des meilleurs joueurs de basket du monde. En plus, il ferait un modèle parfait pour les enfants victimes d'abus.

— Et s'il ne veut pas être un modèle ?

— C'est un sujet en or, Sara, crois-moi. Peut-être un peu sensationnel, et alors ? Tu es journaliste, et c'est de l'actu.

— D'accord, d'accord, je vois le tableau. J'y vais de ce pas.

— Sara ?

Elle leva les yeux, brusquement ramenée à la réalité.

— Excuse-moi, Eric.

— Tu n'as pas à t'excuser. Je sais que tu as beaucoup de choses en tête en ce moment, mais n'oublie pas ceci : les problèmes de Michael appartiennent au passé. Vous allez avoir un enfant ensemble, et Michael n'a jamais été aussi heureux de toute sa vie.

Sara voulut sourire, mais son sourire n'atteignit pas ses yeux. Elle avait l'intuition que Michael n'en avait pas fini avec ses malheurs d'autrefois, qu'ils avaient encore le pouvoir de l'atteindre et de le blesser...

— Vous permettez que je me joigne à vous ?

— Salut, Max, dit Sara. Tu connais Eric, n'est-ce pas ?

— Je crois qu'on s'est déjà rencontrés, répondit Bernstein. Comment allez-vous, docteur ?

— Très bien, merci.

Le biper à la ceinture d'Eric retentit à ce moment-là.

— Excusez-moi, tous les deux, il faut que je file.

— Une urgence ? demanda Max.

— Non, c'est seulement l'heure des visites.

Max se gratta vigoureusement le visage, comme s'il avait des puces.

— Puis-je vous poser une petite question, avant que vous partiez ?

— Bien sûr.

— Quand avez-vous vu le Dr Grey vivant pour la dernière fois ?

Eric réfléchit une seconde.

— Le jour de son départ pour Cancún.

— Est-ce qu'il était pareil que d'habitude ?

— Comment ça ?

— Est-ce qu'il avait encore les cheveux noirs et une barbe ?

— Bien sûr, répondit Eric sans hésitation. Pourquoi cette question ?

— Comme ça. Merci, Eric.

— Je vous en prie, inspecteur. À plus tard, Sara.

— Au revoir, Eric.

Eric Blake rangea soigneusement ses déchets sur le plateau avant de s'en aller.

Sara se tourna vers Max.

— Je t'ai appelé trois fois, aujourd'hui.

— Désolé, j'ai une journée chargée.

— Tu as eu beaucoup de réactions aux infos sur la castration ?

Tout le corps de Max parut se soulever alors qu'il haussait les épaules.

— Rien que je ne puisse maîtriser avec un lance-grenade et du gaz lacrymogène.

— J'imagine. Bon, alors qu'as-tu appris ?

Il se pencha en avant, le coude droit posé sur la table, le bras gauche flanqué derrière sa chaise.

— En premier lieu, que Bruce Grey était blond et ne portait pas de barbe quand il s'est soi-disant jeté par la fenêtre. Il avait aussi des verres de contact pour changer la couleur de ses yeux. J'ai vérifié auprès de ses amis et même du chauffeur de taxi qui l'a déposé à l'aéroport. Bruce était brun et barbu quand il a quitté New York.

— Intéressant, comme tu dirais.

— Pour le moins. Mais ce n'est pas tout.

Il lui rapporta rapidement le reste de sa conversation avec Hector Rodriguez au Days Inn.

Stupéfaite, Sara l'écouta sans un mot.

— Donc, Grey ne s'est pas suicidé, dit-elle quand Max eut terminé.

— Il a été assassiné, Sara. J'en ai la certitude.

— Et on a voulu faire passer sa mort pour un suicide.

— J'en ai l'impression.

— Tu crois que le meurtre de Bruce est lié aux trois autres ?

— Probablement.

— Mais alors, pourquoi le coupable a-t-il maquillé le meurtre de Bruce en suicide, mais n'a pas cherché à dissimuler le fait que les trois autres avaient été assassinés ?

— Je ne sais pas, dit Max.

Il se leva, fit le tour de la table sans raison apparente et se rassit.

— Max ?

— Oui ?

— Tu recommences à jouer avec tes cheveux.

Bernstein regarda l'annulaire de sa main droite, sur lequel étaient enroulées des mèches, comme sur un bigoudi. Il libéra son doigt et posa les mains sur la table.

— J'économise sur la permanente.

— Bon, et qu'as-tu appris d'autre ?

— Ce matin, j'ai examiné les affaires personnelles de Grey retrouvées dans la chambre d'hôtel. Tout était là : portefeuille, papiers d'identité, cartes de crédit, attaché-case, affaires de rechange, et même son passeport.

187

— Et ?

— Il n'y avait pas de tampon mexicain dessus.

— Rien d'extraordinaire à ça. On n'a pas besoin de passeport pour aller au Mexique.

— C'est vrai. Mais une des pages du passeport de Grey a été minutieusement découpée. Pas évident à remarquer si on n'y regarde pas de très près.

Sara contempla le plafond.

— Donc, le meurtrier ne veut pas qu'on sache ce qu'il y avait sur cette page. Bruce n'est peut-être jamais allé au Mexique. Il est peut-être allé ailleurs, et l'assassin ne veut pas qu'on l'apprenne.

— Exactement ce que j'ai pensé. Donc, j'ai appelé l'hôtel Oasis à Cancún.

— Il y est allé ?

— Oui.

Elle attendit qu'il poursuive, mais il resta assis là, souriant.

— Max, arrête de jouer à ces petits jeux avec moi. Que s'est-il passé ?

— J'ai appelé ton vieux contact au service de la douane et de l'immigration.

— Don Scharf ?

— Exact. Je sais que j'aurais dû te demander avant, mais le temps pressait. Heureusement, il se souvenait de moi, depuis l'affaire du violeur qui avait fui à Porto Rico.

— Qu'as-tu découvert ?

— Eh bien, ça n'a pas été sans mal, mais on a fini par retracer l'itinéraire de Bruce.

— Et ?

— Il est bien allé à Cancún d'abord. Mais il a repris l'avion le lendemain.

— Pour aller où ?

— À Bangkok.

— Il n'y a aucun doute possible, Eric, affirma Winston O'Connor, le technicien chef du laboratoire, de sa voix traînante.

O'Connor travaillait à la clinique depuis sa création et n'avait plus vécu dans l'Alabama depuis son entrée à Columbia University dix-huit ans plus tôt, mais les années n'étaient pas venues à bout de son fort accent du Sud.

— Regardez le Western-Blot. Le motif des bandelettes est indiscutable.

Eric tendit une main lasse. L'horloge murale, un de ces modèles bruyants qu'on trouvait dans les écoles, indiquait 17 : 10. Depuis combien de temps n'avait-il pas quitté la clinique ? Il fit un rapide calcul. Quarante heures.

Il contempla le film photographique et demeura silencieux un moment. Il avait beau savoir ce que le marquage signifiait, il ne pouvait en détacher les yeux, comme s'il avait le pouvoir de le modifier en se concentrant dessus.

— Montrez-moi le test Elisa.

Winston soupira.

— On l'a déjà examiné deux fois.

— Je veux le revoir. Vous êtes sûr d'avoir utilisé le bon échantillon ?

Winston lui lança un regard bizarre.

— Vous plaisantez ?

— Je voulais juste vérifier.

189

— Vous étiez là quand je l'ai fait, dit Winston. Je ne commets pas d'erreur de ce genre. Vous non plus.

Eric baissa la tête.

— Je sais. Désolé.

Winston traversa la pièce et alla ouvrir une porte semblable à celle d'un réfrigérateur. Il en sortit une plaque.

— Tenez. Et voici le résultat de la densité optique au spectrophotomètre.

— Donnez-moi aussi le comptage des lymphocytes T.

— Encore ?

Eric hocha la tête.

— Voici, dit Winston un instant plus tard. Mais qu'est-ce que vous cherchez, à la fin ?

Sans répondre, Eric étudia toutes les analyses et les résultats une bonne dizaine de fois. En fond sonore, il entendait Winston pester.

— Enfin, bon sang, combien de fois allez-vous regarder ces trucs ? Il n'y a pas d'erreur. Nous n'avons jamais fait d'erreur avec ce test. Jamais.

— Ce n'est pas possible, marmonna Eric.

— Des centaines de tests positifs au VIH sont passés par ce labo, poursuivit Winston. Pourquoi toutes ces vérifications sur celui-là ? J'ai refait deux fois le test Elisa et le Western-Blot. Il n'y a aucun doute quant aux résultats.

Eric se laissa tomber sur une chaise, comme s'il venait de recevoir un coup à la tête. Il décrocha lentement le téléphone et composa un numéro.

— Qui appelez-vous ? demanda Winston.

Sa voix lui parvenait de très loin.

— Harvey.

— Je vais ranger tout ça.

— Inutile. Harvey voudra voir les résultats.

— Mais nous avons tous deux déjà…

— Il ne nous croira pas, coupa Eric. Il voudra tout examiner par lui-même.

9

HARVEY BOUTONNA SA CHEMISE et sourit en contem-
plant le lit défait. Si seulement Jennifer pouvait le
voir…

— Je n'arrive toujours pas à croire que tu es là,
dit-il.

Allongée sur le lit, seulement couverte d'un fin
drap blanc, Cassandra s'étira.

— Pourquoi ? Ça fait déjà quatre jours, Harvey.

— Heureuse ?

— Aux anges, répondit-elle.

Et c'était vrai. Depuis leur premier baiser, elle était
accro. Aussi étrange que ça paraisse, elle sentait son
cœur enfler dans sa poitrine rien qu'en pensant à lui.

— Pas de récriminations ?

— Une seule, dit-elle. Tes horaires de fou !

— Je t'avais prévenue.

— Oui, mais tout de même… deux heures par
nuit ?

— Je suis désolé.

— Ce n'est pas ta faute, dit-elle. Au moins,
j'apprécie davantage mes neuf heures-dix-neuf
heures à l'agence.

Harvey fouilla dans les vêtements éparpillés par terre, trouva dans un coin son pantalon froissé et l'enfila.

— Quand fais-tu ta présentation à la compagnie aérienne ?

— Demain. La Northeastern. J'ai rendez-vous avec le séduisant directeur marketing. Jaloux ?

— Je devrais l'être ?

— Non.

— Tant mieux, dit Harvey avec un sourire idiot. Parce que tu me plais beaucoup.

Cela la fit rire.

— Qu'est-ce que tu es sentimental !

— Je manque de pratique, c'est tout. Alors, quel slogan publicitaire as-tu trouvé ?

Elle réfléchit un instant.

— « Le ciel en toute sécurité avec la Northeastern ».

— Un peu rebattu.

— Que penses-tu de : « À la Northeastern, nous faisons ce que nous savons faire le mieux » ?

— Bof.

— « Envolez-vous avec moi » ?

— Ça peut marcher si tu montres un beau décolleté.

— Pas de problème, répondit Cassandra. C'était ma spécialité à la fac.

— Je m'en doute.

Harvey dénicha sa cravate rouge en boule dans un de ses mocassins.

— Je ne repasserai sans doute pas ici avant après-demain, ajouta-t-il.

— Il faut que je rentre, de toute façon. Je n'ai plus rien à me mettre.

— Tu vas abandonner mon splendide *penthouse* ?

Cassandra fit des yeux le tour du studio en désordre d'Harvey.

— D'accord, admit-il, ce n'est pas Versailles.

— Ce n'est pas un habitat humain.

— J'admets qu'un coup d'aspirateur ne serait pas superflu.

— Un coup de bulldozer, tu veux dire.

— Quelle enfant gâtée tu fais !

Cassandra sourit.

— C'est sûr.

Elle se redressa et glissa un oreiller derrière sa tête.

— C'est vrai que tu as trouvé un remède contre le sida ?

— Pas exactement un remède, répondit-il en nouant sa cravate avant de la desserrer aussitôt. Plutôt un traitement.

— Un de mes bons amis est mort du sida, dit-elle. Mon directeur de la publicité chez Dunbar Strauss. C'était un type tellement vivant, tellement créatif ! Je me souviens d'être allée le voir à l'hôpital, jusqu'au moment où il souffrait tant qu'il ne voulait plus recevoir de visites.

— C'est une maladie atroce, Cassandra.

— Comment fonctionne ton traitement ?

— Tu veux vraiment savoir ?

— Oui.

Harvey s'assit au bord du lit et lui prit les mains.

— Le sida, commença-t-il, ou syndrome d'immu-nodéficience acquise, ne tue pas par lui-même. Le virus du sida, appelé le VIH, attaque le système immunitaire, si bien que le patient devient vulnérable aux maladies et aux infections. Ce sont elles qui finissent par être mortelles. Tu me suis ?

— Je crois, dit-elle. Ça signifie que le virus du sida casse le mur qui nous protège des maladies.

— Exactement. La façon dont le virus détruit le système immunitaire est assez complexe, donc je vais essayer d'être le moins technique possible.

— Je t'écoute.

— Le VIH s'attache à ce qu'on appelle les lymphocytes T. Il pénètre à l'intérieur de ces cellules et les détruit. Tu me suis toujours ?

Cassandra acquiesça.

— Le VIH est attiré par une partie de la cellule qu'on appelle le récepteur T. En d'autres termes, le VIH cherche les récepteurs T, se fixe dessus et attaque.

— Compris.

— Ce qu'on fait à la clinique, c'est injecter aux patients un médicament puissant que nous avons mis au point et qui s'appelle le SR1 – SR comme Sidney Riker, mon frère. Ses effets secondaires indésirables sont nombreux, et malheureusement le patient doit en prendre en quantité croissante pendant une longue période.

— À quoi sert le SR1 ?

— Là encore, c'est compliqué. Je te fais grâce du jargon médical. Dans le corps humain, le SR1 ressemble beaucoup aux récepteurs T, de sorte que le virus est attiré par ce faux récepteur.

— Donc, le virus s'accroche au SR1 au lieu de s'en prendre aux vrais récepteurs T ?

— Schématiquement, oui. C'est un peu comme si le SR1 se déguisait en récepteur T. Le virus est attiré par le SR1, il se fixe dessus…

— Et le SR1 attaque le VIH.

Harvey secoua la tête.

— J'aimerais bien. Un jour peut-être, ça se passera aussi rapidement, mais on en est encore très loin.

— Alors, que se passe-t-il ?

— Eh bien, une fois que le VIH s'est accroché au récepteur SR1, ils se battent. C'est une vraie lutte acharnée. Au départ, le VIH est furieux de ce qui arrive. Le SR1 active le virus, l'excite. C'est pourquoi on doit donner au patient des doses croissantes de SR1, jusqu'à ce qu'il commence à fatiguer le virus. Pendant un temps, les effets du sida sont en suspens et, au bout d'une longue et dure bataille, le VIH finit par mourir.

— Le SR1 gagne.

— C'est ce qu'on croit, oui. Plusieurs patients ayant reçu le traitement sur une longue période sont redevenus séronégatifs.

— Incroyable.

— Attention, les problèmes sont évidents. Outre les dangers du SR1 et le fait qu'il crée une forte dépendance, on ne peut sauver que les systèmes immunitaires. Si un patient est déjà en phase terminale – s'il est déjà gravement atteint par une des infections induites par le sida –, notre traitement ne lui sera d'aucun secours. Le SR1 ne peut qu'arrêter le VIH. Il ne peut pas soigner un sarcome de Kaposi, par exemple, ni aucune des autres maladies que le

sida peut provoquer. En conséquence, on doit attaquer le virus très tôt, avant que l'infection ou la
maladie s'installe. Et, bien sûr, il faut poursuivre les
recherches. On n'en est encore qu'à gratter la
surface.

— Tu auras tous les financements dont tu auras
besoin quand Sara aura fait son reportage, dit
Cassandra.

— Je l'espère.

— C'est sûr. Quand ces informations seront
rendues publiques, tout le monde soutiendra la
clinique, même mon père.

Harvey enfila ses chaussures et se leva.

— Je demande à voir.

— Tu verras.

— Peut-être, dit Harvey, par souci de maintenir la
paix. Mais ce n'est pas lui qui me fait peur.

— Qui, alors ?

— Des fous dangereux qui veulent tirer parti de la
mort de ces jeunes gens. Des individus comme le
révérend Sanders.

— Tu crois qu'il essaierait de saboter la clinique ?

— Ça ne me surprendrait pas.

Cassandra roula sur elle-même, révélant la longue
courbe satinée de sa hanche.

— Il était dans le bureau de mon père l'autre jour.

Harvey fit volte-face.

— Mais ton père m'a affirmé qu'il ne connaissait
pas Sanders personnellement.

— Je l'ai entendu dans le bureau de papa le lendemain de la soirée. Ils se disputaient.

— À propos de quoi ?

— Je ne sais pas exactement.

— Cassandra, c'est important.

Elle s'efforça de rassembler ses pensées.

— Je me rappelle avoir entendu mon père dire à Sanders qu'il n'aurait pas dû venir à la maison.

— Qu'a répondu Sanders ?

— Il a dit à mon père de se détendre. Il parlait d'un ton très calme. Rien à voir avec mon père, qui semblait furieux. Puis Sanders a dit quelque chose du genre « il y a encore du boulot ».

Harvey se crispa.

— Mon Dieu !

— C'est tout ce que j'ai entendu. Après, je suis partie.

— Tu es sûre…

Le téléphone sonna. L'espace d'une seconde, aucun d'eux ne bougea, les yeux rivés l'un à l'autre. Puis Harvey alla décrocher.

— Allô ?

Eric parla d'une voix précipitée.

— Venez au labo, Harvey. Vite.

— Que se passe-t-il ?

— C'est Michael. Venez tout de suite.

— Allez, bois une gorgée.

Michael porta la tasse en plastique à ses lèvres et but.

— Il est comment, ce jus d'orange ? demanda Sara.

— On dirait du white-spirit. Quelle heure est-il ?

— Sept heures du matin. Tu as bien dormi ?

— Pas vraiment. Je n'aime pas dormir dans des lits séparés.

— Moi non plus, dit Sara. Mais le mien n'est qu'à un mètre.

— C'est encore pire. J'ai l'impression de voir le Saint-Graal sans pouvoir le toucher.

— Comme c'est poétique.

— Pour le dire plus crûment, j'ai envie de toi.

— Et moi de toi, répondit Sara. Chaque fois que tu te lèves, je vois ton joli petit cul qui dépasse de ta chemise d'hôpital. Ça me rend folle.

— Je sais, c'est fait exprès.

Il reposa le jus d'orange et se redressa.

— Alors, comment avance le reportage sur la clinique ?

— On va commencer les interviews aujourd'hui. Je vais être très bousculée, et je n'aurai pas trop le temps de passer te voir.

— Tant mieux, un peu de calme et de paix ne me fera pas de mal.

— Pas si vite, Apollon. Je viendrai tout de même pour le déjeuner et le dîner. Et je dormirai encore dans ce petit lit cette nuit.

Il l'attrapa et l'embrassa.

— Impossible de me débarrasser de toi, hein ?

— Jamais.

Alors qu'ils s'embrassaient, la porte s'ouvrit. Sara se retourna pour voir entrer Harvey et Eric. Leurs expressions sombres parurent presque douloureuses lorsqu'ils virent Sara et Michael enlacés. La jeune femme étudia leurs visages, remarqua leur port de tête, la façon dont ils enfonçaient leurs mains dans leurs poches, et elle sut. Sans aucun doute possible.

C'était foutu. Tout était foutu. Elle serra Michael plus fort et sentit ses muscles se tendre. Elle avait envie de hurler.

Harvey referma la porte.

— Il faut qu'on parle.

10

JENNIFER RIKER LEVA LE VISAGE pour profiter de la chaude caresse du soleil. Elle passa devant une vitrine, s'arrêta, fit deux pas en arrière et examina son reflet. L'approche de la cinquantaine ne l'avait pas épargnée. Sa silhouette commençait à s'arrondir un peu. Les petites lignes autour de ses yeux se creusaient (inutile de le nier) en de véritables rides. Son cou se plissait. En s'observant, elle se demanda pour la millième fois si elle avait pris la bonne décision ; si elle n'avait pas, comme beaucoup l'en avaient avertie, lâché la proie pour l'ombre.

En y réfléchissant, elle arrivait à la conclusion qu'elle n'avait pas eu le choix. Rester avec Harvey, ç'aurait été se condamner à passer son temps devant des soap operas en se sentant complètement inutile. Rester mariée, ç'aurait été jouer le rôle de l'épouse dévouée d'un homme qui avait consacré sa vie à une cause et s'imaginait que les autres faisaient de même. Il lui suffisait de regarder Harvey, ces rares soirs où il ne restait pas à la clinique, le visage et l'allure marqués par l'épuisement, pour se sentir désœuvrée et égoïste. Elle devait se sortir de là.

Aussi s'était-elle enfuie, avant que le poids de sa dépression ne lui sape toutes ses forces. Elle s'était installée à Los Angeles, où elle vivait à présent (très heureuse, merci) avec sa sœur Susan et son jeune neveu, Tommy. Pendant ses vingt-six années de mariage avec Harvey, Jennifer s'était rarement aventurée sur la côte Ouest. Harvey et elle faisaient partie de ces snobs du Nord-Est, persuadés qu'il n'existait pas de vie culturelle hors des frontières des douze colonies originelles.

Los Angeles possédait cependant des avantages évidents par rapport à New York. Le climat plus chaud, pour commencer ; l'atmosphère plus chaleureuse, ensuite. Jennifer appréciait la décontraction californienne – surtout après les tensions des dernières années. Et la cohabitation avec Susan s'était révélée amusante : comme si elles revivaient leur jeunesse. Les deux sœurs avaient toujours été proches. En grandissant, elles s'étaient promis de toujours vivre à proximité l'une de l'autre. Jennifer, l'aînée de deux ans, s'était mariée la première, à un médecin du nom d'Harvey Riker. Pour ne pas être en reste, Susan avait épousé un autre médecin, Bruce Grey, un an et demi plus tard. Harvey et Bruce étaient vite devenus amis et bientôt associés. Tout allait pour le mieux jusqu'à ce qu'un problème mineur ne commence à miner le bel agencement de leurs vies.

Le couple de Bruce et Susan s'était mis à battre de l'aile.

Après quelques tentatives pour sauver leur mariage, Susan avait quitté Bruce et déménagé à Los Angeles en emmenant leur fils de sept ans. La nouvelle avait bouleversé Jennifer et Harvey. Se sentant soudain isolés et effrayés, ils s'étaient pour la première fois interrogés sur leur bonheur et la solidité de leurs relations. Ç'avait été le début de la fin.

Jennifer ferma les yeux et soupira. Elle sortit sa clé et ouvrit la porte de l'appartement. Au même moment, le téléphone sonna.

— Allô ?

— C'est bien Mme Susan Grey ?

— Elle est absente pour le moment. Qui est à l'appareil ?

— C'est Mme Riker ?

— Oui.

— Bonjour, madame. Ici Terence Lebrock.

— Oh, vous êtes l'exécuteur testamentaire de Bruce.

— C'est exact. Je voulais juste vous informer que je vous avais envoyé la clé d'une boîte postale au courrier du soir. Vous devriez la recevoir aujourd'hui.

— La clé d'une boîte postale ? Je ne suis pas sûre de vous suivre.

— Le Dr Grey avait conservé une boîte postale à la poste principale de Los Angeles. Je pense qu'il serait bon de la vider sans tarder. Elle pourrait contenir des documents importants.

Pourquoi Bruce avait-il une boîte postale ici ? se demanda Jennifer. Il en avait utilisé une pendant la mission de deux ans qu'il avait effectuée dans le département de recherche de l'UCLA, mais pourquoi l'aurait-il conservée ? Peut-être un nouvel exemple de la personnalité compulsive de son ex-beau-frère.

— Ne vous inquiétez pas, monsieur Lebrock. Je m'en charge aujourd'hui même.

Le silence était écrasant. Il avait envahi la pièce et grandissait, grandissait au point que Sara eut peur que les murs autour d'eux ne finissent par s'écrouler. D'abord, il y avait eu le déni. Comment était-ce possible ? Michael n'avait jamais eu d'expérience homosexuelle. Il n'avait jamais été consommateur de drogue par intraveineuse. Il n'était pas un hémophile ayant besoin de transfusions sanguines régulières. Il n'avait couché avec personne d'autre que Sara depuis six ans. En tout état de cause, il aurait dû être un homme de trente-deux ans en bonne santé.

Sauf qu'il était couché dans un lit d'hôpital avec une hépatite B et un résultat positif au test du VIH. Son taux de lymphocytes T était dangereusement bas, et la conclusion des médecins était qu'il avait dû recevoir du sang contaminé aux Bahamas après son accident de bateau.

Il avait le sida.

Son visage, en cet instant, ne trahissait aucune émotion, ce qui était bizarre pour un homme passionné comme Michael, qui n'avait pas l'habitude de cacher ses pensées ou ses sentiments derrière un masque impassible. Sara se rappela leur première rencontre, la première fois qu'elle lui avait parlé en face à face.

La porte s'ouvrit, laissant échapper la sonate 32 en do *mineur de Beethoven.*

— Oui ? demanda Michael.

Il était étonnamment beau ; grand, bien sûr, avec de larges épaules. Il portait une serviette autour du cou et un verre de jus d'orange à la main. La pointe de ses cheveux était collée par la sueur. Il s'était essuyé le front avec le coin de la serviette.

Nerveuse, Sara s'agrippait à sa canne. Au moment où elle allait tendre la main droite, elle s'aperçut qu'elle avait la paume moite. Ses cheveux blonds, tirés en arrière, accentuaient encore davantage ses pommettes saillantes.

— Bonjour. Je suis Sara Lowell.

Il la dévisagea, stupéfait.

— Vous êtes Sara Lowell.

— Vous paraissez surpris.

— Je le suis. Je ne vous imaginais pas comme ça.

— Vous vous attendiez à quoi ?

— À une apparence plus bourrue.

— Une apparence bourrue ?

— Oui. Des cheveux noirs bouclés ; la cigarette au bec avec la cendre prête à tomber ; une machine à écrire portative ; un pull noir ; plutôt bien en chair.

— Désolée de vous décevoir.

— Au contraire. Que faites-vous ici, mademoiselle Lowell ?

— Sara.

— Sara.

Elle éternua.

— À vos souhaits.

— Merci.

— Enrhumée ?

Elle hocha la tête.

— Alors, que puis-je pour vous, Sara ?

— Eh bien, j'aimerais entrer et vous poser quelques questions.

— Hum... Ce scénario me semble un tantinet familier. Vous aussi, vous avez cette impression de déjà-vu, ou est-ce seulement moi ?

— On va voir.

205

— *Quoi ?*

— *Si vous me claquez la porte au nez comme vous m'avez raccroché au nez.*

Il sourit.

— *Touché.*

— *Je peux entrer ?*

— *Je voudrais d'abord vous poser une question.*

Il fit mine de sortir un stylo de sa poche et d'écrire dans un carnet imaginaire.

— *Pourquoi la canne ?*

— *Pardon ?*

— *Vous m'avez très bien entendu, poursuivit-il du ton sérieux du reporter. Vous marchez avec une canne et vous portez une orthèse à la jambe. Que vous est-il arrivé ?*

— *Vous jouez à inverser les rôles, monsieur Silverman ?*

— *Michael. Et contentez-vous de répondre à la question, s'il vous plaît.*

— *Je suis née prématurée, avec un nerf définitivement endommagé au pied.*

— *C'était grave quand vous étiez petite ?*

— *Pas bénin, répondit-elle d'une voix douce.*

Levant les yeux, elle vit l'expression bienveillante, presque apaisante sur le visage de son interlocuteur. Il aurait fait un très bon intervieweur, songea-t-elle, sauf qu'il y avait une indéniable tension entre eux, une tension qui n'était d'ailleurs pas désagréable.

— *Vous dites que vous êtes née prématurée, reprit-il. Y a-t-il eu d'autres complications ?*

— *Pas si vite ! répliqua-t-elle. À moi. À quel âge avez-vous commencé à jouer au basket ?*

— Je ne sais pas exactement. Vers six ou sept ans, probablement.

— Étiez-vous le genre de gamin à jouer sans arrêt, à passer sa vie sur le terrain ?

— C'était le meilleur endroit où aller.

— Que voulez-vous dire ?

Michael répondit par une autre question.

— Quelles furent les autres complications, Sara ?

— Infections pulmonaires, lâcha-t-elle très vite. Et quand vous êtes-vous mis au piano ?

— À huit ans.

— Vos parents avaient engagé un prof particulier ?

Un sourire sans joie apparut sur les lèvres de Michael.

— Non.

— Alors, qui...

— Je crois que vous feriez mieux de vous en aller, dit-il.

— Changeons de sujet.

— Non.

— Mais j'allais seulement vous demander...

— Je sais ce que vous alliez me demander. Pourquoi avez-vous tant de mal à comprendre ? Je ne veux pas voir ma vie privée étalée dans les journaux. Point.

— Je voulais juste connaître le nom de votre prof de piano. Je me disais que vous voudriez peut-être lui rendre justice.

— N'importe quoi. « Changer de sujet », pour vous, ça veut dire essayer d'attaquer sous un autre angle. Vous vous imaginez qu'en insistant vous finirez par obtenir ce que vous voulez – quel qu'en soit le prix.

— *Et quel est ce prix, Michael ? Votre histoire pourrait donner de l'espoir à des milliers d'enfants qui sont victimes de…*

— *Mon Dieu, jusqu'où allez-vous vous abaisser pour faire ce sujet ?*

— *Ne vous flattez pas, répliqua Sara. Je m'implique dans tous les sujets qu'on m'assigne.*

— *Vous n'avez aucune éthique ?*

Sara serra les poings.

— *Épargnez-moi le couplet sur la moralité. Nous, les journalistes, sommes géniaux tant que nous disons au monde à quel point vous êtes merveilleux. Nous sommes vos meilleurs amis tant que nous vous tapons sur l'épaule et vous aidons à décrocher des contrats publicitaires. Mais oh, si on ose critiquer, si on ose creuser plus profond…*

— *Ma vie privée ne regarde personne.*

— *Peur que j'abîme votre précieuse image ? Peur que je vous montre autrement qu'en Superman ?*

Elle le voyait lutter pour ne pas exploser.

— *Au revoir, Sara, dit-il d'une voix crispée. Je n'avais vraiment pas envie d'en arriver là.*

— *C'est ça, claquez-moi la porte au nez ! Mais je reviendrai.*

— *Non, il n'en est pas question.*

— *Nous verrons bien.*

Et il referma la porte au moment où Sara éternuait de nouveau. Son rhume rendait sa respiration difficile et douloureuse.

— *Quelle plaie, ce type, marmonna-t-elle en s'éloignant.*

De retour chez elle, elle relut son dossier. Tandis que les mots défilaient devant ses yeux, sa colère se calma puis disparut. Pouvait-elle vraiment lui en vouloir d'être sur la défensive ? Son enfance ressemblait à un épisode d'Oliver Twist.

La poitrine oppressée, elle noua les mains derrière la tête et éternua encore une fois. Bien qu'elle eût essayé de l'ignorer, la réalité devint de plus en plus évidente. Elle savait pertinemment ce qu'il fallait faire. Avec un sentiment proche de la peur, elle appela son père.

Le lendemain matin, les médecins confirmèrent le diagnostic.

— Pneumonie, annonça John à sa fille sur son lit d'hôpital.

Il avait les larmes aux yeux.

— Pour la troisième fois en deux ans, Sara.

— Je sais.

— Tu vas devoir ralentir un peu.

Elle leva les yeux vers son père, mais ne dit rien.

— Comment te sens-tu ?

— Bien. Combien de temps vais-je devoir rester ici, cette fois ?

— Les médecins ne savent pas, chérie. Je peux passer un moment avec toi, si tu veux.

— Oh, oui, s'il te plaît.

John Lowell avait quitté le chevet de sa fille à neuf heures du soir. Sara ne voulait pas le laisser partir. Si irrationnel que ce soit, elle détestait se retrouver seule la nuit à l'hôpital. Malgré le temps qu'elle y avait passé, elle avait encore peur de fermer les yeux, peur que quelqu'un ou quelque chose l'attaque. Elle se sentait dans la peau d'un personnage de film, contraint de passer la nuit dans une maison hantée. Les bruits de l'hôpital la faisaient frissonner, ces sons qui résonnaient plus fort dans le noir et le silence : les pas trop sonores sur le carrelage, les bips et les glouglous des appareils médicaux, les gémissements de douleur, le grincement des roues des brancards, les pleurs.

Se sentant esseulée, Sara plaça les écouteurs de son baladeur sur ses oreilles et se mit à chanter une chanson de Police. Quand le volume de sa voix monta trop fort (« Don't stand so… Don't stand so… Don't stand so close to me ! »), l'infirmière entra, lui lança un regard noir et lui demanda de baisser le volume.

— Désolée.

Elle retira les écouteurs, alluma la télé et fut saisie par la voix du commentateur sportif :

— Belle intervention de Michael Silverman. Quel match il fait, Tom !

— Je confirme. Vingt-deux points, dix rebonds et neuf passes décisives. On dirait qu'il est possédé.

— Et Seattle demande un temps mort. New York mène 87 à 85 sur les Sonics en ce quatrième match de série. On vous retrouve dans quelques instants au Madison Square Garden de New York.

Bien qu'elle ne soit pas fan de sport, Sara regarda la fin de la rencontre. Les Knicks gagnèrent avec cinq points d'avance, ramenant le compteur à deux matchs partout dans cette série. Les deux matchs suivants auraient lieu à Seattle, puis retour à New York si un septième se révélait nécessaire pour départager les deux équipes. Après, elle continua d'écouter les commentateurs ineptes revenir sur tous les grands moments de la rencontre en alignant les clichés. Puis les interviews des joueurs et des coachs s'enchaînèrent pendant au moins une heure.

— Vous me cherchez ?

Sara se tourna vivement vers la porte.

— Qui...

Michael sortit de l'ombre. Il avait encore les cheveux mouillés après la douche.

— Mlle Nancy Levin, dit-il simplement.

— Pardon ?

— Ma prof de piano. Mlle Nancy Levin. C'était la professeur de musique de l'école primaire de Burnett Hill.

Sara ne sut que répondre.

— L'heure des visites est passée, hasarda-t-elle.

— Je sais. J'ai promis au vigile deux billets pour un match s'il regardait ailleurs. Un des avantages de la célébrité. Je peux m'asseoir ?

Abasourdie, Sara ne réussit qu'à hocher la tête.

— Merci, dit-il. J'ai appelé votre bureau ce matin, et votre rédacteur en chef m'a appris que vous aviez une pneumonie. D'après lui, ce n'est pas la première fois.

Elle haussa les épaules.

— J'ai voulu vous rendre une petite visite. J'espère que je ne vous empêche pas de dormir ?

— Non, pas du tout, répondit-elle en recouvrant enfin l'usage de la parole. Mais vous ne devriez pas plutôt être en train de faire la fête avec vos coéquipiers ?

— On fait la fête seulement après quatre victoires. On n'en est qu'à deux.

— Vous ne vouliez pas rester pour les interviews d'après match ?

— J'ai préféré passer vous voir.

Elle détourna les yeux de son regard pénétrant et tenta de rassembler des forces.

— Que représente pour vous cette série en championnat, Michael ?

— Vous posez toujours autant de questions ?

— Déformation professionnelle.

— Eh bien, comment dire ? Ce championnat est tout pour moi. Vous n'imaginez pas le nombre de fois où j'ai rêvé de marquer le point gagnant dans les finales de la NBA. Ça répond à votre question ?

— Oui.

— Alors, comment vous sentez-vous ?

— Bien.

— Fatiguée ?

— Non.

— Envie de discuter ?

— Assez.

— À une condition, annonça-t-il. Tout ça reste officieux. On discute simplement. Rien ne pourra être utilisé dans un article. Je veux votre parole.

— Vous l'avez.

Il se leva et se mit à arpenter la chambre.

— Que voulez-vous savoir sur moi ?

— Le dossier est sur la table de nuit, dit-elle. Lisez-le.

Il prit la feuille dans l'enveloppe et la parcourut, une lueur de douleur apparaissant dans ses yeux.

— C'est vrai ? demanda-t-elle.

— Oui.

— Tout ?

— Oui.

Et ils parlèrent pendant l'heure suivante, jusqu'au moment où l'infirmière, une grosse dame noire qui n'était pas fan de basket, trouva Michael dans la chambre de Sara et le jeta dehors sans ménagement.

Les Knicks et les Sonics remportèrent chacun un des matchs suivants, de sorte qu'une septième et ultime rencontre eut lieu au Madison Square Garden de New York. Le septième match – des mots mythiques pour les supporters. Vingt-quatre équipes avaient disputé quatre-vingt-deux matchs chacune au cours de la saison régulière et quatre séries éliminatoires pour déterminer lesquelles accéderaient à la finale du championnat.

Sara regarda la rencontre dans sa chambre d'hôpital. Elle se surprit à encourager bruyamment les Knicks, et Michael en particulier. À trois secondes de la fin, alors que les New-Yorkais étaient menés 102 à 101, Michael reçut le ballon. Sara sentit son cœur faire un bond en le voyant foncer puis effectuer un bras roulé très au-dessus de la main tendue du pivot de Seattle. La sonnerie retentit. Le ballon rebondit deux fois sur le bord de l'anneau, frappa le panneau, tomba dans le panier. Fin du match.

New York Knicks, 103 ; Seattle Supersonics, 102.

New York s'enflamma. Les équipiers de Michael, emmenés par Reece Porter, l'entourèrent. Le Madison Square Garden était en liesse. Sara s'entendit crier de joie ; dans son excitation, ses mains martelèrent le lit.

Il avait réussi. Michael avait réussi.

— Bravo ! hurla-t-elle.

La même infirmière passa la tête par la porte.

— Mademoiselle Lowell...

— *Désolée.*

Elle regarda le retour au vestiaire, le champagne qui giclait sur toutes les têtes, la fierté d'avoir remporté le championnat NBA. Les joueurs et les entraîneurs des Knicks trompetaient, criaient, s'étreignaient dans un rare moment de bonheur sans mélange. Dans la horde en folie, Sara tenta de repérer Michael, mais la confusion était totale. Les journalistes interrogèrent plusieurs Knicks, qui chantèrent les louanges de leur coéquipier, mais le héros du jour demeura invisible. Un moment plus tard, Sara entendit des pas s'approcher de sa chambre.

— *Bonsoir, dit Michael.*

— *Que faites-vous ici ?*

Elle avait parlé d'une voix presque agressive.

— *Vous devriez être en train de fêter le plus beau jour de votre vie. Alors, qu'est-ce que vous faites là ?*

— *Je ne sais pas.*

— *Qu'est-ce que vous attendez de moi ? Vous m'avez dit que tout était vrai dans ce dossier, donc vous pouvez choisir parmi des centaines de bimbos...*

— *Sara...*

— *Qu'est-ce que vous attendez de moi ?*

Il baissa la tête.

— *Pourquoi êtes-vous en colère ? demanda-t-il d'un ton presque enfantin.*

Sa propre réaction l'avait surprise. Pourquoi criait-elle comme ça ? Pourquoi se sentait-elle déstabilisée chaque fois qu'elle était avec lui ? Pourquoi s'énervait-elle ainsi alors qu'en réalité elle était heureuse de le voir ?

214

— *Je suis paumée, Michael. Je ne comprends pas ce qui m'arrive.*

Il s'approcha.

— *Moi non plus.*

— *Pourquoi êtes-vous venu ce soir, au lieu de fêter la victoire avec vos coéquipiers ?*

— *Je ne sais pas. J'avais envie... j'avais envie d'être avec vous, c'est tout.*

Et maintenant, il avait le sida.

Le sida. Le mot flottait dans la pièce comme une vapeur toxique. Sara sentit les larmes lui monter aux yeux, et elle se remit à pleurer.

— Calme-toi, murmura Michael à son oreille. Tout finira par s'arranger.

Il n'avait pas versé une larme depuis qu'Harvey et Eric leur avaient annoncé la nouvelle, deux heures plus tôt, et c'était cette absence de réaction qui était le plus terrifiant. *À quoi penses-tu, Michael ?* se demandait Sara. *Pourquoi ne partages-tu pas tes pensées avec moi ?*

Assis près de la fenêtre, Eric contemplait la circulation heurtée sur la 168ᵉ Rue, tandis qu'Harvey faisait les cent pas dans la chambre.

— Je veux la vérité, déclara Michael, ses mains se crispant contre celles de Sara. Pouvez-vous me guérir, oui ou non ?

Harvey s'immobilisa. Son regard croisa celui d'Eric, avant de se poser sur le visage de Michael.

— Nous croyons que c'est possible.

— Alors, essayons.

— Je vais te faire transférer à la clinique aujourd'hui même.

— Aujourd'hui ? intervint Sara. On ne peut pas attendre…

— Non, coupa Harvey. On doit commencer le traitement le plus tôt possible. Mais je dois vous prévenir tous les deux que ce traitement est une épreuve. Tu vas devenir accro au SR1, et les effets secondaires seront douloureux et désagréables. Pendant une période, tu seras comme un drogué, Michael. Tu auras l'impression d'avoir besoin du prochain shoot, sous peine de mourir. Et ce sera le cas.

La chambre retomba lentement dans le silence.

— Vous feriez mieux de partir, tous les deux, dit finalement Michael. Vous devez avoir des milliers de choses à faire.

Harvey fit signe à Eric, et les deux médecins se dirigèrent vers la porte. Avant de l'ouvrir, Harvey se retourna vers Michael.

— Réfléchis à ce que je t'ai dit tout à l'heure, d'accord ? Tu pourrais être très utile.

Dès qu'ils furent partis, Sara prit Michael dans ses bras, mais elle le sentit se raidir ; son corps devint froid et dur… comme un cadavre.

— Michael ?

— Je suis désolé, dit-il.

Ses yeux filèrent aux quatre coins de la pièce, comme s'il cherchait une issue. Sara posa la tête contre sa poitrine, et ils restèrent ainsi, silencieux, pendant un long moment. Le seul bruit qu'entendait Sara était celui de la respiration régulière de Michael.

— Tu devrais y aller, Sara, dit-il enfin. Tu as ton reportage à faire.

— Je ne vais nulle part.

— Il le faut. Le sujet est trop important.

— Je vais demander à Donald Parker de s'en charger.

— Non, c'est à toi de le faire.

— Je me fous de ce reportage, Michael. Je veux rester avec toi.

Michael ne dit plus rien pendant dix minutes.

— Sara, reprit-il, je ne suis pas sûr de vouloir te faire subir ça.

— Tu n'as pas le choix, répliqua-t-elle. Et n'essaie pas de jouer au martyr courageux avec moi, Michael. Tu ne vas pas mourir. Tu ne vas pas me laisser toute seule avec le bébé.

Il eut un sourire triste et lui caressa le ventre.

— On doit penser à Junior.

— Exactement.

— Sara ?

— Oui ?

— J'y réfléchis depuis plusieurs heures, dit-il. Et je veux rendre public ce qui m'arrive.

— Pardon ?

— Ils ont raison…

— Ils n'auraient jamais dû te parler de ça, rétorqua Sara. Ce n'est pas le moment de prendre des décisions, Michael. Tu es trop vulnérable.

Il sourit de nouveau, d'un sourire doux, attristé.

— Pourquoi repousser l'inévitable, Sara ? Tu sais bien qu'on n'a pas le choix.

Elle sentit la peur s'enrouler autour de son cou comme une écharpe.

— S'il te plaît, Michael, prends le temps d'y réfléchir encore. Ne fiche pas tout en l'air !

— Ficher en l'air quoi ? demanda-t-il. C'est foutu, Sara. Il n'y a plus rien à perdre. Je ne t'ai jamais laissée faire cet article sur les mauvais traitements que j'ai subis, enfant, et c'était égoïste de ma part.

— Michael…

— C'est bizarre, tu sais. Quand Harvey m'a annoncé les résultats du test, tout est devenu très clair dans ma tête. J'y ai beaucoup réfléchi. Harvey et Eric n'ont pas insisté, mais je connais leur position. Ils veulent que je fasse une annonce publique.

— Attends un peu. C'est trop frais. Il y a beaucoup de choses à prendre en considération. Pense à la discrimination. Les gens vont te détester. La NBA va sûrement prétendre que tu es une trop grande menace en termes de santé pour te laisser remettre un pied sur le terrain, même en cas de rémission.

— Et alors ? Écoute, je ne suis pas un type très courageux. Tu avais peut-être raison autrefois. L'histoire de mon enfance aurait peut-être pu permettre aux gens de comprendre le problème de la maltraitance, mais j'étais incapable de revivre tout ça. Je n'en avais pas la force.

— Je sais. Ce n'est pas ta faute.

— Mais là, l'enjeu est trop important. Je ne peux pas me mettre en retrait une fois encore. Je crois qu'Harvey le sait. Il voit que son traitement peut sauver des gens, et cela seul compte pour lui. Tu l'as entendu. La publicité autour de mon cas pourrait avoir le plus gros impact sur la perception de l'épidémie de sida depuis la mort de Rock Hudson. Je ne peux pas l'ignorer.

Elle se contenta de s'accrocher à lui, les yeux fermés.

— Voilà pourquoi je veux en parler, Sara. Et je voudrais que tu m'organises une conférence de presse dès demain.

— Si c'est ton souhait, dit-elle lentement, alors on le fera. Mais ne parlons plus de cela. Pour le moment, je veux juste que tu me serres dans tes bras.

Pauvre Bruce, songeait Jennifer Riker en poussant la porte vitrée de la poste principale de Los Angeles. Un type merveilleux à bien des égards. Un mauvais mari, certes, mais certains hommes n'étaient simplement pas taillés pour le mariage. Pourquoi avait-il fait une chose pareille ? Que s'était-il passé de si épouvantable pour qu'il décide de mettre fin à ses jours ?

La tragédie les avait tous durement touchés, surtout Tommy. Sans surprise, le garçon avait accusé sa mère d'être responsable du suicide de son père.

— Tu l'as tué ! avait-il crié à Susan. C'est ta faute si papa est mort !

Et même si Susan avait tenté de le raisonner, elle ne pouvait s'empêcher de se demander quelle responsabilité elle portait dans le décès de son ex-mari. Jennifer avait vu le beau visage de Susan se creuser de rides. Sa sœur avait perdu le sommeil ; elle ne mangeait plus. Au point que Jennifer lui avait suggéré de s'adresser à un professionnel pour les aider à surmonter leur chagrin.

Mais Susan avait décliné la proposition. Ce dont Tommy et elle avaient besoin, d'après elle, c'était de s'éloigner quelque temps du monde pour voir si la solitude pouvait leur permettre de renouer le dialogue et d'accepter la mort de Bruce. Ils étaient partis deux jours plus tôt dans un endroit paisible aux environs de Sacramento, où il n'y avait pas de téléphone et pas de distraction.

Jennifer s'approcha du comptoir d'information.

— Où se trouve la boîte postale 1738, s'il vous plaît ?

— Au coin à gauche.

— Merci.

Quelques secondes plus tard, Jennifer localisa le numéro et ouvrit la boîte, pleine à craquer. Agitant la main pour disperser les particules de poussière, elle commença à en vider le contenu dans un vieux sac de voyage. Des publicités en tout genre. Ce qui ressemblait à des relevés de compte bancaire, datant de sept ans. Deux revues médicales du même âge. Une enveloppe, sur laquelle un célèbre acteur annonçait à Bruce qu'il avait peut-être déjà gagné cent mille dollars. Hélas, le cachet de la poste remontait à un an. Dommage. Bruce avait peut-être été riche sans le savoir.

Au milieu de cette paperasse sans intérêt, Jennifer remarqua une grande enveloppe kraft. L'écriture lui était familière, même si elle ne parvint pas immédiatement à mettre un nom dessus. Les yeux fermés, elle se représenta les lettres formées avec soin, en tentant de se rappeler où elle les avait déjà vues. La réponse s'imposa. Bien sûr. C'était l'écriture de Bruce.

Jennifer retourna l'enveloppe, puis essaya de déchiffrer le cachet de la poste. Ses jambes faillirent se dérober sous elle. 30 août de cette année. Le jour de la mort de Bruce. Il avait donc dû poster cette lettre quelques heures avant son décès. Plus étrange encore, il se l'était adressée à lui-même.

Pourquoi Bruce s'était-il envoyé un courrier juste avant de se suicider ?

Jennifer laissa tomber l'enveloppe dans son sac, comme si elle avait peur de la tenir plus longtemps entre ses mains, et finit de vider la boîte postale.

Elle l'ouvrirait plus tard.

11

HARVEY SENTIT POINDRE une nouvelle et puissante migraine. Il était environ deux heures du matin. Les couloirs du pavillon Sidney étaient silencieux, à l'exception du bourdonnement des lumières fluorescentes, semblable à un bruit lointain de tronçonneuses. Harvey parcourait le corridor, ouvrant l'une après l'autre les portes des chambres dont chacune émettait un grincement distinct, et jetait un coup d'œil à ses patients endormis. Il vérifiait les perfusions, les courbes, les prises de médicament.

Dans la dernière chambre de l'étage, Kiel Davis et Riccardo Martino dormaient profondément. La clinique traitait une quarantaine de patients : la moitié étaient hospitalisés au pavillon Sidney ; les autres, en hôpital de jour, passaient recevoir leur traitement quotidiennement. En général, une rotation s'effectuait entre les deux groupes toutes les trois ou quatre semaines, afin qu'il n'y ait jamais plus de vingt-cinq patients présents à la clinique la nuit. En ce moment, ils étaient presque trente. La plupart disposaient d'une chambre individuelle, mais en raison du manque d'espace, quelques-uns devaient partager.

Le planning de la nuit se déroulait rarement comme prévu, chaque malade ayant des besoins particuliers. Prenez Davis et Martino, par exemple. Kiel Davis, un homosexuel originaire de l'Indiana, installé à New York dix ans plus tôt, avait passé presque les deux tiers du temps à la clinique dans les dix-huit derniers mois, tandis que Martino, un drogué du Bronx, n'avait dormi ici que six mois au total.

Après avoir examiné leurs courbes et entendu leur respiration profonde et régulière, Harvey ressortit dans le couloir puis gravit au pas de course l'escalier – sa gymnastique à lui. Il s'entendit panteler sous l'effort.

Petite forme. Je devrais arrêter de prendre l'ascenseur et toujours monter à pied.

Il savait cependant que le tiraillement dans sa poitrine n'était pas dû à sa mauvaise condition physique. Les muscles de son front semblaient enfler. Il sentit des palpitations dans son estomac.

Il avait peur.

Il s'arrêta devant la porte de la chambre 317, la seule de l'étage à accueillir un patient. À l'intérieur, Michael avait fini par s'endormir, non sans mal. Harvey avait dû le convaincre de prendre de puissants somnifères – du genre capable d'assommer un rhinocéros en train de charger.

Des ombres allongées entraient par les fenêtres et s'avançaient dans la pièce comme des doigts géants prêts à se refermer. Sara était assise sur une chaise en bois, près du lit de Michael, et lui tenait la main. Même dans la faible lumière, Harvey distinguait ses traits tirés par l'angoisse. Ses lèvres frémirent comme sous l'effet du froid et ses yeux s'embuèrent. Elle ne fit pas un mouvement montrant qu'elle avait remarqué sa présence, bien qu'elle eût forcément entendu la porte s'ouvrir. Harvey se demanda si elle était perdue dans ses pensées ou si elle faisait exprès de l'ignorer.

Sans doute un peu des deux.

Au moins étaient-ils quasiment sûrs que le test du VIH de Sara se révélerait négatif. Elle en avait subi un quelques semaines plus tôt, dans le cadre d'un article sur le diagnostic du sida qu'elle préparait pour le *New York Herald*, et il était négatif. Même si le virus restait en dormance pendant de nombreuses années, c'était déjà une bonne nouvelle pour Michael, Sara et l'enfant à naître.

Harvey se détourna de cette scène désolée et laissa la porte se refermer derrière lui. Il savait que Sara vivait un enfer, plus terrible encore que celui de Michael. Voir, impuissant, un être cher souffrir était plus difficile que d'endurer cette souffrance physique. Harvey aurait voulu pouvoir les aider. Il aurait voulu pouvoir prendre la place de Michael, porter cet immense fardeau pour lui. Mais c'était évidemment impossible.

Michael et Sara allaient devoir traverser seuls cette épreuve. Le plus cruel, c'est qu'Harvey mesurait les bénéfices qu'il serait possible de tirer de la situation de son ami. Quand il envisageait les implications positives pour les malades du sida et la clinique en particulier – l'espoir, la publicité, les financements –, il ne pouvait s'empêcher d'espérer que Michael rende sa maladie publique. Cela avait beau paraître atroce, le diagnostic de Michael pourrait, à long terme, sauver des milliers de vie. Michael pourrait faire pour le sida ce que personne n'avait fait depuis Rock Hudson ou Ryan White : éveiller la conscience du public et faire évoluer les mentalités de milliers, voire de millions de gens.

Et c'était pour ça que Sara lui en voulait. Harvey n'avait pas dit grand-chose, mais ses sentiments sur le sujet étaient clairs. Michael se voyait confier une responsabilité qui les dépassait tous. Une rare opportunité de faire le bien se présentait à lui, qu'il ne pouvait pas ignorer. Sara s'en rendait compte aussi, mais son esprit était obscurci par la douleur. Pour l'heure, et c'était compréhensible, elle se fichait du reste du monde. Seul comptait Michael ; la nécessité de protéger Michael.

Les esprits devaient s'apaiser. La peine devait faire son chemin, avant qu'ils puissent tous envisager les choses calmement et rationnellement. Mais pas cette nuit. Cette nuit, il fallait les laisser seuls pour méditer sur leur destin. Pour sauver des vies, il faudrait attendre une aube nouvelle.

Harvey descendit le couloir vers le laboratoire. La nuit était à présent complètement silencieuse. Seuls deux bruits la troublaient : la claquement de ses talons sur le carrelage et…

… et un froissement en provenance du labo.

Harvey se figea. Winston et Eric avaient rangé le matériel d'expérimentation et verrouillé la pièce trois heures plus tôt. Ils étaient seuls à posséder la clé.

Pas de panique. L'un des deux est peut-être passé faire des heures supplémentaires. Ce ne serait pas la première fois.

Harvey se rapprocha de la porte. Le store tiré sur l'imposte l'empêchait de jeter un coup d'œil à l'intérieur, aussi colla-t-il l'oreille contre la vitre. Rien. Le labo était silencieux. Il ferma les yeux, se concentrant pour pouvoir percevoir le moindre son.

Le froissement recommença.

Il s'agit sûrement d'Harvey ou d'Eric. Je vais entrer et...

Sa tête l'élançait de plus en plus ; le battement à ses tempes était presque audible. Il actionna la poignée, sans résultat. Un froid glacial le parcourut. Le labo n'était jamais fermé quand il y avait quelqu'un à l'intérieur. Il tenta de voir par l'étroit jour que ne couvrait pas le store, et s'aperçut que la pièce était obscure. Aucune lumière ne filtrait sous la porte.

A-t-on jamais vu un scientifique travailler dans le noir ?

De la sueur perla à son front.

Ce n'est peut-être rien du tout. C'est peut-être...
Quoi ?

Il ne trouva aucune réponse capable d'endiguer sa panique. Sans réfléchir, il prit la clé dans sa poche. De l'autre côté de la porte, il entendit un tiroir se refermer. Il inspira profondément, introduisit la clé et ouvrit.

La pièce était sombre, à l'exception de la faible lueur provenant du couloir. Du coin de l'œil, Harvey crut distinguer un mouvement. Il se tourna : rien. Ou seulement son imagination. Il tâtonna à la recherche de l'interrupteur, alluma et fut un instant aveuglé par la lumière.

En apparence, tout était normal. Le labo était propre et bien rangé. Aucun papier ne traînait ; les microscopes étaient recouverts de plastique, les éprouvettes scellées. Une seule chose lui parut différente… Et soudain, Harvey oublia toute prudence, toute peur qu'un dangereux rôdeur soit encore caché dans le labo, prêt à bondir. Il s'avança, inquiet seulement pour la sécurité de ce qui se trouvait derrière la serrure forcée, à l'autre bout de la pièce.

Ce fut une erreur.

Sans prévenir, un grand poids s'abattit à la base de son cou. La douleur irradia dans son crâne. Il bascula en avant et perdit connaissance.

Jennifer dîna seule, alla voir le dernier Woody Allen au CinePlex, l'un de ces cinémas qui semblent posséder plus d'écrans que de spectateurs, et rentra chez elle peu après minuit. Elle balança le sac de voyage sur le canapé et se laissa tomber à côté de lui. L'espace d'un instant, son regard resta rivé au logo de la Sabena World Airways ornant le vieux bagage, et son esprit la projeta dix ans en arrière – le jour où Harvey et elle avaient pris un vol sur cette compagnie pour aller à Bruxelles, point de départ d'une escapade européenne à travers la Belgique, la France et la Hollande. Première classe. Champagne et caviar à bord. Un voyage extraordinaire. Hélas, ç'avaient été les dernières vacances qu'elle avait convaincu Harvey de prendre. À la vérité, son ex-mari n'avait pas beaucoup apprécié. Se détendre, faire du tourisme, descendre dans des hôtels chic et dîner aux meilleures tables, ce n'était pas son truc.

L'imbécile.

D'accord, elle était amère. Elle avait le droit de l'être. Elle avait aimé Harvey. Elle l'aimait encore. Mais cet homme ne savait pas vivre. Certes, il pouvait se montrer drôle, en apparence insouciant, et n'avait absolument rien du rat de bibliothèque, mais il était obsédé par son métier. Par son désir de sauver le monde. Oui, elle avait épousé un rêveur, ce qui avait été merveilleux au début de leur relation. Romantique, presque romanesque même. Mais au bout d'un moment, elle n'avait plus pu le supporter. Petit à petit, l'altruisme d'Harvey avait miné son propre appétit de vivre.

L'imbécile.

Bruce Grey aussi était dévoué à son travail, mais il savait poser des limites. Il était loin d'être aussi naïf et imprudent qu'Harvey. Il voyait la réalité. Il savait qu'à eux deux ils ne réussiraient pas à éradiquer la douleur du monde, seulement à l'alléger un tout petit peu. Personne ne pouvait en faire davantage. Pour Bruce, ça suffisait. Pas pour Harvey.

Jennifer se redressa brusquement en se rappelant l'enveloppe kraft que Bruce s'était adressée à lui-même le jour de sa mort. Attrapant le sac, elle fouilla à l'intérieur. Elle ne mit pas longtemps à trouver ce qu'elle cherchait : l'enveloppe était la plus épaisse et la plus lourde du lot. C'était tellement bizarre, de voir le nom et l'adresse de Bruce écrits si soigneusement de sa propre main !

Jennifer alla à son bureau chercher son coupe-papier et ouvrit l'enveloppe. Des papiers, des tubes en polystyrène et des dossiers en tombèrent comme des bonbons d'une *piñata*.

Avec un soupir, Jennifer se mit à lire.

— Ooohh…

— Harvey ?

— Ma tête, gémit Harvey.

— Harvey, tu m'entends ? demanda Sara.

Harvey ouvrit légèrement les paupières et les referma aussitôt. La lumière, trop vive, lui piquait les yeux. La main en visière, il fit une nouvelle tentative.

— Harvey ?

— Oui, Sara, je t'entends. Où suis-je ?

— À la clinique.

— Je me suis évanoui combien de temps ?

— Je t'ai trouvé il y a une demi-heure. J'ai appelé une infirmière qui s'est occupée de toi.

Lorsqu'il réussit à accommoder, il distingua deux visages. Un beau et un autre, fin, avec une moustache et un long nez.

— Inspecteur Bernstein ?

— Sara m'a appelé, expliqua ce dernier. Vous vous sentez bien ?

— Oui, ça va.

— Pouvez-vous me dire ce qui est arrivé ?

Harvey essaya de s'éclaircir les idées.

— Il… il y avait quelqu'un dans le labo, commença-t-il. On m'a frappé à la tête.

— Et si on reprenait depuis le début ? suggéra Bernstein en sortant carnet et stylo. Racontez-nous.

Lentement, Harvey relata ce qui s'était passé entre le moment où il avait entendu du bruit dans le labo et celui où on l'avait assommé. Quand il eut fini, l'inspecteur cessa de faire les cent pas et demanda :

— Que cherchait-il ? Qu'est-ce qu'il y avait de si précieux là-dedans pour vous faire oublier sa présence ?

— Mes dossiers privés. Je les garde enfermés là-bas.

— Pas dans votre bureau ?

— Non. La serrure du labo est censée être plus solide. Et les informations que je conserve dans ces dossiers privés découlent souvent de résultats d'analyses. On range tous nos dossiers ici.

— Qu'entendez-vous par « dossiers privés » ? demanda Bernstein.

— Ceux qui contiennent des informations confidentielles – les secrets professionnels, si vous voulez.

— Quel genre de secrets ?

— Différentes choses, comme des résultats d'expérimentations.

— Quel genre d'expérimentations ?

— Des expérimentations personnelles, répondit Harvey. Voyez-vous, il est utile de travailler en équipe et de partager vos découvertes, mais on a aussi parfois besoin de travailler en solo, sans aucune intervention ou suggestion extérieure. C'est souvent la meilleure façon de faire des progrès – l'homme seul œuvrant dans l'isolement. Chacun d'entre nous comprend et respecte le travail privé des autres.

— Qui entendez-vous par ce « nous » ?

— Bruce, Eric et moi.

Bernstein hocha la tête, fit le tour du lit et revint à sa place initiale.

— Bruce Grey avait lui aussi des dossiers privés ?

— Bien sûr.

— Les avez-vous parcourus depuis sa mort ?

— Oui.

— Y avez-vous trouvé des choses notables ?

Harvey hésita.

— Pas vraiment.

— Comment ça, pas vraiment ?

— Eh bien, il n'y avait pas de grande découverte. Bruce n'était pas très porté sur la recherche, cependant…

Comme il s'interrompait, Bernstein l'incita à poursuivre.

— Il manquait plusieurs dossiers importants.

— Quel genre de dossiers ?

— Ceux de certains patients. Trian et Whitherson, pour ne citer qu'eux.

— Et celui de Bradley Jenkins ?

— Il est toujours là.

Max gagna la porte et joua avec la poignée.

— J'aimerais que vous établissiez une liste de tous les dossiers manquants, et je veux aussi examiner le casier de Grey le plus vite possible.

— Je m'en doutais, dit Harvey. Mais rendez-moi service, inspecteur : ne laissez personne d'autre consulter les informations contenues dans ces dossiers. Elles sont confidentielles et doivent le rester.

— Il y a quelque chose que je ne comprends pas, intervint Sara. Pourquoi les dossiers des patients sont ils onformés avec vos dossiers privés ?

— Parce que, ici, tout est confidentiel, expliqua Harvey. Nous utilisons des codes, afin que personne – ni les techniciens de laboratoire, ni les infirmières, ni les garçons de salle – ne sache le nom des patients. Et on essaie d'éviter tout contact entre les malades, sauf quand ils sont contraints de partager une chambre.

— Trian, Whitherson et Jenkins ne se connaissaient pas ?

— Non.

— Comment ça se passe quand il y a des visites ?
demanda Sara. Ils ne voient pas les autres patients de
l'étage ?

Harvey secoua la tête.

— Cet endroit est compartimenté. Au rez-de-
chaussée se trouvent les bureaux et les salles de
visite : nous y amenons les patients en fauteuil
roulant afin que les visiteurs n'entrent jamais dans le
quartier des patients, situé au premier étage.

— On dirait un parloir de prison, fit remarquer
Max.

— La situation est assez similaire, admit Harvey.
En tout cas, aucun visiteur n'est admis dans la
chambre des patients.

Bernstein se mit à gratter vigoureusement sa joue
droite, comme un chien qui aurait eu une tique près
de l'oreille.

— Donc, si j'ai bien compris, les bureaux et salles
de visite sont au rez-de-chaussée, les chambres des
patients au premier et le laboratoire au second ?

Harvey lança un rapide coup d'œil à Sara.

— Des patients hautement confidentiels sont
aussi installés au second étage, dit-il. Mais ils ne sont
jamais plus de un ou deux.

— Bradley Jenkins en faisait-il partie ?

— Oui.

— Intéressant, nota Max, fourrant son stylo dans
sa bouche en levant les yeux vers le plafond. Le
rôdeur cherchait donc peut-être des noms de patients
ou le pronostic de l'un d'eux.

Harvey se redressa.

— Peut-être, acquiesça-t-il en balançant les jambes hors du lit.

— Où allez-vous ?

— Je dois vérifier mes dossiers.

— Attendez ! dit Max en claquant des doigts. Avez-vous récemment admis un nouveau patient ? Quelqu'un dont vous auriez voulu tenir l'identité secrète ?

Harvey s'arrêta.

— Tu peux lui dire, intervint Sara.

— Me dire quoi ?

Ce fut Sara qui répondit :

— Michael a été admis aujourd'hui. Il est séropositif.

Non loin de l'endroit où Sara, Max et Harvey s'entretenaient, Janice Matley, l'infirmière la plus respectée du pavillon Sidney, comprit que quelque chose n'allait pas à l'instant où elle ouvrit la porte. L'immobilité du lit, la façon dont le drap s'enroulait autour du corps, dont la tête retombait mollement sur l'oreiller. La frayeur la saisit.

Elle savait.

Solide femme noire, la cinquantaine bien sonnée, Janice Matley exerçait le métier d'infirmière depuis trente ans et travaillait depuis dix ans pour les Drs Riker et Grey. Le suicide du Dr Grey l'avait profondément ébranlée. C'était un homme adorable, doublé d'un excellent médecin. Le Dr Riker et lui avaient été des associés idéaux, parfaitement complémentaires. Le Dr Grey était le cœur, celui qui savait parler aux patients et compatissait avec chacun. Le Dr Riker était le cerveau, le leader, l'impulsion, celui qui faisait ce qui devait être fait quel qu'en soit le prix à payer.

Et le Dr Eric Blake ? Janice ignorait où le placer. Il lui apparaissait comme un paradoxe. Lui aussi était dévoué à son travail et passait tout son temps à la clinique, comme le Dr Riker ; cependant, il demeurait distant, en retrait. Oh, il s'occupait beaucoup de ses patients, et Janice savait qu'il suivrait le Dr Riker jusqu'au bout du monde, mais il semblait… froid. Peut-être était-elle injuste. Le fait qu'elle n'accrochait pas avec lui ne signifiait pas que c'était un mauvais homme. C'était un bon médecin, brillant. Ses collègues et ses patients le respectaient beaucoup. Seulement, il n'était pas chaleureux, voilà tout.

Avec le visage impassible d'une infirmière expérimentée, Janice s'approcha du patient. Mais elle tremblait intérieurement. Arrivée devant le lit, elle alluma la veilleuse. Ses genoux flageolèrent. Les yeux vitreux regardaient à travers elle. Les lèvres entrouvertes étaient figées. Les bras semblaient presque cassants, comme les branches d'un vieil arbre qui rompraient au lieu de plier.

Janice se précipita vers la porte.

— Michael est séropositif ?

Max se laissa tomber sur une chaise.

— Je ne sais pas quoi dire, Sara.

— Il s'en sortira, affirma-t-elle.

Il hocha la tête, sans trop savoir comment réagir.

— Qui est au courant ?

— En dehors de nous trois, répondit Harvey, uniquement Eric et peut-être une des infirmières.

— Pourquoi peut-être ?

— Il y a des chances pour qu'elle l'ait reconnu.

— Comment s'appelle-t-elle ?

— Janice Matley.

— Vous avez confiance en elle ?

— Entièrement.

— Quel que soit le niveau de sécurité que vous avez ici, vous n'allez pas pouvoir garder ça secret.

— Nous le savons, dit Sara. Michael a prévu de donner une conférence de presse demain soir. Ça passera en direct à *NewsFlash*.

Les yeux de Bernstein se plissèrent pour n'être plus que deux fentes.

— Michael va annoncer au monde entier qu'il a le sida ?

Sara fit oui de la tête.

— Et ensuite, tu vas faire un reportage sur le SR1 ?

— Pas moi. Ça me touche de trop près, maintenant. Donald Parker va s'en charger.

— Et quels sujets va-t-il aborder exactement ? demanda Max. Le traitement contre le sida ? Le lien avec le Poignardeur de gays ? Le fait que le fils du sénateur Jenkins était soigné dans cette clinique ?

— Tout ça.

Max sortit le stylo de sa bouche pour lâcher un sifflement.

— Ça va faire du bruit. Tout le pays parle déjà du Poignardeur de gays. Alors, quand on apprendra que les meurtres ont un rapport avec une clinique qui a trouvé un traitement contre le sida, que Michael Silverman est séropositif et qu'il est pris en charge dans cette même clinique… Ça va être le délire.

Pendant un moment, personne ne parla.

— OK, reprit enfin Max, revenons à nos moutons, docteur. Vous m'avez bien dit que la porte du labo était verrouillée quand vous aviez voulu entrer ?

— Exact.

— Qui a la clé en dehors de vous ?

— Eric et Winston O'Connor, le technicien en chef du laboratoire.

— Cet O'Connor est-il au courant pour Michael ?

— Non, Winston ne connaît le nom d'aucun patient. Comme je vous l'ai dit, les résultats des tests sont codés. Les employés du labo ne voient que des chiffres, jamais de noms. En d'autres termes, Winston O'Connor connaît les résultats des analyses, mais il ignore à qui ils correspondent. On change même les numéros de code toutes les semaines.

— Vous êtes très prudent, docteur Riker.

— À la limite de la paranoïa, c'est ce que vous pensez ?

Bernstein allait répondre quand un cri retentit. Janice Matley passa la tête par la porte.

— Docteur Riker, venez vite ! s'écria-t-elle, bien qu'elle sût qu'il était trop tard.

— Que se passe-t-il ?

— C'est une urgence ! Un patient est en arrêt cardiaque !

12

JENNIFER EXAMINA LE CONTENU DE L'ENVELOPPE.
D'abord, il y avait les dossiers médicaux. Étant
femme de médecin, elle en avait déjà vu beaucoup,
mais ceux-ci lui parurent très vagues. Il y avait peu
de données précises, plutôt des commentaires généraux notés par Bruce à propos du patient. Presque
comme un journal intime. Elle lut le nom soigneusement dactylographié sur l'étiquette du premier
dossier : Trian, Scott. Au début figurait toute une liste
de chiffres et de lettres :

```
9/1 897a83
16/1 084c33
23/1 995d42
30/1 774c09
6/2 786m60
```

Et ça continuait ainsi sur deux pages. Jennifer
devina que 9/1 signifiait le 9 janvier, 16/1 le
16 janvier et ainsi de suite. D'après le calendrier, le
9 était un lundi, comme tous les autres jours
mentionnés ensuite. À quoi correspondait le code

formé de cinq chiffres entrecoupés d'une lettre ? Elle n'en avait aucune idée.

Jennifer poursuivit sa lecture. Beaucoup de jargon médical lui échappait, mais une information, qu'elle ne comprit que trop bien, l'arrêta très vite :

```
Séropositif. Très bas taux de lympho-
cytes T. Signes du sarcome de Kaposi.
```

Le mot n'était pas écrit, mais Jennifer savait : le sida. En fait, l'acronyme ne figurait nulle part dans le dossier, comme s'il devait être évité, chuchoté, ou écrit avec un stylo facile à effacer.

Quelques pages plus loin, un autre paragraphe retint son attention. L'écriture de Bruce paraissait plus légère, lumineuse, reflétant à l'évidence son état d'esprit du moment. Jennifer avait vu à quel point le métier de chercheur, avec ses hauts et ses bas, influait sur la vie d'un homme : comment chaque revers le plongeait dans la dépression, alors que toute avancée générait l'euphorie. L'humeur pouvait se modifier d'un jour, voire d'une heure à l'autre.

```
Bonne nouvelle. Trian a l'air d'aller
mieux. Ses progrès sont tout à fait compa-
rables aux résultats positifs obtenus sur
les animaux de laboratoire. Le SR1 a été dur
à supporter, mais pour la première fois le
patient apparaît en bonne santé.
S'agit-il d'une simple rémission ou de
quelque chose de beaucoup plus important ?
```

Puis, dix mois plus tard :

Nous sommes enfin prêts. Demain, nous saurons. J'ai du mal à y croire. Harvey et moi sommes tellement sur les dents que nous n'arrêtons pas de nous chamailler et de rabrouer quiconque passe à proximité. Pauvre Eric. Harvey lui a sonné les cloches pour une vétille. Il l'a regretté ensuite, comme chaque fois qu'il se met en colère. Et il a essayé de se racheter en le complimentant longuement pour son travail.

Comment en vouloir à Harvey d'être à cran ? On y est presque. Le moment tant attendu arrive.

De quoi parlait-il ? Qu'est-ce qu'ils attendaient ? Jennifer nota la date. C'était il y a neuf mois. Tant de choses avaient changé dans sa vie en neuf mois – elle avait quitté Harvey, emménagé en Californie –, mais en lisant ce qui était arrivé le lendemain, elle mesura à quel point ces bouleversements étaient dérisoires. Les mots de Bruce mettaient son petit monde personnel en perspective et, pour la première fois depuis de nombreux mois, le sentiment de sa propre inutilité réapparut des profondeurs de son esprit.

— Mon Dieu, dit-elle tout haut. Ce n'est pas possible.

Elle relut la page, sûre d'avoir mal compris.

Je n'ai pas honte d'admettre que je pleure en écrivant ces mots. De puissantes émotions déferlent en moi. C'est presque

239

trop. Jamais je n'aurais imaginé entendre ça. Mais j'anticipe. Il me faut revenir en arrière et essayer d'être aussi précis que possible pour la postérité.

Harvey et moi voulions voir de nos yeux les résultats de Trian. Après tout, ce n'est pas le genre de choses pour lequel on attend le rapport d'un laborantin. Nous sommes donc allés au labo, avec la hâte fébrile des enfants partant en récréation sous l'œil attentif de la maîtresse. Winston a paru surpris de nous voir et nous a demandé ce qu'on faisait au labo. Je lui ai dit que nous voulions consulter les résultats du 443t90. Pourquoi cette urgence ? a demandé Winston. Harvey s'est impatienté, ce qui était compréhensible compte tenu des circonstances, et il lui a demandé de lui passer le dossier. Ce qu'a fait Winston.

Nous étions trop nerveux pour l'ouvrir dans le labo, aussi sommes-nous repartis dans mon bureau, tels des gamins excités. Janice a voulu nous poser une question au passage, mais on a filé sans s'arrêter. Elle nous a regardés comme si on était devenus fous. On s'est précipités dans mon bureau. Harvey m'a tendu le dossier. Je ne peux pas regarder, m'a-t-il dit.

Je l'ai ouvert. Trian était séronégatif. Son taux de lymphocytes T était presque normal. J'avais le cœur au bord des lèvres. Harvey demeurait figé. Je crois qu'il était sous le choc. Nous avons fait venir Eric pour lui apprendre la nouvelle. Lui et moi nous sommes mis à sauter et hurler comme des vainqueurs du Super Bowl, mais pas Harvey. Il restait à l'écart et regardait dans le vide. Qu'y a-t-il ? lui ai-je demandé. On a réussi.

Harvey a secoué la tête. Pas si vite, a-t-il dit. Il nous reste beaucoup à faire.

J'ai insisté : Regarde les résultats ! Il est séronégatif.

Harvey : Oui, mais pour combien de temps ? C'est encourageant, mais on n'est sûrs de rien. Il faudra le tester de nouveau.

Moi : Mais c'est exactement ce qu'il nous fallait pour pouvoir avancer ! On avait besoin de ce coup de pouce. Le ministère va nous donner plus d'argent. Ils ne pourront faire autrement que d'augmenter notre dotation.

Harvey : Le timing est déterminant.

Moi : Qu'est-ce que tu veux dire ?

Harvey : Je veux dire qu'il faut rester discrets. Vous imaginez le tapage si la nouvelle s'ébruite ? La presse, la surveillance ? Nous perdrons notre anonymat.

Eric se taisait.

Harvey : Non, mes amis, pour l'instant, il ne faut rien dire. Nous donnerons des informations au compte-gouttes — juste assez pour maintenir l'intérêt et les financements. En attendant, tout doit

```
être parfaitement référencé. Envoyez
l'échantillon à Bangkok vendredi.
```

Jennifer avait du mal à croire à ce qu'elle lisait. Séronégatif ? Ils avaient réussi à rendre séronégatif un patient auparavant séropositif. Cette découverte la heurta de plein fouet.

Il avait guéri le sida !

Ça paraissait très optimiste, et pourtant la preuve était là, devant elle. Ils avaient découvert un traitement contre le virus du sida. Et Harvey ne le lui avait jamais dit.

Sous le choc, elle ferma les yeux, voulant digérer l'incroyable information avant de reprendre sa lecture. Mais la fatigue eut raison d'elle. Sa tête s'inclina en arrière. Alors qu'elle glissait dans le sommeil, une question la taraudait toujours :

Pourquoi Bruce s'était-il suicidé juste après avoir posté ces documents ?

Ralph Edmund, le coroner du comté, passa devant Max en poussant le brancard. Il avait tout à fait le physique de l'emploi : la peau cireuse, le corps maigre, les cheveux noirs et clairsemés, les doigts longs et effilés. En revanche, il ne s'habillait pas du tout comme un croque-mort, privilégiant les couleurs vives, les motifs bariolés et d'ostentatoires bijoux en or. Son attitude non plus n'était pas celle qu'on aurait attendue dans sa branche. Ralph était émotif, il parlait fort et jurait comme un charretier. En plus, il avait la charmante habitude de chiquer du tabac dont il recrachait le jus jaunâtre où et quand bon lui chantait.

— Je veux que l'autopsie soit faite sans délai, lui murmura Max.

— C'est pour ça que vous m'avez fait venir ici en personne ?

— Exact. Vous vérifiez tout.

— OK, acquiesça Ralph, une épaisse boule de tabac lui gonflant la joue. Je m'y mettrai cet après-midi.

— Non, tout de suite. Et prélevez des échantillons de sang. Vous devrez procéder à toute une batterie d'analyses.

— Comme quoi ?

— On verra ça plus tard.

— Eh, Tic, pourquoi vous chuchotez comme ça ? Il va pas se réveiller, ha, ha !

— Très drôle. Contentez-vous de découvrir de quoi il est mort.

Max se détourna et s'avança vers Harvey. Le médecin était pâle et semblait épuisé.

— Où est le camarade de chambre de Martino ?

— Kiel Davis ? Je l'ai fait transférer ailleurs. On lui a administré un sédatif.

— Je dois lui parler.

— Plus tard, répondit Harvey.

Il secoua la tête, avant d'ajouter :

— Mon Dieu, je n'arrive pas à y croire.

— Croire à quoi ? demanda Max en feuilletant son carnet. Il n'y a pas de traumatisme visible, pas de sang, pas de blessures par balle ni à l'arme blanche, pas de signes de lutte. La victime était soignée dans une clinique dédiée aux malades du sida, on peut donc en déduire qu'il n'était pas en bonne santé. Tout laisse à penser à une mort naturelle, non ?

Harvey ne répondit pas tout de suite.

— Ricky Martino n'était pas un ange, dit-il enfin. C'était un toxicomane. Il revendait même de la drogue dans un lycée du coin.

— Rien à voir. Où en était sa maladie ?

— En fait, Martino était guéri.

— Il n'avait plus le sida ?

— Non. D'après ses derniers tests, il était redevenu séronégatif. Il suivait encore le traitement, bien sûr, mais il était sur la voie d'une totale guérison.

— Intéressant, déclara Max.

— Pour être franc, poursuivit Harvey, je n'étais pas ravi de traiter Martino.

— Pourquoi ?

— Parce que c'était un type peu recommandable. Pour commencer, il était accro à l'héroïne.

— Dans ce cas, pourquoi l'avez-vous pris ? demanda Sara. Avec tant de candidats prêts à essayer n'importe quel traitement, pourquoi avoir choisi Martino ?

— On voulait différents patients – pas uniquement des hommes homosexuels. C'est pour ça que Bruce l'a admis. Il aimait bien Martino. Il croyait en lui.

— Et pas toi ?

— Les usagers de drogue par intraveineuse sont en général assez problématiques. Je reconnais que je n'aime pas trop les traiter – par pour des questions morales, mais parce qu'ils ne fournissent pas de données fiables. On ne peut pas leur faire confiance. En plus, ils ont pour la plupart tellement malmené leur corps que celui-ci est moins armé pour pouvoir combattre le virus.

— Alors, qu'est-ce qui l'a tué, d'après vous, docteur ? questionna Max.

— Je ne sais pas… Je ne comprends pas. Je suis passé dans cette chambre il y a moins d'une heure.

— Avant de vous faire assommer ?

— Juste avant.

— Et Martino avait l'air d'aller bien ?

— Il respirait, si c'est à ça que vous pensez… Écoutez, Martino n'était peut-être pas en parfaite santé, mais il n'avait rien qui aurait pu mener à cette mort subite. Et avec le rôdeur de cette nuit… ça me paraît tout de même une sacrée coïncidence.

Max croisa les bras, le visage plissé par la concentration.

— Si Martino a été assassiné, toute l'affaire prend une autre tournure.

— Que voulez-vous dire ? demanda Harvey.

— Nouveau mode opératoire, pour commencer. Il n'a pas été poignardé.

— Mais Bruce non plus, fit remarquer Harvey.

Bernstein se mit à faire les cent pas.

— Ralentissons un peu. Cinq personnes sont mortes, quatre patients et un médecin. Parmi elles, trois – Trian, Whitherson et Jenkins – ont été poignardées, quoique en des circonstances différentes.

— On sait tout ça, intervint Harvey.

— Encore un peu de patience, s'il vous plaît. Quels sont les points communs entre ces trois patients ?

— Ils étaient gays, déclara Sara, et tous les trois traités dans cette clinique spécialisée.

— Ajoutons maintenant Martino, en supposant qu'il ait lui aussi été tué.

— Dans ce cas, on peut éliminer un tueur de gays, fit remarquer Harvey. Martino était hétérosexuel.

Son biper résonna à ce moment-là.

— Je dois y aller.

— J'aurai besoin de vous reparler, dit Max. Je veux aussi voir vos dossiers sur les victimes.

Une fois Harvey parti, Bernstein cessa ses déambulations et regarda gentiment Sara.

— Tu dois être crevée. Pourquoi tu ne vas pas dormir un peu ?

— Je me sens bien.

— Sara…

— Ne commence pas, Max. Pleurer et gémir ne m'aidera en rien. Au contraire, je dois m'occuper l'esprit.

— OK. Où en étions-nous ?

— Riccardo Martino.

— Bien. Si on l'ajoute à l'équation, que reste-t-il comme similitudes ?

— Deux choses, répondit Sara. Le sida et la clinique. Comme l'a dit Harvey, on peut éliminer la piste gay puisque Martino ne l'était pas.

— Ajoutons Bruce Grey aux quatre autres. Quel est le dénominateur commun ?

— La clinique. Quelqu'un s'en prend à des gens liés au pavillon Sidney.

Le regard de Max se perdit dans le vague, et ses dents trouvèrent un coin d'ongle à mâchouiller.

— On passe à côté d'un truc, là, dit-il au bout d'un moment. Un truc important.

— Comme quoi ?

— Si je le savais !

— Tu penses que quelqu'un cherche à saboter la clinique ?

— Possible.

Elle lança un regard à la pendule au-dessus de la porte.

— Je vais retourner auprès de Michael. Il ne va pas tarder à se réveiller.

— Et moi, je vais aller consulter les dossiers des patients du Dr Riker.

— À plus tard.

— Sara ? Encore une chose…

— Oui.

— C'est l'ami qui te parle, pas le flic.

— Je t'écoute.

— Tu es dans le déni. Mais la réalité va te frapper bientôt.

— Je sais, Max.

Il entendait l'eau couler.

— *Non ! S'il te plaît !*

— *La ferme, sale petit chialeur.*

Michael, sept ans, leva des yeux apeurés. Son beau-père était penché au-dessus de la baignoire. Sa chemise de travail bleue, ornée du nom Marty brodé en lettres rouges sur la poche de poitrine, était ouverte, révélant un tee-shirt blanc déchiré en dessous. Son visage était déformé par une expression de colère et de haine. Son haleine puait le tabac et l'alcool.

— *Viens par ici, Michael.*

— *S'il te plaît…*

— *Ne m'oblige pas à venir te chercher, sinon…*

247

Il ne finit pas sa phrase, laissant l'imagination de Michael le faire à sa place.

Michael voulut s'enfuir, mais ses pieds étaient collés au sol. Il ne pouvait pas faire un mouvement.

Marty l'attrapa par les cheveux et lui plongea la tête sous l'eau.

— Tu comptes t'amuser encore dans ma chambre ? hurla Marty.

Comment Michael aurait-il pu répondre ? Il n'arrivait pas à respirer. Il secoua la tête frénétiquement, cherchant de l'air. L'eau lui rentra dans la gorge, et il suffoqua.

Marty resserra sa prise.

— J'ai rien entendu. Tu comptes t'amuser encore dans ma chambre ?

La pression s'accumula dans la tête de Michael. Ses poumons semblaient sur le point d'exploser. Il entendait l'eau éclabousser autour de lui…

Michael se redressa d'un bond dans son lit. Il était en sueur.

Ce n'était qu'un cauchemar.

Il regarda autour de lui, s'attendant presque à voir le visage de Marty dans un coin de la chambre obscure. Mais son beau-père n'était pas là. Michael était seul à la clinique. La clinique du sida. Il avait le sida. Du couloir lui parvint un bruit d'eau qui coule. Quelqu'un nettoyait. Aucune raison d'avoir peur.

Il se leva et, les bras enroulés autour de la poitrine, s'approcha de la fenêtre. Sacrée vue ! Juste une ruelle sale. Des ordures répandues partout. Deux sans-abri qui jouaient aux cartes. Des chats qui rongeaient un os de poulet. Seul signe indiquant qu'il se trouvait dans un centre hospitalier : un camion d'un blanc

étincelant marqué de l'inscription : « SERVICE SANI-
TAIRE – RÉCUPÉRATION DES DÉCHETS MÉDICAUX ».

Des pensées sans suite lui traversaient l'esprit.
Elles passaient si vite qu'il ne parvenait pas à les
isoler, comme s'il essayait de lire la plaque d'immatriculation d'une voiture en train de filer. Il tenta de
les ralentir, mais c'était impossible. À la fin, un seul
mot émergea de la confusion : Sara.

C'était étrange, mais Michael n'avait pas peur de
mourir. Abandonner Sara l'effrayait davantage.
Seule. Avec le bébé. Le futur lui importait, à présent.
Il avait des responsabilités. Alors, pourquoi ça arrivait maintenant ? Pourquoi lui faire entrevoir un
avenir pour mieux le lui arracher ?

*Arrête de te lamenter sur ton sort, Michael. Tu me
rends malade.*

Il songea à la conférence de presse qu'il lui
faudrait donner ce soir-là et se demanda ce qu'il allait
dire. Il imaginait déjà les questions que les journalistes se délecteraient de lui poser : « Avez-vous
toujours été homosexuel ? »… « Votre femme était-
elle au courant ? »… « Combien d'amants avez-vous
eus ? »…

*Oh, Sara, qu'est-ce que je suis en train de te faire
endurer ? Moi qui voulais seulement te protéger. Et à
présent, je te jette au milieu de tout ça. Si seulement
je pouvais continuer comme si rien n'était arrivé. Si
seulement je pouvais t'éloigner, t'épargner tout ça !*

Mais c'était impossible. Sara ne le permettrait
jamais. Et il savait que si les rôles avaient été
inversés, Sara n'aurait jamais réussi à le persuader de
l'abandonner. Non. Elle allait vouloir être là et, si

égoïste que ce soit, il avait besoin de sa présence. Il ne pourrait pas surmonter les épreuves sans elle.

Si seulement il n'était pas aussi terrifié.

— Michael ?

Se retournant, il découvrit Sara à la porte. Si belle... Il sentit les larmes perler à ses yeux et se força à les refouler.

— Je t'aime, dit-il.

Elle boita jusqu'à la fenêtre et le serra fort.

— On va battre cette foutue maladie, hein ? ajouta-t-il en s'accrochant à elle.

Sara se recula pour le regarder et esquissa un petit sourire.

— On ne lui laissera aucune chance.

Elle l'embrassa de nouveau, s'efforçant de croire à ses propres mots.

Plus tard dans la matinée, l'inspecteur Bernstein trouva Harvey Riker dans le labo, en train de passer en revue ses dossiers personnels.

— Tout est là ? demanda l'inspecteur.

— Oui, mais quelqu'un les a consultés. Certains sont dans le désordre.

— Celui de Michael ?

— Oui. Vous avez déjà des nouvelles du coroner ?

— Il a relevé des traces de cyanure, annonça Bernstein, qui tordait de la main droite un trombone. On lui en a injecté dans le bras droit.

— Donc, c'était un meurtre ?

— Ça y ressemble, oui.

Harvey poussa un profond soupir.

— Avez-vous parlé à Kiel Davis ?

— Oui. Il n'a rien vu, rien entendu et ne sait rien.

Comme Harvey s'apprêtait à répondre, Winston O'Connor entra.

— Bonjour, Harvey.

— Bonjour. Winston, je vous présente l'inspecteur Bernstein.

O'Connor tendit la main.

— Enchanté. Vous n'êtes pas un peu jeune pour être inspecteur ?

Ignorant la question habituelle, Max étudia le nouveau venu. La quarantaine, taille moyenne, cheveux blonds grisonnants, franc sourire, fort accent du Sud.

— Vous êtes le technicien chef du laboratoire ?

— C'est exact. Qu'est-ce qui vous amène par ici, inspecteur ?

— Quelqu'un s'est introduit dans le labo cette nuit, dit Bernstein, omettant volontairement de mentionner Martino.

— Vous plaisantez ? Un cambriolage ici ? Qu'est-ce qui a été volé ?

— Rien, répondit Bernstein. Le Dr Riker a surpris l'intrus.

— Tu n'as rien, Harvey ?

— Non.

— Où étiez-vous la nuit dernière, vers trois heures du matin ? demanda Max.

Le visage d'O'Connor refléta sa surprise.

— Je suis suspect ?

— Personne n'est suspect. J'essaie seulement d'établir ce qui s'est passé.

— J'étais chez moi toute la nuit.

— Vous vivez seul ?

— Oui.

— Quelqu'un peut-il confirmer vos dires ?

— Pourquoi quelqu'un devrait-il confirmer ?

— Contentez-vous de répondre à la question, s'il vous plaît.

— Non, en général, je ne me soucie pas d'avoir des témoins pour m'observer quand je suis chez moi.

— À quelle heure êtes-vous parti d'ici hier soir ?

— Vers minuit.

— Étiez-vous le dernier à quitter le labo ?

— Non, répondit Winston, sa voix montant d'une octave. Eric Blake était encore là.

— Seul ?

— Oui. J'ai rangé, comme je le fais tous les soirs, et je l'ai abandonné ici.

Winston lança un regard furieux à l'inspecteur qui détourna le sien, refusant de laisser l'autre le regarder dans les yeux.

— Maintenant, est-ce que je peux aller me chercher un café, inspecteur, ou dois-je vous donner d'abord le nom de jeune fille de ma mère ?

— Allez-y.

Winston fit volte-face et s'en alla.

— Un peu susceptible, fit remarquer Bernstein.

— Mais un type bien, dit Harvey. Et un gros bosseur.

— Vous le connaissez depuis combien de temps ?

— Quinze ans.

— Depuis quand vit-il à New York ?

— Environ vingt ans.

Max se caressa le menton.

— Intéressant.

— Quoi donc ?

— Rien. J'ai quelques questions supplémentaires à vous poser, si vous voulez bien.

— Je vous écoute.

Bernstein commença ses déambulations. Et ne regarda jamais Harvey en parlant.

— Combien de patients confidentiels traitez-vous ?

— Ils sont tous confidentiels, inspecteur.

— D'accord, mais combien sont « ultraconfidentiels », et gardés à l'écart des autres derrière cette porte pleine au bout du couloir ?

— En ce moment, uniquement Michael. J'ai eu cette idée de chambre isolée quand on a commencé à suivre Bradley Jenkins.

— Comment avez-vous rencontré Jenkins ?

Harvey se remit à trier ses dossiers.

— Par l'intermédiaire de son père.

— Comment avez-vous rencontré le père ?

— Il est venu me voir un jour, disant qu'il voulait en savoir plus sur ce qu'on faisait. J'étais sur mes gardes, évidemment. Le sénateur Stephen Jenkins n'est pas du genre à soutenir notre cause. Au bout d'un moment, il m'a dit qu'il avait eu vent de rumeurs comme quoi on était capables de guérir le sida. J'ai démenti et affirmé que nos succès étaient encore minuscules. Mais il a insisté. Et c'est alors qu'il m'a parlé de son fils.

— Il a admis que Bradley avait le sida ?

— Oui. Il était désespéré, inspecteur : son fils était malade et risquait de mourir. En dépit de ses positions politiques parfois extrémistes, il m'a promis d'aider discrètement la clinique si je prenais Bradley.

— Et vous avez accepté ?

Harvey hocha la tête, avant de s'apercevoir que l'inspecteur lui tournait le dos.

— Je ne pensais pas qu'il nous aiderait vraiment. J'espérais surtout l'empêcher de nous nuire.

— Jenkins a pris un sacré risque en vous faisant confiance.

— Quel autre choix avait-il ? Il voulait sauver la vie de son fils. On a mis au point des mesures de sécurité encore plus draconiennes – entrée secrète par la cave et ce genre de choses. Les mêmes qu'on a utilisées pour Michael.

— En dehors de vous, qui connaît le nom des patients d'ici ?

— Presque personne. Bruce. Eric en connaît la plupart, mais pas tous. Et…

Il s'interrompit.

— Qui d'autre ? insista Max.

— Le Dr Raymond Markey.

— Qui est-ce ?

— Le sous-secrétaire à la Santé. Nous dépendons directement de lui.

— Vous lui faites confiance ?

— Pas beaucoup. C'est plus un politicien qu'un médecin.

— Mais il savait que Bradley Jenkins était là ?

— Non. On le lui a caché.

— Comment avez-vous fait ?

— J'ai menti.

— Comment ?

— J'ai omis le nom de Bradley dans la liste des patients que j'ai envoyée à Markey.

— Et Markey n'a jamais mis en doute votre liste ?

— Non.

— Sait-il que vous avez trouvé un traitement ?

— Oui et non. Il en sait juste assez pour ne pas pouvoir nous retirer nos subventions.

— Et il vous croit sur parole ?

Harvey lâcha un petit rire.

— Pas vraiment, non. Nous accompagnons systématiquement nos déclarations de preuves irréfutables. Un bon chercheur se prémunit toujours contre l'accusation d'avoir falsifié ses résultats. Un simple soupçon de ce genre pourrait ruiner une clinique comme la nôtre. C'est pour cette raison que j'ai instauré une procédure dans laquelle au moins deux médecins travaillent sur chaque cas à des moments différents.

— Je ne suis pas sûr de vous suivre.

— Prenez les analyses sanguines. Si je me charge du premier examen du patient, c'est Bruce ou Eric qui fait les tests au cours des phases suivantes du traitement, et vice versa. Je vous donne un exemple. J'ai diagnostiqué le virus du sida chez Teddy Krutzer il y a deux ans. Par conséquent, c'est Bruce qui a procédé aux tests sanguins quand on a refait des analyses pour savoir s'il était devenu séronégatif. Autre exemple : Scott Trian, la première victime, a été déclaré porteur du virus du sida par Bruce Grey il y a trois ans et...

— ... vous ou Eric avez procédé aux analyses sanguines pour voir s'il était guéri.

— Exact. De cette façon, nous nous protégeons contre toute accusation de falsification.

Max secoua la tête.

— Cette affaire devient de plus en plus étrange.

— Pas tant que ça.

— Ah bon ?

255

— Je crois que c'est très simple, au contraire.

— Alors, expliquez-moi.

— Quelqu'un cherche à détruire la clinique. Quelqu'un a eu vent de ce que nous avions découvert et veut nous empêcher de le révéler au monde. Je l'ai soupçonné dès le début. C'est pour ça que j'ai mis en place tous ces garde-fous en interne.

— Mais…

— Écoutez, inspecteur, c'est exactement ce que j'ai expliqué à Sara au début. Si je voulais vous démontrer que je suis capable de soigner le sida, quelle preuve la plus convaincante vous montrerais-je ? Des patients guéris. Si on élimine les patients guéris, il ne me reste que des tableaux, des graphiques et des fichiers inutiles. Je dois tout recommencer depuis le début. Et la découverte d'un vaccin peut être différée de plusieurs années.

— C'est assez logique, commenta Bernstein sans cesser de marcher. Combien de cas probants sont toujours en vie ?

— Trois.

— Il vous reste trois patients guéris, répéta Max. Ces trois-là ont besoin de protection. Il faut les mettre en lieu sûr.

— Je suis d'accord.

— La proposition que je vais vous faire risque cependant de ne pas vous plaire, poursuivit Max. Si ce complot est aussi vaste que vous le soupçonnez, n'importe qui peut y être mêlé. Ils sont déjà allés très loin, et ça ne s'arrêtera sûrement pas là. Je pense qu'il est plus sûr que personne ne sache où sont les patients, pas même vous. Moins il y aura de gens au courant, moins il y aura de risques de fuite – volontaire ou extorquée.

— Vous pensez vraiment...

— Cinq hommes ont déjà été assassinés, le coupa Bernstein.

— Mais ces patients doivent être suivis par un médecin qualifié.

— Je connais un médecin dont le métier est de se taire. Vous lui direz que faire et il le fera. Si vous avez besoin de les voir, je vous y emmènerai. Les yeux bandés.

— Ça me paraît raisonnable. Mais je veux votre parole qu'on ne touchera pas aux patients sans autorisation expresse. Si votre médecin ne leur donne pas le bon traitement ou les soumet à des tests inutiles...

— Vous avez ma parole. Je voudrais aussi consulter les dossiers médicaux des quatre victimes.

— Bien sûr, inspecteur. Mais je dois vous poser une question...

— Oui ?

— Si cette conspiration est aussi puissante, qu'est-ce qui me prouve que vous n'en faites pas partie ?

Bernstein cessa de déambuler, leva les yeux et enroula une mèche de cheveux autour de son index.

— Question intéressante, répondit-il.

Puis il sortit.

Jennifer Riker se réveilla sur le canapé, le contenu de l'enveloppe répandu autour d'elle. Elle alla prendre une douche, s'habilla, puis se servit un bol de Triple-Bran, la dernière en date d'une série de boîtes de céréales censées tout guérir, du cancer au tétanos.

Celles-là avaient un goût d'écorce. C'était sa sœur qui achetait tous ces aliments soi-disant bons pour la santé, rentrant du supermarché en s'exclamant : « Je viens d'acheter du… (remplir les pointillés), et mon amie… (remplir les pointillés) jure qu'on va se sentir dix fois plus… (remplir les pointillés). »

En soupirant, Jennifer retourna dans le salon avec son bol, ouvrit le dossier de Scott Trian et feuilleta les pages pour repérer l'endroit où elle s'était arrêtée la veille. Là. Trian était redevenu séronégatif. Elle reprit sa lecture. La situation de Trian s'améliorait progressivement, même s'il y avait des rechutes. Bruce avait noté :

À certains moments, Scott est tellement affaibli par les injections de SR1 que j'ai peur pour lui. Harvey et moi en avons discuté hier soir. Nous devons trouver un moyen d'atténuer les effets secondaires. Certes, l'alternative — la mort — est bien pire que ce qu'on voit chez Trian.

Le dossier ne contenait pas d'autres révélations, seulement quelques notes éparses sur les réactions de Trian au SR1. La dernière intervention de Bruce disait :

ADN ? A vs. B

Qu'est-ce que ça signifiait ? Mystère. Jennifer prit le dossier suivant. Whitherson, William. Son contenu était assez semblable à celui de Trian. Lui aussi était redevenu séronégatif, même s'il avait des problèmes d'une autre nature.

La famille de William est tellement peu solidaire ! Son père ne veut plus entendre parler de lui ; sa mère se sent coincée entre son mari et son fils, et a peur de parler à ce dernier parce que son mari y verrait une sorte de trahison. Des imbéciles, l'un comme l'autre. Le pire, c'est que William reste très attaché à eux. Il les appelle tout le temps. Je l'ai entendu les supplier au téléphone, d'une voix étouffée, plaintive : Mais vous ne comprenez pas ? Je suis en train de mourir... Aucune réaction en face.

Et une dernière note identique :

ADN ? A vs. B

Ensuite, Jennifer parcourut le dossier de Krutzer, Theodore. Sa situation ressemblait à celle des deux autres, à quelques différences près :

Contrairement à la famille de Whitherson, celle de Teddy a l'air remarquable. Ses parents ont non seulement accepté l'homosexualité de leur fils, mais ils reçoivent son petit ami chez eux tous les week-ends. Le père et le copain vont à la pêche ensemble.

Puis plus loin :

Encore un patient guéri. C'est trop beau pour être vrai. La maladie de Krutzer n'en était qu'aux premiers stades, il souffrait d'une hépatite et de quelques éruptions cutanées. Et le voilà guéri. Harvey a fait aujourd'hui une suggestion qui me paraît pertinente. La conversation entre lui, Eric et moi s'est passée comme suit :

Harvey : Tu fais tous les tests sur Krutzer, Bruce. Que personne d'autre que toi ne s'occupe de ce cas. Tu réalises toi-même les analyses en laboratoire.

Eric : Pourquoi ?

Harvey : Recherche indépendante. Si différentes personnes gèrent différents cas, personne ne pourra accuser un homme de falsifier les résultats. Je te suggère d'essayer de faire venir Markey.

Moi : OK, je vais l'appeler. Mais je ne pense pas qu'il sera intéressé.

Harvey : Au moins, on pourra dire qu'on le lui a proposé.

Eric : Je ne comprends pas la nécessité de faire ça. On n'a pas le temps de jouer aux laborantins.

Harvey : C'est trop important, Eric. Dans nos recherches, il ne doit y avoir aucune faille que nos ennemis pourraient exploiter.

Les autres dossiers ressemblaient aux précédents, hormis les particularités propres à chaque patient. Rien d'étonnant là-dedans. Ce qui était bizarre, cependant, c'est que tous se terminaient par la même note étrange :

    ADN ? A vs . B

Jennifer allait s'attaquer au dernier dossier quand elle se rappela les petits cylindres de polystyrène, posés au bord du canapé. Chacun était étiqueté au nom d'un patient. Elle prit celui de Scott Trian. À l'intérieur se trouvaient deux petits tubes marqués A et B.

Qu'est-ce que...

Elle les sortit. Ils contenaient des prélèvements de sang. Elle examina les autres cylindres de polystyrène : tous portaient le nom d'un patient et abritaient deux échantillons de sang marqués A et B.

Pour quoi faire ?

C'est alors qu'elle remarqua le coin de la petite enveloppe blanche tombée sous le canapé. Une enveloppe ordinaire, sans adresse d'expéditeur, sans timbre. Au recto, Bruce avait écrit « SUSAN ». Jennifer retourna l'enveloppe et eut un coup au cœur en découvrant les mots inscrits au dos : « À OUVRIR À MA MORT ».

— Tu as besoin d'aide ?

Max Bernstein leva les yeux vers Sara.

— Oui, entre. Comment va Michael ?

— Il est en train de recevoir ses soins, répondit Sara. Ce sont les dossiers des patients ?

Le stylo dans la bouche de Max s'agita quand il fit oui de la tête.

— Cette histoire devient de plus en plus tordue.

Sara s'assit, décrocha son orthèse et se massa la jambe.

— Je t'écoute.

— OK, voici les dossiers médicaux de toutes les victimes. Commençons par Trian. Il a été admis ici il y a trois ans, parmi les tout premiers. Whitherson est arrivé à peu près au même moment. Pareil pour Martino, le toxicomane.

— Et Bradley ?

— Bradley fait justement figure d'exception. Il est suivi depuis moins d'un an. Il réagissait bien au traitement, mais demeurait séropositif. Ça ne colle pas. Harvey t'a résumé notre conversation ?

— Oui.

— Il t'a énoncé sa théorie selon laquelle quelqu'un tenterait de saboter la clinique ?

— Oui. Ça nous paraît plausible, à Michael et moi.

— À moi aussi, mais il reste tellement de trous noirs ! Prends Bradley Jenkins, par exemple. Supposons que les comploteurs veuillent éliminer les patients guéris – la preuve de leur succès, pour reprendre les mots d'Harvey. Dans ce cas, pourquoi avoir supprimé Jenkins ? Et pourquoi avoir jeté son corps à l'arrière d'un bar gay ? Encore autre chose : si l'objectif, c'est de détruire cet endroit et si l'on n'est pas à quelques meurtres près, pourquoi tourner autour du pot ? Pourquoi ne pas y aller franco, incendier le pavillon Sidney, assassiner Harvey et Eric puis détruire leurs dossiers ?

— Je vois ce que tu veux dire.

— Quelque chose ne colle pas. Pourquoi l'assassin a-t-il rendu les meurtres aussi explicites ?

— Parce que c'est un dingue.

— Dingue, un type qui a réussi à pénétrer dans le sanctuaire de cette clinique ? Je ne crois pas.

— Il a peut-être cherché à brouiller les pistes en faisant croire qu'il ciblait la communauté gay.

— Comment ça ?

— Ses deux premières victimes étaient des homosexuels affichés, tués d'une manière barbare, expliqua Sara. Il devait penser que la presse se jetterait là-dessus. Et qu'on y verrait l'œuvre d'un fou homophobe. On chercherait le Poignardeur de gays, un type qui tue des homosexuels au hasard, et pas un assassin calculateur déterminé à se débarrasser des patients d'une clinique clandestine.

— Mais la presse n'a pas vraiment relayé l'affaire…

— Jusqu'au moment où il s'en est pris au fils d'un célèbre sénateur. Ça explique le meurtre de Bradley. Pour attirer l'attention des médias. Tout le monde s'intéresse enfin au Poignardeur de gays.

Max se gratta le visage, pensif.

— Peut-être, mais ça ne colle toujours pas. Pourquoi avoir laissé le corps de Bradley derrière le bar gay ?

— Afin que tout le monde sache qu'il était homo, suggéra Sara. Le tueur voulait faire croire qu'il était un Poignardeur de gays, qui terrorisait la communauté homosexuelle. Trian et Whitherson étaient des homosexuels notoires, alors que les préférences

263

sexuelles de Bradley étaient un secret bien gardé. Quel meilleur moyen de révéler la vérité que de se débarrasser de son corps derrière un bar gay dans le Village ?

— OK, disons que c'est une première théorie. Je ne suis pas sûr d'être convaincu, mais avançons.

— Moi non plus, en fait. Autre hypothèse : le tueur aurait-il pu en avoir uniquement après Bradley ?

— C'est-à-dire ?

— Le meurtrier a-t-il pu assassiner Trian et Whitherson pour faire croire à un tueur en série, alors que sa vraie cible était Bradley ? Quelqu'un a-t-il voulu ruiner la carrière du sénateur Jenkins en s'en prenant à…

— Oublie. J'y ai pensé, et ça n'a pas de sens. Sinon, pourquoi avoir tué Martino après coup ? Pourquoi avoir pénétré dans le labo ? Et que devient le lien avec la clinique ? Et le prétendu suicide de Grey…

— Ça suffit, j'ai compris. On enterre l'hypothèse.

— Désolé.

Max empila les dossiers et les mit de côté.

— Comment tu te sens avant la conférence de presse de ce soir ? demanda-t-il ensuite.

— J'ai peur. Mais la maladie me terrifie bien davantage.

— Michael est solide, Sara. Harvey réussira à le guérir.

Harvey Riker décrocha sa ligne privée.

— Allô ?

— Salut, beau brun, susurra Cassandra. J'aimerais pouvoir t'arracher tes vêtements.

— Désolé, vous vous trompez de numéro.

— Encore mieux.

— Comment s'est passée ta réunion avec la Northeastern Air ?

— Elle n'est pas terminée. Et toi, ta journée ?

Il envisagea de lui parler de Michael, puis chassa cette idée. Ce n'était pas à lui de le faire.

— Mauvaise. Nous avons perdu un patient hier soir. Sans doute assassiné.

— Encore un ?

— Oui.

Cassandra hésita avant de demander :

— Tu crois vraiment que le révérend Sanders est lié à tout ça ?

— Je ne l'exclurais pas.

— Et mon père ?

Harvey choisit ses mots avec soin.

— Je trouve étrange que le jour même où il affirme ne pas connaître Sanders personnellement, tu les entends tous les deux se disputer dans son bureau. Pourquoi nous a-t-il menti ? Qu'est-ce qu'il a à cacher ?

Avant qu'elle ait pu répondre, l'interphone trilla sur le bureau d'Harvey.

— Une seconde, Cassandra.

Il appuya sur le bouton.

— Oui ?

— Docteur Riker ? Un appel pour vous sur la ligne sept.

— Je suis occupé. C'est important ?

— C'est le Dr Raymond Markey.

Harvey frémit. Un appel du sous-secrétaire à la Santé n'était jamais bon signe.

— Une seconde, dit-il à la standardiste. Cassandra, je te rappelle plus tard.

Il appuya sur un bouton.

— Docteur Markey ?

— Bonjour, docteur Riker. Comment allez-vous ?

— Pas très bien.

— Ah ?

— Un autre de nos patients est mort hier soir. Il se peut qu'il ait été assassiné.

— Assassiné ? Mon Dieu, Riker, ça fait combien ?

Harvey se retint juste avant de répondre « quatre ».

— Euh, trois.

— Quel est le nom de la dernière victime ?

— Martino.

— Martino, Martino… Ah, le voici. Riccardo Martino ? Toxicomane.

— C'est lui.

— Voyons voir. Les deux autres étaient Trian et Whitherson. Deux homosexuels. Multiples coups de couteau. Même chose pour Martino ?

— Non.

— Comment est-il mort ?

— D'une injection de cyanure.

— Mon Dieu, c'est épouvantable !

— En effet. Je commence à m'inquiéter pour la sécurité de mes autres patients.

— Oh, eh bien, je ne m'inquiéterais pas trop pour ça. Je suis sûr qu'il s'agit seulement d'une terrible coïncidence.

Une terrible coïncidence ?

— Avec tout votre respect, monsieur, trois patients de la même clinique viennent de se faire assassiner.

266

— Oui, mais vous oubliez une chose importante : Bradley Jenkins, le fils du sénateur, a lui aussi été retrouvé mort poignardé. D'après la police, il a été tué par l'assassin de Trian et Whitherson, le soi-disant Poignardeur de gays. Et Jenkins n'était pas un patient de votre clinique. J'ai votre liste sous les yeux et il n'y figure pas.

Harvey se figea, piégé. Et il était sûr qu'à l'autre bout du fil Markey souriait.

— Oui, c'est vrai, mais…

— Donc, il n'y a pas de souci à se faire. Si Jenkins avait été suivi dans votre clinique, là, j'avoue qu'on aurait eu un problème. Vos rapports ne seraient pas exacts. Et dans ce cas, tout ce qui y figure pourrait être sujet à caution. Nous serions amenés à penser que d'autres erreurs pourraient exister. Toutes vos analyses devraient être réexaminées. Vous risqueriez de perdre votre subvention…

Harvey sentit son ventre se contracter. L'émission du soir. Le reportage sur la clinique, sur les meurtres…

… sur Bradley Jenkins.

Les paroles de l'inspecteur lui revinrent :

« Et quels sujets va-t-il aborder exactement ? Le traitement contre le sida ? Le lien avec le Poignardeur de gays ? Le fait que le fils du sénateur Jenkins était soigné dans cette clinique ? »

Et la réponse de Sara : *« Tout ça. »*

Raymond Markey resta silencieux un moment, laissant ses mots flotter entre eux.

Ce salaud est déjà au courant pour Jenkins, songea Harvey. *Mais comment ? Et pourquoi n'y ai-je pas songé avant ? Qu'est-ce qui se passe, bon sang ?*

Raymond Markey finit par rompre le silence.

— Mais, bien sûr, nous savons l'un et l'autre que Bradley Jenkins n'était pas un patient de la clinique, donc vous n'avez aucune inquiétude à avoir. Ces morts ne sont qu'une dramatique coïncidence. Au revoir, docteur Riker.

Raymond Markey raccrocha. Assis de l'autre côté de son bureau, le révérend Sanders souriait. D'un sourire tellement doux, jovial et amical qu'il en était inquiétant. Un masque. Incroyable, vraiment – autant que l'homme lui-même. Markey connaissait l'histoire de Sanders. Un gamin pauvre du Sud. Un père fermier, qui faisait de la contrebande de whisky. Une mère alcoolique. Il s'était bagarré pour sortir de la pauvreté, usant d'escroquerie, de chantage, et piétinant tout ce qui se plaçait en travers de son chemin. L'homme était habile. Il savait manipuler les gens. Son influence avait commencé sur les pauvres et les personnes sans éducation pour s'étendre jusqu'à certains milieux parmi les plus puissants de Washington.

Dont le mien, songea Markey.

— C'est fait, dit-il en se levant.

Il rajusta le nœud de sa cravate rouge dans le reflet du cadre d'un tableau. Raymond Markey portait toujours des cravates rouges. C'était devenu sa signature, tout comme ses épaisses lunettes.

— Bien, fit Sanders. Votre source vous a-t-elle donné de nouvelles informations ?

— Rien qu'on ne sache déjà, si ce n'est qu'une équipe de télévision a été vue dans la clinique.

Le révérend secoua la tête.

— Mauvais signe. Ils vont peut-être rendre public l'état de Michael Silverman.

— Vous ne croyez pas que mon coup de fil va les arrêter ?

Sanders y réfléchit un moment.

— Riker n'oserait pas révéler le lien entre la mort de Jenkins et les assassinats, dit-il. Mais s'ils ont décidé de parler de Michael Silverman, je ne vois pas en quoi votre conversation avec Riker pourrait les dissuader.

— Nous ferions peut-être mieux d'oublier tout ça, hasarda Markey. C'est déjà allé trop loin.

Sanders lui lança un regard enflammé.

— Vous essayez de faire machine arrière, Raymond ?

— Non, seulement…

— Dois-je vous rappeler que vous avez accepté de m'aider ? Que vous n'avez jamais eu confiance en Riker et que vous lui vouez une antipathie aussi bien professionnelle que personnelle ? Et que je suis en possession de cette cassette vidéo…

— Non ! s'écria Markey.

Il ferma les yeux et se força à respirer profondément pour se calmer.

— Je suis derrière vous à cent pour cent, mais admettez que des failles sont apparues dans la conspiration.

Le sourire de Sanders revint.

— La « conspiration »… Quel mot affreux ! Pour moi, il s'agit d'une mission sacrée. Le Seigneur est derrière nous dans notre croisade pour réaliser Son œuvre.

En direct de son show télévisé, songea Markey avec dégoût. La « mission sacrée » de Sanders consistait à prévenir le monde qu'Armageddon approchait. Et quelle meilleure preuve de l'imminence de l'Apocalypse que cette épidémie de sida ?

« Le sida, avait l'habitude de crier le révérend Sanders dans le micro, est l'équivalent moderne des plaies d'Égypte. Cette plaie frappe sans merci les dépravés. Oui, mes amis, Dieu se prépare pour la bataille finale. Pour Armageddon. Dieu nous a envoyé un signe clair que nous ne pouvons pas ignorer. Il nous a envoyé ce mal incurable pour débarrasser la Terre de la lie pervertie et hédoniste. L'ultime combat entre le bien et le mal approche, loué soit le Seigneur, amen. Qui sera prêt ? Qui se baignera dans la lumière de Dieu ? Et qui rejoindra les porteurs du sida dans les feux de l'enfer ? Nous devons nous armer en prévision de cette bataille, mes amis, et pour ça nous avons besoin de votre aide. L'heure est venue pour ceux dont l'âme n'est pas corrompue de donner, et de donner généreusement. »

Ensuite, Sanders exhibait quelques clichés montrant comment cette peste divine réduisait le corps humain à l'état de tissus et de moelle inutiles. Hypnotisés et horrifiés, les adeptes scrutaient l'écran avec terreur, tandis qu'on passait les paniers de la quête au milieu d'eux. Du haut de la chaire, Sanders les regardait se remplir de billets verts.

Oh, mais si on réussissait à guérir le sida, si le fléau du Seigneur pouvait être écarté… eh bien, c'était toute l'interprétation que Sanders faisait de l'Évangile qui serait mise à mal.

— Il n'empêche, remarqua Markey, nous sommes en train de perdre nos principaux soutiens.

— Vous vous trompez, Raymond. Ils sont toujours avec nous.

— Comment pouvez-vous dire ça ? Le sénateur Jenkins…

— Le sénateur Jenkins est en deuil, le coupa Sanders. Imaginez le choc, pour lui, de découvrir que son fils était un pervers immoral. Il nous reviendra quand il sera redevenu lui-même.

Raymond lui lança un regard incrédule.

— Vous n'êtes pas sérieux ? N'oubliez pas qu'il nous a trahis.

— Oui, je sais, et ça ne me plaît pas. Mais il reste un sénateur puissant, dont nous avons besoin. Je veux que vous l'appeliez, Raymond. Dites-lui que j'espère le voir à notre prochaine réunion.

— Quand aura-t-elle lieu ?

— Ça dépendra. Si Michael Silverman annonce publiquement sa maladie, nous devrons convoquer une réunion d'urgence. Pour tout le monde.

— Tout le monde ? Mais Silverman est le gendre de John Lowell.

Sanders eut un petit rire.

— Ne vous inquiétez pas pour Lowell. Je m'en charge.

Il se leva, enfila son manteau et gagna la porte.

— Après tout, conclut-il, John Lowell est un des nôtres.

Harvey se précipita dans la chambre de Michael, paniqué.

— Sara, Dieu merci tu es là !

Elle était assise sur le lit de Michael. Tous deux travaillaient sur sa déclaration à la presse, qu'ils avaient décidé de faire aussi courte que possible.

— Que se passe-t-il ? demanda-t-elle.

— Où est Donald Parker ?

— Il ne devrait pas tarder. Qu'est-ce qu'il y a ?

— Il faut que je lui parle, déclara Harvey d'un ton précipité. Il ne doit absolument pas mentionner le lien entre Bradley Jenkins et la clinique.

— Pourquoi ?

— Parce que ça risquerait de tout mettre en danger.

Harvey leur raconta sa conversation avec le sous-secrétaire Markey. Ses phrases s'entrechoquaient.

— Si Markey découvre que j'ai exclu Bradley de mon rapport d'activité, je pourrais perdre la clinique. Il ne doit en aucun cas apprendre que Bradley était traité ici.

— D'accord, dit Sara. J'en parlerai à Donald dès qu'il arrivera.

Cassandra se réveilla dans un état familier de confusion et de douleur. La confusion venait du fait qu'elle ignorait où elle était ; la douleur, d'une sévère gueule de bois. En général, la première se dissipait dès qu'elle réussissait à reconstituer la soirée précédente ; la seconde se faisait sentir un peu plus longtemps.

— Harvey ? appela-t-elle.

Pas de réponse.

Elle eut beau se prendre la tête à deux mains, impossible de calmer le marteau-piqueur qui lui déchirait les tempes. Avec un effort, elle réussit à entrouvrir les paupières. La pièce était plongée dans la pénombre.

C'était une chambre d'hôtel, pas l'appartement d'Harvey. Une belle chambre, qu'une brochure d'agence de voyages qualifierait de « luxueuse ». Un klaxon retentit au loin, et Cassandra eut l'impression qu'un groupe de rock se déchaînait sous son crâne.

— Chut, dit-elle tout haut.

Elle garda sa tête entre ses mains jusqu'à ce que le temps recolle les morceaux de son cerveau. Que s'était-il passé ? La réunion avec la Northeastern. Avaient-ils décroché le budget ? Pas encore. Le directeur marketing de la compagnie avait ajourné la décision. Puis ils étaient allés prendre un verre… au Plaza, voilà où elle était. De quoi avaient-ils parlé ? Aucun souvenir. Le directeur marketing, quoique séduisant, était prétentieux et arrogant. Tentant de se rappeler leur conversation, elle entendait seulement ses « moi je, moi je ».

Et ensuite ?

Très simple. Le directeur marketing l'avait emmenée dans la chambre, il l'avait sautée et était reparti. Ça lui revenait. La baise était nulle. Ce type était un poseur, plus intéressé par son apparence que par ce qu'il était en train de faire, du genre à préférer se regarder dans le miroir plutôt que de regarder sa partenaire. Il aurait aussi bien pu faire l'amour tout seul.

Cassandra se redressa. Dieu merci, il était parti. Il avait posé un mot sur la table de chevet.

Félicitations. Vous avez le contrat.

Il n'avait pas signé, seulement laissé sa carte de visite.

Mon Dieu.

La chambre ressemblait à beaucoup d'autres qu'elle avait fréquentées – spacieuse, élégamment meublée, des draps soyeux, d'épaisses serviettes. Cassandra Lowell n'acceptait que le meilleur. Si on voulait baiser Cassandra Lowell, il fallait l'entourer de belles choses. L'emmener dans des endroits chic. Après tout, elle n'était pas une vulgaire pute.

Elle était une pute de luxe.

Dans la salle de bains, elle ouvrit le robinet d'eau chaude et attendit que la vapeur monte pour se glisser sous le jet brûlant. Elle y resta un long moment, se savonnant et se rinçant plusieurs fois. Quarante-cinq minutes plus tard, elle se séchait. Assise sur le lit, elle versa quelques larmes, s'habilla et rentra chez elle.

Lorsqu'elle arriva au manoir Lowell un peu plus tard, elle s'assit à la table de la cuisine et se servit un bol de céréales.

— Bonjour, chérie.

Cassandra leva les yeux. Son père portait un col roulé anthracite ; il avait les cheveux bien peignés et les joues roses. Quoique encore très séduisant, il n'avait pas eu de liaison suivie depuis la mort de son épouse dix ans plus tôt. C'était dommage… même si Cassandra se demanda ce qu'elle ressentirait en voyant les yeux de son père s'illuminer devant une autre femme.

De la haine, sans doute. Typique d'elle.

— Bonjour.

— Tu as eu des nouvelles de Sara ?

— Non. J'aurais dû ?

— J'ai appelé l'hôpital. On m'a dit que Michael était sorti ce matin. Mais ils ne sont pas chez eux.

— Tu as essayé de joindre le Dr Riker ?

— Oui, mais il ne m'a pas rappelé. Je doute qu'il le fasse.

— Pourquoi ?

— Disons qu'Harvey Riker et moi ne sommes pas les meilleurs amis du monde.

Cassandra baissa les yeux. Elle avait un sentiment étrange, pas très éloigné de la honte.

— Tout de même, poursuivit John Lowell, c'est bizarre.

— Quoi donc ?

— Michael a une hépatite B, ce qui signifie qu'il devra rester hospitalisé au moins trois semaines. Pourquoi serait-il sorti ?

— Il a peut-être été transféré dans un autre service.

— Peut-être, répondit le Dr Lowell, dubitatif.

Cassandra se remémora la hâte avec laquelle Harvey avait quitté l'appartement la veille, après le coup de fil d'Eric. Elle n'avait pas saisi grand-chose de la conversation, mais Harvey avait un ton grave. Elle l'avait entendu prononcer le nom de Michael avant de filer, avec à peine un au revoir.

Michael aurait-il un problème grave ?

— Je dois y aller, annonça son père. Si ta sœur appelle, dis-lui qu'elle peut me joindre sur le téléphone de voiture.

Il embrassa Cassandra et quitta la pièce. Il ne lui demanda pas où elle avait passé les cinq dernières nuits, ni avec qui. Dans ce domaine-là, son père

275

préférait faire comme si rien n'allait de travers – eu égard aux convenances, c'était plus simple que la vérité.

Cassandra songea à Harvey. Pourquoi avait-elle fini au lit avec le directeur marketing (comment s'appelait-il, déjà ?) alors que tout allait si bien…

… *trop bien ?*

… avec Harvey ?

Bah, c'est la vie. Harvey et elle, ce n'était peut-être pas une affaire faite pour durer. Ou alors, elle avait trop bu. Ou alors…

… *ou alors, tu es simplement une pauvre pute, Cassandra*, se dit-elle en fermant les yeux.

Dès qu'elle entendit s'éloigner la voiture de son père, Cassandra traversa le couloir jusqu'au bureau paternel. Le moment était venu d'oublier la soirée de la veille. Il y avait des questions plus importantes à résoudre.

Elle savait parfaitement que le bureau de son père était un sanctuaire interdit et qu'elle n'avait aucun droit d'aller fouiller dans ses affaires personnelles. Mais les mots d'Harvey – et peut-être aussi le désir de se racheter après la nuit passée – l'aiguillonnaient : « *Je trouve étrange que le jour même où il affirme ne pas connaître Sanders personnellement, tu les entends tous les deux se disputer dans son bureau. Pourquoi nous a-t-il menti ? Qu'est-ce qu'il a à cacher ?* »

Son père pouvait-il être lié au révérend Sanders ? Avait-il quelque chose à voir avec les problèmes à la clinique ?

Cassandra pénétra dans le bureau dont la taille, le plafond haut, le mobilier en chêne sombre et les milliers de livres en faisaient sa pièce préférée – on se serait cru dans le cabinet de travail du Pr Higgins de *My Fair Lady*. Elle se glissa derrière le grand et vieux bureau et essaya d'ouvrir le tiroir de côté. Verrouillé. Elle se laissa tomber dans le fauteuil en cuir pivotant. Où avait-il pu cacher la clé ? Sa main tâtonna sous la surface du tiroir central. Un instant plus tard, ses doigts rencontrèrent un objet froid et métallique.

Bingo !

Elle tira sur le scotch qui fixait la clé, ouvrit le tiroir et commença à inspecter l'intérieur. Au fond, elle trouva un dossier contenant son courrier personnel, qu'elle parcourut jusqu'à ce qu'elle tombe sur une lettre qui piqua sa curiosité. Elle provenait du Dr Leonard Bronkowitz, le président du conseil d'administration du Columbia Presbyterian Hospital :

Cher John,

Je sais que la nouvelle va fortement vous mécontenter, mais le conseil a décidé de financer le pavillon Sidney. Malgré vos arguments très persuasifs, une petite majorité de membres du conseil considère que le sida a été ignoré trop longtemps. Même si nous sommes nombreux à penser comme vous que la balance penche maintenant un peu trop de l'autre côté, le conseil estime que les Drs Riker et Grey pourraient faire des progrès considérables sur la voie de la découverte d'un vaccin contre le virus. En dehors de grands bénéfices pour l'humanité, ce vaccin pourrait apporter un surcroît de prestige à l'hôpital et, partant, des fonds supplémentaires.

Je me rends compte que cela risque de retarder vos propres programmes au Centre contre le cancer, mais j'espère que vous nous soutiendrez dans cette nouvelle entreprise prometteuse.

Je vous prie d'agréer, cher John...

Leonard Bronkowitz

Une lettre de Washington traitait du même sujet.

Cher docteur Lowell,

Les dotations pour l'année fiscale viennent d'être attribuées, et je suis au regret de vous annoncer qu'aucun crédit ne sera alloué au financement de la nouvelle aile du Centre contre le cancer. Nous mesurons et respectons l'importance de votre travail, mais il n'en reste pas moins que la Ville de New York, et, en particulier, le Columbia Presbyterian Medical Center, ont reçu plus que leur part de subventions, versées pour la plupart à la nouvelle clinique de lutte contre le sida, dirigée par le Dr Harvey Riker et le Dr Bruce Grey.

Personnellement, j'estime votre travail essentiel et cette décision me déçoit, mais, en tant qu'ancien Surgeon General, *vous savez fort bien comment fonctionne le système. D'après moi, le virus du sida a tout de la « maladie de la semaine », comme on parle de la « promotion du mois ». C'est la nouvelle cause à laquelle il faut se rallier. Je ne doute pas que le public finisse par se lasser, et qu'il soit alors en mesure de porter un regard plus rationnel sur cette maladie.*

Ne perdez pas courage, d'autres pensent comme nous. Je serais très honoré si vous vouliez bien m'appeler, lors de votre prochain passage à Washington, afin que nous puissions nous entretenir du monde de la médecine. J'apprécie beaucoup votre avis sur un grand nombre de sujets.

Bien à vous,

Raymond Markey,
Sous-secrétaire à la Santé

Cassandra se sentit très mal à l'aise. Ces lettres avaient quelque chose de choquant. Elle savait que son père avait été contre cette clinique dès le début, qu'il s'était plaint de ce qu'il considérait comme un « gâchis » d'argent. En revanche, elle ignorait la conséquence directe de la création de la clinique sur son propre Centre contre le cancer. C'était l'un ou l'autre : la clinique du sida ou la nouvelle aile du centre. Ce centre était toute la vie de son père ; mais jusqu'où irait-il pour obtenir des financements ? Tout de même pas jusqu'à...

Le bruit d'une voiture remontant l'allée la fit sursauter. Un gros moteur Diesel. La Mercedes de son père. Il rentrait déjà ! Et elle qui avait cru qu'il s'absentait pour la journée !

Cassandra fourra les deux lettres dans le dossier, le dossier au fond du tiroir qu'elle referma. Au loin, elle perçut le ronronnement de la porte électrique du garage.

Qu'est-ce que j'ai fait de cette foutue clé ?

Ses yeux parcoururent la surface du bureau : rien. Par terre : rien. La Mercedes pénétrait dans le garage. Elle devait quitter le bureau avant que son père ne l'y trouve. En voyant la clé sur la serrure, elle se serait giflée. Elle la ressortit au moment où son père éteignait le moteur de la voiture.

Arrachant un morceau de scotch, elle replaça la clé où elle l'avait trouvée. En deux secondes, elle avait traversé le bureau, ouvert la porte et pris à droite dans le couloir.

Si elle était allée à gauche, elle aurait vu son père qui la regardait avec une expression stupéfaite.

L'allure imposante, vêtu d'un costume bleu nuit qui rehaussait encore sa prestance, Donald Parker se tenait au bout du couloir. Ses quarante années de journalisme l'avaient mené aux quatre coins du monde. Il avait couvert l'investiture de tous les Présidents depuis Harry Truman jusqu'à George Bush. Il avait été le témoin du premier pas sur la Lune, de l'offensive du Têt, du massacre de la place Tian'anmen, de la chute du mur de Berlin, de l'opération « Tempête du désert ». Il avait interviewé Gandhi, Malcolm X, Pol Pot, Khomeiny, Amin Dada, Gorbatchev, Saddam Hussein. En matière de presse, il y avait peu de choses qu'il n'eût pas accomplies.

Tandis que Sara s'avançait vers lui, Donald Parker accrocha son regard et sourit. Il avait des yeux d'un bleu étincelant, perçants et scrutateurs.

— Bonjour, Sara.

— Bonjour, Donald. Vous avez reçu mes notes ?

— Oui. C'est un sacré sujet. Le reportage de l'année, peut-être. Pourquoi abandonnez-vous ?

— Je suis trop proche du dossier.

— Dois-je y voir un lien avec la déclaration que votre mari fera avant l'émission ?

— Je préfère ne pas vous en parler tout de suite.

— Je comprends. Y a-t-il eu de nouveaux développements ?

— Un autre patient, Riccardo Martino, a été assassiné cette nuit dans l'enceinte de la clinique.

— Quoi ?

— Tous les détails sont ici.

Elle lui tendit une feuille, qu'il lut.

— Bon travail, Sara.

— Il y a aussi autre chose…

— Oui ?

— Vous ne devrez pas parler du fils du sénateur Jenkins.

Il l'écouta attentivement pendant qu'elle lui donnait des explications.

— OK, dit-il quand elle eut fini. Je mets ça de côté.

— Merci, Donald, j'apprécie beaucoup.

— Une dernière précision : ce Dr Riker refuse d'apparaître à l'antenne ?

— Exact. Il veut rester anonyme. Son assistant, le Dr Eric Blake, répondra aux questions.

— Très bien, je vais aller finaliser tout ça. Merci d'avoir fait tout le travail préparatoire, Sara. Vous me laissez la partie la plus facile.

— Je vous en prie, répondit-elle. Et merci encore pour Bradley Jenkins.

Donald Parker la regarda s'éloigner en s'appuyant sur sa canne. Sara était une fille fascinante, dont la grande beauté masquait une intelligence qui ne l'était pas moins. C'était aussi une vraie professionnelle, qui suscitait chez Donald un respect chaque jour grandissant.

Hélas, le respect qu'elle-même avait pour lui allait bientôt être mis à l'épreuve. Après l'émission de ce soir, elle ne serait pas seulement déçue, mais aussi furieuse. Cependant, depuis le temps qu'il était dans le métier, Donald Parker avait développé un certain code éthique. Il refusait d'ignorer des aspects importants d'un sujet sous prétexte que ça gênait certains – quelles qu'en soient les possibles conséquences.

Il n'avait donc pas l'intention de laisser Bradley Jenkins à l'écart de son reportage.

13

CASSANDRA S'APPRÊTAIT À PRONONCER DES PAROLES qu'elle regretterait plus tard.

Elle était venue voir Harvey à son bureau pour lui parler des lettres trouvées dans le tiroir de son père, mais ce furent des mots bien différents qui sortirent de sa bouche.

— J'ai passé la nuit avec un autre homme, dit-elle, la tête baissée afin de ne pas croiser son regard.

Harvey en eut un coup au cœur.

— Le... directeur marketing ?

Elle hocha la tête.

— Je vois.

Le visage impassible, il fit le tour de son bureau, s'assit et se mit à prendre des notes dans un dossier.

— C'est tout ce que tu vas dire ? demanda-t-elle.

— Que veux-tu que je te dise ?

— Ça ne te dérange pas ?

— Tu voudrais que ça me dérange ?

— Arrête de répondre à mes questions par d'autres questions.

— Je ne comprends pas ce que tu attends de moi, Cassandra. Tu viens me voir pour m'expliquer que tu as couché avec quelqu'un d'autre. Comment voudrais-tu que je réagisse ?

— Je ne sais pas.

— Pourquoi me l'as-tu dit ? Je ne l'aurais jamais découvert. Alors, quel intérêt ?

Elle ouvrit la bouche, la referma, haussa les épaules, puis répondit d'une voix hésitante :

— Je voulais être franche avec toi.

— Parfait. Tu as été très franche. Maintenant, si tu veux bien m'excuser, j'ai beaucoup de travail.

— Attends…

— Je suis désolé, Cassandra. Sincèrement. Je croyais qu'on était heureux ensemble. Je croyais… je ne sais pas… qu'il y avait quelque chose de spécial entre nous.

— C'est le cas.

— On n'a pas la même notion du mot « spécial ». Je ne peux pas me permettre d'avoir de nouveau le cœur brisé. Ça fait trop mal. Ça affecte ma concentration, mon travail.

— Ça n'arrivera plus. Je te le jure. Je ne voulais pas te…

— C'est sans importance. Ça n'aurait jamais dû aller si loin. C'était une erreur depuis le début. J'ai été idiot de croire…

Il secoua la tête.

— Au revoir, Cassandra.

Il se remit à écrire.

— Harvey ?

— Au revoir, Cassandra, répéta-t-il d'une voix plus ferme, sans lever les yeux.

Une sensation bizarre, dure et douloureuse, étreignit la poitrine de Cassandra. Elle voulut ajouter autre chose, mais l'expression glaciale d'Harvey l'en dissuada. Elle fit volte-face et sortit.

— Michael donne une conférence de presse dans cinq minutes.

Reece Porter, qui laçait ses Nike, leva les yeux vers le coach.

— Qu'est-ce que tu racontes ?

Richie Crenshaw traversa les vestiaires, enjambant des baskets éparpillées, des *jockstraps* et des longues jambes. Les Knicks étaient en déplacement à Seattle pour disputer un match amical d'avant-saison contre les Supersonics.

— Michael va faire un communiqué au début de *NewsFlash*.

— Quel genre de communiqué ?

— Comment veux-tu que je le sache ?

Jerome Holloway et Reece échangèrent un coup d'œil étonné.

— Et ça passe sur une chaîne nationale ?

— Il semblerait, répondit le coach.

— Qu'est-ce que Michael peut bien avoir à dire qu'un magazine d'info voudrait couvrir en direct ? s'étonna Reece.

— Une info sur son hépatite, sûrement.

— Oui, mais ça, ça intéresse les chaînes sportives, pas CBS.

— En plus, renchérit Jerome, la presse est déjà au courant de son hépatite.

— Ça me dépasse, dit le coach. Allume la télé, Jerome, on verra bien.

La jeune recrue obéit, et tous les coéquipiers de Michael cessèrent ce qu'ils étaient en train de faire pour regarder l'écran. Ils affichaient pour la plupart une expression de curiosité détendue. Sauf Reece. Reece était inquiet. Un athlète, quelle que soit sa popularité, ne donne pas de conférence de presse s'il n'a pas une vraie révélation à faire. Une révélation qui transcende le sport.

Aussi Reece Porter regarda-t-il Michael et Sara s'avancer vers l'estrade avec un terrible sentiment d'angoisse.

George était au milieu de sa troisième série de cent pompes, bandant les muscles à chaque mouvement, lorsqu'il entendit la bande-annonce :

« Restez avec nous pour un numéro spécial de *NewsFlash*. Quel est le point commun entre le grand joueur de basket Michael Silverman, le Poignardeur de gays et l'épidémie de sida ? Vous le découvrirez en suivant *NewsFlash*. Dans un instant, sur CBS. »

George se figea. Michael Silverman, le mari de Sara Lowell et le gendre de John Lowell. Le basket-teur présent au gala de charité, le soir où George avait tué Bradley Jenkins, s'apprêtait à faire une déclaration en direct à la télévision.

George avait très envie d'entendre ce qu'il avait à dire.

La bande-annonce évoquait un lien avec le Poignardeur de gays. Et parlait d'un reportage choc sur l'épidémie de sida. La coïncidence était trop grande. Michael Silverman, le Poignardeur de gays, l'épidémie de sida.

Quelqu'un avait fait des rapprochements.

Pour George, la vraie question concernait la décla-ration de Silverman. La police ayant découvert le lien entre les victimes des meurtres et la clinique du sida, les fuites à la presse étaient inévitables. Mais que venait faire là-dedans le mari de Sara Lowell ? Existait-il un rapport entre Michael Silverman et les meurtres, et, si oui, lequel ?

Tout doux, George. Ton job, c'est d'éliminer les clients, pas de tout comprendre.

OK, mais il devait aussi assurer ses arrières. On l'obligeait à prendre des risques plus grands que d'habitude. Le Poignardeur de gays faisait les gros titres. L'enquête s'intensifiant, la logique lui dictait d'en apprendre davantage sur le pourquoi de ces meurtres afin de se protéger.

Travail bâclé, George. Pas du tout professionnel.

À la fin de la pause publicitaire, il se releva et alla s'asseoir sur le bord de son grand lit, pour regarder Sara et Michael s'avancer vers l'estrade. Sara Lowell était sublime. Au point que George ressentit un pincement de jalousie vis-à-vis de Silverman.

Ce connard couchait avec Sara Lowell tous les soirs.

Parfois, la vie était injuste.

— Ohé, je suis rentré ! s'écria Max.

— Je suis dans la chambre, répondit Lenny. Tu as pensé à prendre du lait ?

— Oui. Et un pack de Diet Coke.

Lenny rejoignit Max dans le salon et l'accueillit avec un baiser.

— Fatigué ?

— Crevé. Et toi ?

— Pareil, fit Lenny en le déchargeant de son sac d'épicerie. J'ai passé sept heures au tribunal pour rien. Mon client ne s'est pas présenté.

— Il a violé sa libération sous caution ?

— À ce qu'il semble.

— Nous, les flics, on s'évertue à les attraper. Et vous, les avocats, vous les laissez filer.

— Oui, mais sans nous vous n'auriez plus de boulot. Au fait, j'ai commandé une pizza. Je me suis dit que tu n'aurais pas envie de ressortir.

— Tu as bien fait.

Lenny emporta les courses dans la cuisine.

— Tu travailles, ce week-end ?

— Hein ?

— Arrête de te ronger les ongles deux minutes et écoute-moi. Est-ce que tu travailles ce week-end ?

— Sans doute, pourquoi ?

— C'est mon week-end avec Melissa.

Âgée de douze ans, Melissa était la fille de Lenny.

— J'essaierai d'être là.

— Ce serait gentil. Oh, et j'ai loué le film que tu voulais voir.

Max décrocha le téléphone et composa un numéro.

— On ne pourra pas le regarder ce soir. *News-Flash* commence dans quelques minutes.

— J'avais oublié.

Lenny revint de la cuisine.

— Max ?

— Quoi ?

— Sors tes doigts de ta bouche, avant que je te les fasse avaler de force.

— Désolé.

— Tu appelles qui ?

— Mon appartement.

— Quel gâchis…

— Ne commence pas, Lenny, s'il te plaît.

— Pourquoi gardes-tu cet appartement depuis six ans ? Il est vide, à l'exception d'un téléphone et d'un répondeur.

— Tu sais très bien pourquoi.

— Ah, c'est vrai. Tu as peur que quelqu'un découvre que tu vis avec – oh, quelle horreur ! – un homme. Que tu es un authentique petit pédé.

— Lenny…

— Donc, tu conserves ta garçonnière de la 87ᵉ Rue pour la galerie – non, plutôt parce que tu es parano. Ça nous reviendrait moins cher de dire à tout le monde que nous sommes deux célibataires qui partageons un appartement, non ? Comme dans *Trois hommes et un bébé*.

— Qu'est-ce que tu racontes ?

— Tu ne te rappelles pas ce film ? Tom Selleck, Ted Danson et Steve Guttenberg vivaient ensemble sans que personne ne s'interroge sur leurs préférences sexuelles. Et Oscar et Felix dans *Drôle de couple* ? Murray, le flic, n'a jamais pensé qu'ils couchaient ensemble.

— Tu es pénible…

Pas de message sur le répondeur. Max raccrocha.

— Tu as déjà nourri Simon ? demanda-t-il.

— Il y a deux minutes. Il a mangé huit poissons rouges l'autre jour, et il est en train d'en gober encore autant. Tu veux voir ?

— Non, merci.

— C'est ton serpent, fit remarquer Lenny.

Deux ans plus tôt, Max avait acheté Simon, un serpent inoffensif, sur un coup de tête, pensant que ce serait amusant de l'avoir à la maison. Il avait omis un détail : sa peur panique de ce genre de bestiole. S'il adorait Simon et se plaisait à le regarder évoluer dans sa cage, il avait peur de le toucher – et même de s'approcher de lui. Pire, Simon se nourrissait exclusi- vement de poissons rouges, qu'il attrapait d'un mouvement ultrarapide de sa gueule, avant de les avaler tout crus. On voyait distinctement la forme du poisson encore vivant glisser tout le long du corps mince de Simon.

Immonde.

Heureusement, Lenny s'était pris d'affection pour lui – une affection peu ragoûtante, en réalité. Il lui arrivait même d'inviter des amis à assister au repas du serpent, durant lequel ils pariaient sur le poisson qui se ferait dévorer en dernier.

Absolument immonde.

La sonnerie de l'entrée retentit. Lenny alla ouvrir au livreur et revint dans le salon avec la pizza. En le regardant, Max mesura à quel point sa vie avait changé depuis qu'il avait croisé le regard bienveil- lant de Lenny, sept ans plus tôt. L'année 1984 avait été une année de transition. Les nuits de sexe anonyme, les orgies à Soho, dans les *backrooms* et les bains publics, se faisaient plus rares sous l'assaut cinglant de l'épidémie de sida. Malgré sa peur constante d'être découvert, Max avait participé à cette vie-là. Combien d'amants avait-il eus ? Impos- sible à dire. Combien d'amis avait-il perdus, victimes du sida ? Ils étaient eux aussi trop nombreux pour qu'on puisse en faire le compte. De tous ces morts ne restait qu'un kaléidoscope de visages flous.

Pourquoi, se demandait Max, *nous sommes-nous tous vautrés dans cette débauche ? Était-ce seulement pour l'excitation physique, ou y avait-il autre chose ? Voulions-nous nous rebeller ? Était-ce une façon de conjurer l'angoisse accumulée après des années de désirs refoulés dans une société corsetée ? Qu'est-ce que nous cherchions ? Ou plutôt, qu'est-ce que nous fuyions ?*

Au moins Max avait-il échappé à l'épidémie. Un coup de chance, même s'il se sentait parfois coupable de ne pas avoir contracté le virus, comme un survivant d'Auschwitz se demande pourquoi il a été épargné.

Lenny, lui, venait d'une famille traditionnelle. À dix-neuf ans, il avait épousé Emily, sa petite amie de lycée, avec qui il avait eu une fille l'année suivante. Pendant un certain temps, il avait réussi à nier sa véritable orientation sexuelle. Mais au bout de quatre ans de mariage, Emily et lui avaient vu la façade hétérosexuelle se craqueler, avant de voler en éclats. Ils avaient révélé la vérité à leur famille. Emily et Lenny s'étaient quittés bons amis.

Max alluma la télévision et s'assit à côté de Lenny sur le canapé. Celui-ci posa la tête sur son épaule.

— Je suis ce qui t'est arrivé de mieux dans la vie, tu sais, dit Lenny.

— Mais oui, je sais.

Quelques minutes plus tard, main dans la main, ils regardèrent Sara et Michael se diriger vers l'estrade.

— Papa ? appela Cassandra.

Perdu dans la contemplation d'une vieille photo-graphie, John Lowell ne répondit pas.

— Qu'est-ce que tu regardes ? demanda-t-elle doucement.

Avec un profond soupir, il reposa délicatement la photo, telle une fragile porcelaine.

— Rien.

Cassandra traversa la pièce. Comme elle le soup-çonnait, son père regardait la photo de sa mère.

— Moi aussi, elle me manque, dit-elle, les larmes aux yeux.

— Elle t'aimait énormément, Cassandra. Elle voulait que tu sois heureuse.

Cassandra effleura du bout des doigts l'image de sa mère.

— Sara vient d'appeler, dit-elle.

— Où était-elle passée ?

— Elle ne l'a pas précisé. On le découvrira en regardant *NewsFlash*, soi-disant.

— Qu'est-ce que ça signifie ?

— Je ne sais pas.

John ouvrit les bras et, pour la première fois depuis de longues années, père et fille s'étreignirent. Cassandra se blottit contre lui, frottant la joue contre le pull de laine. L'espace d'un instant, elle oublia les lettres trouvées dans le tiroir, la voix du révérend Sanders dans le bureau paternel et même ses soupçons délirants. C'était son père. Elle se sentait à sa place dans ses bras, comme si elle était redevenue une petite fille, en sécurité, au chaud, et pourtant…

— Vous êtes tout ce que j'ai, murmura-t-il. Sara et toi.

Ils s'accrochèrent l'un à l'autre, comme aiguillonnés par un étrange besoin, semblable à une faim dévorante qu'aucune nourriture ne parvient à assouvir. Aucun d'eux ne parla, mais tous deux savaient qu'ils songeaient à la même chose. Ils n'auraient pas su dire comment ils connaissaient les pensées de l'autre, ni comment expliquer l'affreux sentiment de désolation qui imprégnait la pièce. Ç'aurait dû être un moment de tendresse et de bonheur, mais une force maléfique rôdait dans un coin, prête à déchirer, briser et détruire.

Cassandra finit par s'écarter. Ils se regardèrent avec embarras, comme s'ils partageaient un secret honteux.

— L'émission va commencer.

— Tu as raison, dit-il.

Ils quittèrent la pièce, sans plus se tenir la main ni même se toucher. Cependant, la chaleur de cette étreinte resta autour de Cassandra comme un châle. Elle regarda son père allumer la télévision et se sentit submergée par une vague d'amour. C'était un homme tellement bon, qui avait consacré sa vie à soigner les autres. Jamais il ne ferait de mal à quiconque. Jamais. Elle en était sûre. Ses soupçons étaient ridicules. Après tout, deux lettres et un entretien avec le révérend Sanders ne signifiaient pas qu'il était coupable de quoi que ce soit. En réalité, ça ne signifiait rien du tout. Et elle se félicitait maintenant de ne pas avoir parlé des lettres à Harvey, de ne pas avoir trahi la confiance de son père.

Soulagée, Cassandra s'enfonça dans le canapé, s'efforçant d'ignorer la petite voix du doute qui résonnait encore dans sa tête.

La lumière des flashs faisait comme un strobo-scope, donnant l'impression que Michael et Sara avançaient au ralenti. Ils arrivèrent ensemble devant l'estrade ; Michael y monta tandis que Sara demeu-rait derrière lui et légèrement de côté. Michael avait la tête baissée, les yeux clos. Quelques secondes plus tard, il fit face à la salle pleine de journalistes.

Sara ne le quittait pas des yeux. Il était beau dans son costume gris et sa cravate bleu dur, mais ces vête-ments ne lui correspondaient pas. Il manquait les explosions de couleur, les motifs fleuris, les pois… Son visage sombre, cireux, fatigué, était à l'image de sa tenue : sans vie.

Il sortit de sa poche un morceau de papier, le déplia, le lissa de la paume sur le podium, regarda les mots qui y étaient écrits puis le repoussa et releva lentement la tête. Après, il resta là quelques minutes sans dire une parole.

Derrière les flashs des appareils photo, Sara sentait le malaise de l'assemblée. Des murmures montèrent du parterre de journalistes, de plus en plus sonores. Sara s'avança et prit la main de Michael qu'elle serra. Elle était glaciale. Il se tourna alors vers elle et sourit – pas d'un sourire contraint ou las, non, d'un sourire sincère et merveilleux. Elle en fut à la fois récon-fortée et effrayée. Le sourire disparut lentement alors qu'il pivotait vers le micro.

— Hier, commença Michael, j'ai appris que j'avais contracté le virus du sida.

Silence immédiat. Les murmures cessèrent, comme s'ils avaient été enregistrés et qu'on eût arrêté la bande.

— Je vais entrer dans une clinique privée que vous allez découvrir dans le reportage qui va suivre. C'est tout ce que j'ai à vous dire. Merci.

Il se recula, sourit de nouveau à Sara et lui prit la main.

— On s'en va.

Les journalistes tirèrent à vue :

— Michael, depuis quand êtes-vous homosexuel ?

— Sara, depuis combien de temps savez-vous que votre mari est gay ?

— Le mariage était-il une mascarade ?

— Avez-vous eu des relations sexuelles avec certains de vos coéquipiers ?

À chaque question, Michael tressaillit involontairement. Enfin, il se rapprocha du podium pour rétablir la vérité. Mais lorsqu'il atteignit le micro et que le silence retomba, il tourna le dos sans dire un mot. Il se pencha et embrassa Sara.

— Viens, on s'en va.

Harvey regarda l'émission seul.

Cette solitude ne le dérangeait pas, elle était dans l'ordre des choses. Sa liaison avec Cassandra avait été une erreur depuis le début. Cas classique d'aveuglement – sous l'effet de quelle drogue s'était-il imaginé qu'une femme comme elle pourrait s'intéresser à un type comme lui ? De plus, il avait la clinique. Il ne pouvait pas se permettre des distractions qui gêneraient sa concentration et affecteraient son travail.

Chassant de ses pensées Cassandra et ses déboires sentimentaux, il reporta son attention sur le reportage de *NewsFlash*.

Donald Parker faisait un excellent boulot en présentant les faits, rien que les faits. Pour préserver l'anonymat de la clinique, ni le nom ni l'adresse du pavillon Sidney ne furent révélés. Dans le cas contraire, ils auraient dû gérer un bazar épouvantable.

Mieux encore, seul le nom d'Eric fut cité, pas celui du « principal chercheur ». Parker avait même indiqué un numéro vert et une boîte postale pour ceux qui voudraient faire un don, et il suggérait d'écrire ou de télégraphier au Congrès pour demander des financements supplémentaires en faveur de la clinique « sans nom ».

Les yeux bleus de Donald Parker semblaient plonger dans le regard de ses millions de téléspectateurs. Harvey comprit pourquoi il passait pour le meilleur dans le métier. Il réussissait à vous faire oublier que vous étiez devant la télévision ; il devenait un invité, un membre de la famille assis avec vous dans le salon et non pas en studio.

— Plus troublant encore, poursuivait le journaliste de sa voix profonde, est le lien existant entre la clinique et celui qu'on a appelé le Poignardeur de gays, qui terrorise la communauté homosexuelle de New York depuis deux mois. Voici notre reportage.

Le direct fit place à un enregistrement.

« Des jeune gens dans la fleur de l'âge, retrouvés poignardés et mutilés », disait la voix off.

Des clichés de draps ensanglantés recouvrant des cadavres, laissant apparaître un bras ou une jambe, défilèrent sur l'écran.

« Tout le monde pensait qu'un tueur psychopathe s'en prenait à la communauté homosexuelle. Mais de nouveaux éléments sont apparus, qui mettent à mal cette théorie et suggèrent une conclusion encore plus dramatique. »

Une pause étudiée.

« Celui qu'on appelle le Poignardeur de gays s'en prend à des malades du sida. Or toutes les victimes ont un point commun : elles étaient traitées dans la clinique que nous vous avons présentée ce soir. »

Après un silence destiné à ménager le suspense, Parker réapparut à l'écran.

« La première victime s'appelle Scott Trian. »

La photo d'un Trian souriant s'afficha.

« Trian, un agent de change de vingt-neuf ans, a été assassiné dans son appartement d'une manière effroyable. Il a été torturé et mutilé à l'arme blanche avant de mourir, vidé de son sang. »

Le visage de William Whitherson remplaça celui de Trian.

« William Whitherson, un des vice-présidents de la First City Bank, a été la deuxième proie du Poignardeur de gays. Il a reçu une vingtaine de coups de couteau au visage, à la poitrine et à l'aine. Il a été découvert chez lui par son compagnon, Stuart Lebrinski, qui s'était absenté moins d'une heure. Le sang coulait encore des blessures de M. Whitherson lorsque M. Lebrinski est rentré du supermarché. »

La photo de William Whitherson disparut...

... remplacée par celle de Bradley Jenkins.

Harvey sentit son cœur se contracter dans sa poitrine.

« Le meurtre de Bradley Jenkins, le fils du sénateur Stephen Jenkins, traité en secret à la clinique du sida, a donné une nouvelle notoriété au Poignardeur de gays. Bradley a été retrouvé derrière un bar gay de Greenwich Village… »

Harvey n'entendait plus rien.

— Non, murmura-t-il, choqué. Vous vous rendez compte de ce que vous venez de faire ?

Mauvais, très mauvais, se disait le révérend Sanders en regardant le reportage. Pour autant, il ne se mit pas en colère. La colère embrumait l'esprit et empêchait toute pensée rationnelle. Or il avait besoin de réfléchir posément.

Dixie était en haut dans leur chambre, évanouie sur leur lit après avoir trop bu. Pour la troisième soirée consécutive. Cependant, il l'aimait. Elle était d'une beauté extraordinaire, même ses ennemis le reconnaissaient, très éloignée de l'image qu'on se faisait d'une femme de pasteur. Il la couvrait de cadeaux et lui offrait ce qu'il y avait de mieux, mais elle le méprisait – il le voyait dans son regard quand il entrait dans une pièce. Leur fils, Ernie Junior, avait à son tour embrassé la carrière religieuse. Bon connaisseur de l'Évangile, jeune homme séduisant et orateur passionné, il gagnait beaucoup d'argent et détestait lui aussi son père.

Heureusement, Dixie, Ernie et les deux filles, Sissy et Mary Ann, adoraient son argent. Sanders se rappelait son propre père récitant la Règle d'Or : celui qui possède l'or fait la loi. Sanders avait la fortune. Donc, le pouvoir. Le contrôle.

Et il avait son ministère. Certains le considéraient comme un sauveur, un prophète, un homme de Dieu. D'autres le voyaient comme un fanatique, un voyou, un hypocrite.

Où était la vérité ? D'accord, il n'avait jamais eu de « vision » de Dieu ainsi qu'il le prétendait dans son émission. Jésus ne l'avait jamais visité la nuit dans sa chambre. Pas plus qu'il n'avait entendu de voix mystérieuse ou été témoin d'un vrai miracle. Et alors ? Les gens voulaient y croire. Il leur donnait ce dont ils avaient besoin. L'homme a besoin d'air, de nourriture, de divertissements, et aussi de croire en quelque chose. Les gauchistes croyaient en leurs dieux – la laïcité, le monde théorique, les médias. Pourquoi les Américains traditionnels n'auraient-ils pas les mêmes droits ? Eux ont besoin d'un chef puissant, de quelqu'un qu'ils puissent suivre sans se poser de questions. Les politiciens avaient recours à la tromperie et à un bel emballage pour créer l'image de personnes dignes de confiance. Pourquoi un évangéliste n'utiliserait-il pas les mêmes méthodes ?

Ernest Sanders se moquait de ses détracteurs qui l'accusaient d'abuser de ses ouailles. Il suffisait d'observer le visage extasié de ses paroissiens le dimanche matin. Comment mettre un prix là-dessus ? Il suffisait de voir leurs yeux briller pendant qu'ils l'écoutaient, attentifs et confiants. Oui, il suffisait de regarder ces Américains durs à la tâche, qui ne demandaient rien de plus que quelques minutes de ferveur religieuse, qui voulaient croire qu'il existait autre chose que leur quotidien ennuyeux, qui voulaient se fier à Dieu plutôt qu'à l'homme.

Ernest Sanders leur donnait tout ça et plus encore. Et il ne volait pas l'argent qu'il gagnait. Il rendait le monde meilleur et apportait de la joie à des milliers, voire des millions de gens. Dieu ne lui avait peut-être pas montré un buisson ardent ou permis de marcher sur les eaux. Mais Il lui avait donné le pouvoir de toucher les gens avec ses mots, et peut-être était-ce là la volonté divine. Pas de miracles époustouflants en cette époque technologique et bureaucratique – mais le simple pouvoir de communiquer Son message.

Qui sait ? Peut-être était-il vraiment engagé dans une sainte bataille. Peut-être Dieu l'avait-Il choisi pour diriger le camp des justes, rassembler Ses troupes et les guider jusqu'à la Terre promise. Pour débarrasser le monde des impies et combattre les scélérats qui essaieraient de l'arrêter.

Le générique de *NewsFlash* défilait. Avec un soupir, Sanders décrocha le téléphone et composa le numéro du domicile de Raymond Markey.

— Allô ?

— Vous avez regardé ? demanda Sanders.

— Oui.

— Très fâcheux. Ça va être un tollé général.

— Mais Riker fait notre jeu en les laissant mentionner Bradley Jenkins, dit Markey. Nous avons à présent la preuve que ses rapports ont été falsifiés. Ses découvertes peuvent être considérées comme invalides.

— Peut-être, admit Sanders, mais ne comptez pas trop là-dessus. Il faudra sans doute envisager d'autres plans.

Markey se racla la gorge.

— Si vous le jugez vraiment nécessaire…

— En effet. Maintenant que Riker a impliqué Silverman, je ne vois pas quel autre choix nous avons : je vais contacter le beau-père de Silverman.

— Que voulez-vous que je fasse ?

— Prenez un avion pour New York et allez confronter Riker en face.

— Bien, répondit Markey. Et il y a autre chose.

— Oui ?

— Les meurtres commis par le Poignardeur de gays… C'est très étrange.

— En effet.

Markey fit une pause, avant de demander :

— À votre avis, qui est derrière ?

Ernest Sanders pesa soigneusement ses mots.

— Pour être honnête, je ne sais vraiment pas.

14

DE BONNE HEURE LE LENDEMAIN MATIN, Sara traversa le couloir de CBS et entra sans frapper dans le bureau de Donald Parker.

— Espèce de salaud !

Donald leva les yeux de son bureau. S'il était surpris par cette arrivée fracassante, il n'en montra rien.

— Je m'attendais à votre visite.

— Vous m'avez menti !

— Sara…

— Vous m'aviez assuré que vous ne parleriez pas de Bradley Jenkins.

— Je suis désolé, Sara, mais je ne pouvais pas faire autrement.

— Et pourquoi ?

— Parce que je suis un journaliste, répondit Parker. J'ai été chargé de couvrir cette affaire, toute cette affaire…

— Épargnez-moi ce discours.

— Attendez, Sara. Vous n'étiez pas objective sur le sujet.

— Qu'est-ce que vous racontez ?

— C'est simple. On ne néglige pas un aspect capital d'une affaire pour protéger un ami.

— Mais je vous ai expliqué…

— Vous m'avez expliqué quoi ? Que votre ami, Harvey Riker, avait menti aux fonctionnaires du gouvernement ? Qu'il avait falsifié des rapports ?

— Il n'a rien falsifié du tout. Il a octroyé à Bradley Jenkins un droit à la confidentialité.

— Allons, Sara, vous ne vous attendiez pas à ce que je laisse tomber l'histoire du Poignardeur de gays, si ? Et dans ce cas, je ne pouvais pas ne pas parler de Bradley Jenkins.

Sara s'appuya sur sa canne.

— Vous ne vous rendez pas compte des conséquences.

— Se soucier des conséquences n'est pas notre boulot, vous le savez. Nous sommes là pour donner l'information. On ne peut pas décider de supprimer des faits importants pour atteindre des objectifs personnels. Mettez-vous à ma place une minute. Si vous prépariez un reportage et que je vous demande d'oublier une partie cruciale de l'histoire pour protéger un de mes amis – un ami qui aurait faussé des documents officiels –, le feriez-vous ?

— Je ne vous ai pas demandé de protéger un ami. Je vous ai demandé de protéger la clinique. Votre reportage risque de les obliger à fermer.

Il secoua la tête.

— Sûrement pas. Après l'émission d'hier soir, le public ne le permettrait pas. Les chercheurs de la clinique sont devenus des héros. Toute l'Amérique ne parle que d'eux.

— Il n'empêche que vous auriez dû me prévenir.

— Peut-être, admit-il, mais on n'avait pas le temps.

Il traversa la pièce pour aller se placer devant elle.

— Je suis désolé pour votre mari. C'est très courageux de sa part de révéler publiquement une chose pareille.

— Merci, Donald. Et… désolée d'avoir ainsi fait irruption dans votre bureau.

Le Dr Harvey Riker s'efforçait de lire le dossier sur son bureau, en pure perte. Après le reportage de *NewsFlash* la veille, le sommeil l'avait fui. L'aube venait de poindre, et les mêmes doutes et questions bouillonnaient dans son esprit. Avait-il commis une grave erreur en permettant la diffusion de ce reportage ? L'idée lui avait pourtant paru excellente, un moyen idéal de renforcer la clinique, sauf qu'il avait oublié le facteur Bradley Jenkins, qui risquait de détruire tout ce qu'il avait bâti.

Qu'allait-il advenir à présent ?

L'interphone résonna sur son bureau.

— Oui ?

— Le Dr Raymond Markey désire vous voir.

Harvey sentit un nœud se former dans son ventre.

— Il est ici ? À la clinique ?

— Oui, docteur.

Oh, mon Dieu…

— Faites-le entrer.

Harvey se cala dans son fauteuil et aspira de grandes goulées d'air. Les yeux braqués sur les aiguilles de l'horloge au-dessus de sa porte, il attendit.

Markey était déjà au courant. Avant même l'émission, ce salaud savait pour Bradley Jenkins. Mais comment ?

— Docteur Riker ?

Harvey plaqua sur son visage un sourire beaucoup trop large.

— Docteur Markey, entrez. Qu'est-ce qui vous amène ?

— Vous ne savez pas ?

Harvey continua de sourire, imperturbable.

— Je devrais ?

— Il faut que nous parlions.

Harvey était quelque peu surpris par le ton de son visiteur. Il s'était attendu à le voir calme, détendu et sûr de lui, or sa voix trahissait une indéniable tension. Le sous-secrétaire à la Santé était vêtu d'un costume bleu à fines rayures, de chaussures noires qui auraient eu besoin d'être cirées et de sa sempiternelle cravate rouge.

— Asseyez-vous.

— Merci.

Markey se laissa tomber dans le fauteuil, comme submergé de fatigue.

— Du café ?

— Non.

Il croisa les jambes.

— Docteur Riker, j'irai droit au but. J'ai vu le reportage télévisé consacré à votre clinique hier soir, que j'ai trouvé très instructif et… perturbant.

— Perturbant ? répéta Harvey, son sourire idiot toujours plaqué sur les lèvres.

Il se demanda combien de temps encore il s'en sortirait en faisant l'imbécile – sûrement pas très longtemps.

— J'ai relu vos rapports confidentiels hier soir, poursuivit Markey. S'ils ne sont pas exactement contraires à ce qui a été expliqué dans l'émission, ils me sont apparus, disons, vagues.

— Ce n'était pas intentionnel, répondit Harvey, cherchant désespérément une porte de sortie. Voyez-vous, docteur Markey, je ne voulais pas faire de déclarations retentissantes avant d'avoir des preuves irréfutables.

— Mais le reportage disait…

— Précisément. C'est le reportage qui le disait. Pas moi. Vous savez comment fonctionne la presse. Elle exagère tout.

— Donc, l'idée de la couverture médiatique ne venait pas de vous ?

— Absolument pas. Des journalistes sont venus me voir. Ils avaient entendu parler de la clinique par une indiscrétion.

Une idée venait enfin de se faire jour dans l'esprit d'Harvey. Il la saisit.

— Ils ont sous-entendu, docteur Markey, que la fuite venait de Washington. De vos bureaux, pour être précis.

Vas-y, Harvey, mens-lui sans vergogne. Mets-le sur la défensive.

Markey leva les yeux vers le plafond, réfléchissant à l'accusation du chercheur.

— La fuite ne venait-elle pas plutôt de Sara Lowell ou de Michael Silverman ? J'ai cru comprendre que ce sont de bons amis à vous.

— Ils ne savaient rien à propos de la clinique, avant que Michael ne soit diagnostiqué séropositif avant-hier. Le journaliste de *NewsFlash*, Donald Parker, était au courant depuis une semaine.

Markey lui lança un regard dubitatif.

— Oublions ça un instant, dit-il. Il est temps d'arrêter de danser autour du pot et d'en venir au cœur du problème.

Tu t'emmêles dans tes métaphores, aurait voulu hurler Harvey, partagé entre la panique et le désespoir.

— Vous nous avez menti, docteur Riker. Vous rapports sont falsifiés.

— Falsifiés ?

— Vous savez très bien de quoi je parle. Bradley Jenkins faisait partie de votre programme d'expérimentation. Or il ne figure nulle part dans vos rapports.

— Un patient a le droit à la confidentialité, docteur.

— Pas dans ce cas, non. Il n'y avait aucune étude le concernant, pas de résultats d'analyses, rien.

— Mais…

— Vous n'avez pas changé, Riker. Vous ne comprenez toujours pas qu'il existe des règles qui doivent être respectées.

— Je connais les règles.

— Non, je ne crois pas. Vous avez toujours été comme ça, à chercher la voie de la facilité.

— La voie de la facilité, sûrement pas, le corrigea Harvey, luttant pour contenir une peur et une rage croissantes. Je cherche la voie de la moindre lourdeur bureaucratique. La voie permettant de sauver des vies le plus vite possible.

Il savait qu'il devait s'arrêter là, mais en fut incapable.

— Vous le comprendriez si vous étiez davantage un médecin qu'un gratte-papier.

Les pupilles de Markey se dilatèrent derrière ses lunettes épaisses. Son visage n'était plus que deux yeux furieux.

— À qui croyez-vous parler ?

— Docteur Markey, si vous vouliez seulement m'écouter…

— Mesurez-vous la gravité de vos actes ? le coupa Markey. Votre dotation risque d'être supprimée. La clinique pourrait être fermée et toutes vos découvertes invalidées.

Harvey le contempla un instant, tétanisé, craignant de reprendre la parole.

— Le sénateur Jenkins m'a obligé à exclure le nom de Bradley de mes rapports, dit-il enfin, se raccrochant à n'importe quoi pour ne pas couler. Si vous nous obligez à fermer, il y aura un scandale comme vous n'en avez jamais connu.

— Le nom du sénateur a déjà été traîné dans la boue, répliqua Markey. Un scandale supplémentaire n'y changera pas grand-chose.

— Alors, qu'avez-vous à dire ?

— Simplement que j'ai une proposition à vous faire.

Harvey le regarda sans comprendre.

— Une proposition non négociable. Soit vous l'acceptez, soit nous fermons la clinique. À vous de choisir.

— J'écoute.

— Vous avez falsifié des rapports, ce qui est un problème grave, comme nous le savons tous les deux. Toutes vos découvertes sont désormais sujettes à caution. Nous pourrions donc les ignorer purement et simplement… ou vous autoriser à les consolider.

— Je ne comprends pas.

— Michael Silverman est le dernier patient à avoir été admis à la clinique, n'est-ce pas ?

— Et ?

— Il n'a pas encore reçu de soins, si ?

— Très peu. Il est sous RS1 depuis moins de vingt-quatre heures.

— Bien. Nous allons étudier ses progrès. Je vais amener mes propres experts pour surveiller tout ce qui arrive à Silverman. Ils vont noter tous les détails de son traitement. S'il redevient séronégatif, nous pourrons réexaminer vos autres découvertes et commencer à tester…

— Ça pourrait prendre des années !

— Vous auriez dû y penser avant de falsifier les rapports officiels.

Oh, bon sang, que faire, maintenant ? Je suis piégé…

— Je n'ai pas falsifié les preuves, dit Harvey, criant presque. J'ai falsifié une foutue liste de patients, c'est tout. Un seul foutu nom.

— Justement. Si vous avez pu fausser les rapports sur un point, vous avez pu le faire sur d'autres.

— Mais nous avons déjà guéri six patients !

— Dont seulement trois sont encore en vie. Et qui nous prouve que leurs résultats n'ont pas été altérés eux aussi ?

— Faites-leur subir des analyses ! hurla Harvey. Je ne vais pas vous laisser vous en tirer comme ça. Je vais…

— Calmez-vous.

— Je vais alerter la presse !

Harvey aurait pu jurer voir de la peur sur le visage de son interlocuteur, même s'il se contenta de sourire.

— Je vous le déconseille, docteur Riker. Pour commencer, je vous supprimerais toute subvention. Ensuite, je révélerais que vous avez truqué des rapports, que vous ne nous avez pas autorisés à accéder à vos patients et que vous n'avez jamais guéri personne. Nos experts en communication vous feront passer pour un charlatan vendant de la poudre de perlimpinpin. Quand ils en auront fini avec votre cas, on ne vous embauchera même pas pour vider les bassins.

— Les faits prouveront que vous mentez !

— À la fin, peut-être… si tant est que vous ne les ayez pas falsifiés. Mais, à ce moment-là, on aura changé de siècle.

Harvey le contemplait, horrifié. Même si Markey bluffait à moitié et ne voulait sans doute pas rentrer en conflit, il possédait le pouvoir de tout détruire. S'il mettait ses menaces à exécution, il faudrait des mois, voire des années pour qu'Harvey se disculpe. Dans l'intervalle, on lui couperait les vivres. Et la découverte d'un remède serait repoussée à une date indéfinie.

Raymond Markey se leva et se dirigea vers la porte.

— Mes experts seront là demain après-midi.
Merci d'en informer votre personnel.

Michael reprit lentement conscience. La télé était
allumée. Un type parlait. Sans doute le JT. Il ouvrit
les yeux.

— Bonjour, beau mec, dit Sara.

Il se sentait groggy. Sa vision était floue. Il roula
sur lui-même et embrassa Sara, couchée à côté de lui,
un livre à la main.

— Bonjour, mademoiselle l'infirmière. Vous
feriez bien de vous en aller avant que ma femme
arrive.

— Très drôle.

— Quelle heure est-il ?

— Presque minuit. Comment tu te sens ?

Il tenta de se redresser.

— Comme si j'avais un petit animal mort dans le
ventre.

— Charmant. Devine ce que j'ai là ?

— Quoi ?

Elle approcha le livre du visage de Michael. Il
plissa les yeux et lut :

— *Mille prénoms pour votre bébé* ? J'ai déjà
trouvé un prénom.

— Ah bon ?

— Moahmar.

— Et si c'est une fille ?

— C'est un prénom de fille. Bon, que se
passe-t-il ?

— Voyons… Quel est ton dernier souvenir ?

Il réfléchit.

— Eric qui me prenait du sang, le petit vampire.

— Eh bien, il ne s'est pas passé grand-chose depuis.

Leur conversation fut interrompue par la télévision.

« Les nouvelles sur CNN. L'actualité est dominée aujourd'hui par la mystérieuse clinique dédiée au sida, qui accueille la star du basket Michael Silverman. Des milliers de militants de la cause gay ont défilé à Washington aujourd'hui, exigeant que la FDA autorise des expérimentations à l'échelle nationale du traitement encore peu connu appelé SR1. La clinique, dont la situation financière est difficile, voit affluer des dons de partout depuis le reportage diffusé dans *NewsFlash* hier soir. D'après ces informations, cette institution anonyme a réalisé d'étonnants progrès dans la lutte contre le virus du sida grâce à des injections d'un nouveau médicament, le SR1. Avec nous, en direct de San Francisco, le Dr Elie Samuels du centre de recherche Mallacy. »

Le médecin apparut à l'écran, sa main gauche maintenant un écouteur en place. Les mots « *San Francisco, Californie* » s'affichèrent en bas.

« — Docteur Samuels, comment réagit la communauté médicale au reportage de *NewsFlash* ?

— Avec une curiosité prudente, répondit le médecin.

— Pouvez-vous être plus explicite ?

— Certainement. Même si la presse se plaît à célébrer la découverte de ce prétendu traitement, la communauté médicale doit s'interroger sur la véracité de ces annonces. Cette clinique, dont on ne connaît pas le nom, n'a pas encore publié de résultats ou fait paraître d'article dans le *New England*

Journal of Medicine ou un autre périodique du même genre. Tout cela est très inhabituel.

— Êtes-vous en train de sous-entendre qu'il pourrait s'agir d'une falsification ?

— Je ne sous-entends rien, mais je crois qu'il serait irresponsable de la part de la presse et de la communauté médicale de prêter foi à ces affirmations sans avoir davantage de preuves.

— Merci, docteur. »

Le présentateur fit pivoter son fauteuil pour faire face au téléspectateur.

« Dans une affaire en lien avec la première, le joueur des Knicks de New York, Michael Silverman, a secoué le milieu sportif en annonçant hier soir qu'il était séropositif. D'après les médecins de la clinique et le reportage de *NewsFlash*, Michael Silverman aurait contracté le virus du sida au cours d'une transfusion sanguine aux Bahamas il y a plusieurs années, après un grave accident de bateau. Certains, cependant, doutent de cette version de l'histoire et croient que la clinique essaie de dissimuler la véritable orientation sexuelle de M. Silverman. »

Un autre visage apparut sur l'écran. Michael se raidit.

— C'est pas vrai, murmura-t-il.

— Michael, qu'est-ce qu'il y a ?

Le visage avait très peu changé en vingt ans. Quelques cheveux gris au niveau des tempes ; la peau légèrement plus flasque au niveau de la mâchoire et du cou. L'apparence générale, en revanche, était radicalement différente. Une veste sport. Une jolie cravate. Une coupe de cheveux soignée. L'image même du type sympa.

Le présentateur poursuivit :

« — En direct de Lincoln, dans le Nevada, voici M. Martin Johnson, le beau-père qui a élevé Michael Silverman… Monsieur Johnson, merci d'être avec nous.

— Merci à vous, Chuck.

— Monsieur Johnson, que pensez-vous du communiqué selon lequel votre beau-fils aurait contracté le sida à la suite d'une transfusion sanguine ?

— C'est possible, répondit Johnson d'un ton dubitatif. Loin de moi le désir de dire du mal du petit, mais…

— Mais ?

— Eh bien, il me semble beaucoup plus plausible qu'un de ses petits amis le lui ait refilé. »

Le présentateur en bavait presque.

« — Donc, vous dites que M. Silverman est homosexuel ?

— Euh, je ne dirais pas ça, non. Plutôt qu'il est bisexuel. Il a eu de nombreuses relations sexuelles aussi bien avec des hommes qu'avec des femmes. Il a commencé très jeune. Mais il préfère les hommes, j'en suis presque sûr. »

Michael se redressa brusquement.

— Éteins ça !

Sara pressa un bouton de la télécommande, et l'image se transforma en un point brillant, avant de disparaître.

— Quelle ordure ! Je ne l'ai pas revu depuis l'âge de dix ans.

— C'est bizarre, déclara Sara. Pourquoi crois-tu qu'il mente comme ça ?

— Parce que c'est un taré, voilà tout.

Sara secoua la tête.

— Non, il y a forcément autre chose.

— Qu'est-ce que tu veux dire ?

— Je ne sais pas. Mais j'ai l'impression qu'il récite un texte.

— Ce n'est pas impossible.

— Bon, il va falloir limiter les dégâts, lancer une contre-offensive et prouver que ce salaud ment.

— Quoi qu'on fasse, fit remarquer Michael, des gens le croiront.

— C'est probable.

Michael secoua la tête.

— Le revoir après tant d'années…

À l'autre bout du pays, Jennifer Riker se mit à trembler. Elle n'arrivait pas à croire à ce qu'elle venait de voir sur l'écran de télévision. Comme une créature d'un mauvais film d'horreur, Marty Johnson était de retour. Elle qui avait cru pouvoir oublier son affreux sourire narquois le retrouvait tel qu'autrefois, et avec lui resurgissaient des images douloureuses – les ecchymoses sur le corps de Michael, les yeux au beurre noir, les commotions, la terreur absolue sur le visage du petit garçon.

L'immonde salaud était de retour !

Jennifer laissa sa colère couver, monter et l'envahir tout entière ; elle se concentra dessus pour ne pas avoir à affronter une réalité plus douloureuse encore.

Michael avait le sida.

Le pauvre gamin… Combien de fois n'avait-elle pas dit ça à propos de Michael ? Bien qu'il soit né avec la beauté, l'intelligence et du talent à foison, la malchance s'était toujours accrochée à ses basques comme un chien fidèle.

Les yeux de Jennifer se posèrent sur l'enveloppe adressée à Susan et, une fois de plus, elle se demanda que faire. La veille, elle avait envisagé de contacter sa sœur, puis décidé que ce serait idiot. Bruce était mort. Quoi qu'il ait écrit dans sa note n'y changerait rien. Et l'enveloppe serait toujours là quand Susan rentrerait.

Mais à présent Jennifer hésitait. Elle n'était pas tranquille. Le suicide de Bruce, la mystérieuse enveloppe envoyée à une boîte postale californienne, les meurtres, le SR1, le message angoissant au dos de l'enveloppe : « À OUVRIR APRÈS MA MORT ». Et maintenant, la maladie de Michael.

Tout ça lui causait une angoisse sourde. Elle s'accusa d'être parano, de voir des complots partout, mais ne put se débarrasser de son impression que quelque chose allait sérieusement de travers. Et que les dossiers médicaux de Bruce et son mot à Susan n'y étaient pas étrangers.

Harvey décrocha sa ligne privée.

— Allô ?

— Je t'en prie, pardonne-moi. Laisse-moi être ton esclave.

Il ferma les yeux et les frotta.

— Cassandra, ce n'est vraiment pas le moment.

Silence tendu.

— Je… je suis désolée. Je te rappellerai plus tard.

— Mieux vaut ne pas le faire.

— Je t'ai dit que j'étais désolée. Mais je ne peux effacer…

— Ce n'est pas ça, la coupa-t-il. Je n'ai simplement pas le temps de m'investir dans une relation.

— J'ai tout gâché, hein ?

— Cassandra…

— J'avais peur, Harvey. Quand j'ai peur, je fais des choses idiotes. J'ai… j'ai tendance à détruire ce à quoi je tiens de crainte de le voir disparaître.

— Je comprends…

Il s'interrompit le temps de prendre une profonde inspiration, et ajouta :

— Pourquoi on n'essaierait pas d'aller lentement ? Une étape après l'autre ?

— Tu le penses réellement ?

Il eut un demi-sourire.

— Oui.

— Qu'est-ce qui te fait changer d'avis ?

— Je me suis rappelé une chose que Sara a dite un jour de toi.

— Ma sœur ?

— Elle a dit que tu avais un cœur immense, malgré l'opinion que tu as de toi-même.

— Sara a dit ça ? demanda-t-elle d'un ton incrédule.

— Oui. Je crois qu'elle regrette que vous ne soyez pas plus proches.

— Et moi, je crois que je suis en train de tomber amoureuse de toi, Harvey.

Il lâcha un petit rire.

— On était d'accord pour aller lentement…

— Ça me va.

— Au revoir, Cassandra.

— Au revoir.

— Bonjour, dit George. J'attendais votre appel.

— Je sais. Désolé.

— Et j'attends aussi le reste de l'argent que vous me devez.

Silence.

— Je sais, George. Vous l'aurez bientôt, je vous le promets.

— Plus dix mille.

— Pour quelle raison ?

— Pénalité de retard. Dix mille de plus par semaine.

Son employeur poussa un long soupir.

— OK, dix mille dollars supplémentaires.

— Bien, fit George. Vous avez un autre travail pour moi ?

— Oui, mais celui-là sera très différent et passablement plus compliqué.

— Poursuivez.

— Auriez-vous regardé *NewsFlash* hier soir, par hasard ? demanda la voix.

— Bien sûr.

— Alors, vous allez comprendre en quoi cette mission sera particulièrement difficile.

— Ça, c'est mon problème, répliqua George. Vous, occupez-vous seulement de me payer.

— Compris.

— Quand voulez-vous que le job soit fait ? s'enquit George.

— Ce soir.

— Ça ne me laisse pas beaucoup de temps.

— La situation a changé, dit son employeur. On n'a pas le choix.

— OK, mais ça va vous coûter cher.

— Je vous paierai, je vous le jure.

George soupira.

— Alors, qui sera le pédé chanceux de ce soir ?

À l'autre bout du fil, George entendit son interlocuteur se racler la gorge.

— Michael Silverman.

15

LE DR JOHN LOWELL tenta de masquer la haine que lui inspirait l'homme replet assis de l'autre côté de son bureau, en vain. Son expression de mépris ne semblait pourtant pas gêner le moins du monde le révérend Sanders.

— Merci de me recevoir, commença Sanders. J'apprécie que vous ayez pu dégager un instant dans votre emploi du temps chargé.

— Nous n'avons qu'une heure, répliqua Lowell avec impatience. Que voulez-vous ?

Sanders se leva et se promena dans le vaste bureau.

— Vous avez là une pièce magnifique, John, fit-il remarquer, son sourire branché sur pilote automatique. Chaque fois que je suis ici, je me sens… comme chez moi. C'est un bureau splendide.

— Peu importe. Ma fille ne va pas tarder à rentrer.

— Et ?

— Je ne veux pas qu'elle vous voie ici.

Sanders prit la photo encadrée sur le bureau.

— Vos filles sont ravissantes, John. La douce et belle Sara et la sex… hum… sculpturale Cassandra. Vous avez beaucoup de chance. Voyez-vous, John, la famille, c'est primordial. Notre pays a été bâti sur les valeurs de la famille. Or ces fondements sont en train de se craqueler. Il est de notre devoir de combler ces fissures et de consolider les fondations.

— Que voulez-vous ?

— C'est très simple. Je veux que vous continuiez à nous aider dans notre croisade. Je veux que vous vous dressiez pour œuvrer en faveur du bien.

— Pourriez-vous m'épargner le bla-bla et en venir au fait ?

La voix de Sanders demeura égale et placide.

— Pourquoi avez-vous refusé de vous rendre à notre réunion de crise, hier soir ?

— Vous plaisantez ?

— Absolument pas.

— Vous ne tenez pas à ce que cette maladie soit guérie, n'est-ce pas ?

Sanders eut un sourire amusé.

— Dites-moi, John, auriez-vous souhaité guérir les plaies d'Égypte ? Auriez-vous essayé d'aider Job, contre la volonté de Dieu ? Auriez-vous dit à Abraham que Dieu ne voulait pas qu'il sacrifie Isaac ?

— Mais qu'est-ce que vous…

— Tenteriez-vous d'arrêter l'œuvre de Dieu ? Tenteriez-vous de joindre vos forces à celles de Lucifer pour contrecarrer les plans du Seigneur ?

— Épargnez-moi cette grandiloquence !

— Nous savons que le sida se transmet par les fluides corporels, poursuivit Sanders, mais si l'on ose réclamer que les médecins ou les dentistes se soumettent à des tests obligatoires, les gauchistes poussent des hauts cris. Ils en appellent aux droits constitutionnels. Et qu'en est-il de nos droits constitutionnels à nous ? De notre droit à rester en bonne santé ? Ils se fichent pas mal de nous. Pourquoi ne pourrions-nous pas nous ficher d'eux ?

John Lowell le dévisagea un instant.

— Markey et vous aviez affirmé qu'ils ne faisaient aucun progrès.

— Oui, je sais. Nous avons tous été surpris. Les rapports du Dr Riker ne laissaient en rien présager ce qu'on a entendu dans l'émission de votre fille hier soir. Nous avons été aussi choqués que vous.

John se massa le front. La voix calme de Sanders commençait à sérieusement l'agacer.

— Je n'aurais jamais accepté de…

— De quoi, John ?

— Vous le savez très bien.

Une fois encore, Sanders sourit.

— Il n'en demeure pas moins que nous avons une tâche à accomplir. Et qu'elle sera plus difficile que jamais. Nous avons besoin de votre aide, John.

— Vous êtes fou ! Je vous rappelle que mon gendre se fait soigner dans cette clinique, bon sang !

Sanders hocha la tête solennellement, l'expression soudain grave.

— Je suis vraiment désolé pour vous et votre fille. Quelle terrible manière d'apprendre la vérité sur, euh…

Nouveau silence dramatique.

— … sur les préférences sexuelles de Michael.

John lutta pour maîtriser sa colère.

— Michael a contracté le virus au cours d'une transfusion sanguine !

Le sourire revint.

— Vous avez peut-être raison, John, mais ça me semble tout de même un peu dur à avaler… surtout à la lumière des déclarations faites par le propre père de Michael.

— Son beau-père, corrigea John. Un sale type, que Michael n'a pas revu depuis l'enfance.

— Ah oui ? Comme c'est intéressant. Je me demande bien pourquoi il mentirait, alors.

Pendant une seconde, John ne dit rien, puis il plissa les yeux.

— Vous ! murmura-t-il.

— Pardon ?

— C'est vous qui êtes derrière tout ça, n'est-ce pas ? Vous avez soudoyé ce Johnson pour qu'il raconte ce ramassis de mensonges.

— Moi ? Pourquoi ferais-je une chose pareille ?

— Pour créer une diversion médiatique. Pour jeter une ombre sur la clinique.

— Eh, une minute ! Ce n'est pas bien de lancer des accusations infondées.

— Foutez le camp de chez moi !

— Mais nous avons encore beaucoup de choses à nous dire…

— Sortez !

— … sur la poursuite de votre participation à notre combat.

John se leva.

— Mon Dieu, vous êtes fou ! Tout ça est allé trop loin. Il faut que ça s'arrête, avant qu'il y ait d'autres dégâts.

— Hélas, John, c'est impossible.

Sanders plongea la main dans sa poche et en sortit une cassette.

— Ceci devrait vous ramener dans le droit chemin.

Le sang reflua du visage de John, dont la peau prit une couleur crayeuse. Il se rassit.

— Qu'y a-t-il… ?

— Sur la cassette ? Bonne question. Vous rappelez-vous notre premier rendez-vous, dans le bureau de Raymond ? Quand vous avez affirmé que vous feriez n'importe quoi pour détruire la clinique de Grey et de Riker, afin que le Centre contre le cancer obtienne de quoi financer sa nouvelle aile ?

— Espèce de salaud !

Le sourire s'élargit, radieux. Le sentiment de pouvoir avait toujours cet effet-là sur le révérend.

— Je me demande ce que la douce et belle Sara penserait de son bon vieux papa en entendant cette cassette. Ou la presse ?

— Vous tomberiez avec moi.

— Non, je ne crois pas. Voyez-vous, cette cassette a été nettoyée. Il n'y a que votre voix dessus.

— Je révélerais tout.

— Mais vous n'auriez aucune preuve, John. Et, à la vérité, vos accusations ne feraient que raffermir ma position au sein de la droite religieuse. Ils me verraient comme un chef capable d'agir, et pas seulement de parler. Vous, en revanche, seriez détruit – en même temps que votre centre.

John ouvrit la bouche, mais aucun mot n'en sortit.

— Eh oui, John, les voies du Seigneur sont décidément impénétrables. Mais n'oubliez jamais que vous agissez pour le bien. Vous allez participer à la destruction du mal, et, du même coup, la recherche contre le cancer en bénéficiera. Vous allez vraiment aider l'humanité.

— Allez-vous-en.

— J'ai un plan qui va, j'en suis sûr, vous satisfaire – un plan qui nous profitera à tous, votre gendre y compris. Vous en découvrirez les détails lors de notre prochaine réunion. Raymond vous appellera. D'ici là, je vous conseille de garder toute notre conversation pour vous. Le bavardage intempestif peut se révéler fatal, vous savez.

Sanders fit un clin d'œil, offrit un dernier sourire et se dirigea vers la porte.

— Après tout, John, vous êtes des nôtres.

Resté seul, John Lowell, les yeux braqués sur les rayonnages de livres, réfléchit à ce qu'il devait ou pouvait faire. Au bout d'un long moment, il se leva et quitta son bureau.

Quand il eut refermé la porte, celle d'un placard s'ouvrit. Cassandra repoussa l'imper Burberry de son père et sortit. Elle frissonnait encore.

L'inspecteur Max Bernstein s'apprêtait à entrer dans le laboratoire, au deuxième étage du pavillon Sidney, quand il entendit la voix du Dr Eric Blake à l'intérieur.

— La proposition de Markey n'est peut-être pas si terrible, disait-il.

Après un court silence, Harvey Riker répondit :

— Vous ne vous rendez pas compte de ce qu'il essaie de faire ?

— Bien sûr que si, mais on peut peut-être réussir à retourner la situation en notre faveur.

— Comment ?

— S'il tient parole, poursuivit Eric, le gouvernement sera obligé de financer la clinique pendant encore plusieurs années, au moins jusqu'à ce que le pronostic concernant Michael soit établi. Sans parler des dons qui affluent via le numéro vert. Ça nous laissera peut-être le temps de perfectionner le SR1…

— Et sa mise en circulation sera retardée de deux ou trois ans, l'interrompit Harvey. Markey veut nous contraindre à tout recommencer depuis le début.

— Franchement, ç'aurait pu être pire. Il aurait aussi bien pu fermer la clinique.

Max attendit la réponse d'Harvey. Comme elle tardait à venir, il se montra.

— Bonjour, docteurs.

Les deux médecins se tenaient derrière un microscope. Leurs têtes pivotèrent vers la porte.

— Bonjour, inspecteur.

— Votre chef de labo n'est pas là, ce matin ?

— Winston O'Connor ? Il a pris quelques jours de congé.

Max hocha vigoureusement la tête, faisant tournoyer un stylo entre ses doigts comme s'il s'agissait d'une matraque. Ensuite, il se mit à se promener dans le labo, soulevant puis reposant des objets au hasard.

— Vous avez l'air morose, tous les deux.

— Mauvaise journée, répondit Harvey.

— Ah bon ?

— J'ai reçu la visite de Raymond Markey, ce matin.

— Le type de Washington ?

— Exact.

— Qu'est-ce qu'il voulait ?

Pendant qu'Harvey racontait sa conversation avec le Dr Raymond Markey, Max continuait d'arpenter le labo, sans jamais regarder son interlocuteur. Ceux qui ne le connaissent pas auraient pu penser qu'il n'écoutait pas.

Il prit cependant le temps d'examiner Eric Blake comme s'il le voyait pour la première fois. Jolies chaussures, costume coûteux, chemise monogrammée, cravate rayée, bretelles assorties. Blake ressemblait davantage à un affairiste de Wall Street qu'à un médecin.

Lorsque Harvey eut fini son récit, Max prit un tube à essai, l'étudia et déclara :

— Intéressant.

Eric le lui arracha des mains.

— Vous permettez ? lança-t-il avec irritation. Il s'agit d'expériences importantes.

— Désolé.

Max se mit à marcher dans une autre direction. D'après les quelques phrases glanées un peu plus tôt, Eric Blake ne voyait pas dans la visite de Raymond Markey matière à paniquer. En fait, il semblait parfaitement indifférent. Ça aussi, c'était intéressant.

Tu passes à côté de quelque chose, Max. De quelque chose d'important. Réfléchis, bon Dieu.

Mais rien ne lui vint, et il resta avec l'impression persistante qu'un élément lui échappait.

— Si je résume, déclara-t-il, Markey veut faire de Michael un cobaye, pour tester l'efficacité du SR1 ?

— Plus ou moins, oui.

— Donc, on ne peut pas cacher Michael comme les autres patients. Mais il n'y a pas non plus de raison de le faire, si ?

327

— Le cacher ? demanda Eric. Qu'est-ce que vous racontez ?

— C'est bon, Eric, intervint Harvey. L'inspecteur et moi en avons déjà discuté. Nous avons décidé de placer les patients guéris dans un lieu sûr, protégé par la police, pour les mettre hors de portée de ce Poignardeur de gays.

— Où ça ?

Max sourit.

— C'est un secret.

— Même pour nous ?

— Oui.

— Mais je ne vois pas pourquoi ! N'est-il pas possible de les garder ici en renforçant la sécurité ?

— On pourrait, répondit Harvey, mais nous pensons tous les deux que la première solution est la meilleure. On ne peut pas espérer faire fonctionner un service médical de pointe comme celui-ci avec des policiers grouillant dans tous les coins. Il ne faut pas non plus oublier que Martino a été tué dans ce bâtiment, alors que j'étais présent. Il serait impossible de garantir leur sécurité.

— Et leur traitement médical ? questionna Eric.

— L'inspecteur m'a garanti qu'il dispose d'un médecin qualifié qui suivra nos instructions à la lettre – n'est-ce pas, inspecteur ?

— Exact. Et nous ne les toucherons pas sans votre feu vert.

Eric ne fit aucun commentaire.

— Maintenant que cela est réglé, dites-moi combien de patients guéris il reste.

— Trois, déclara Harvey. Et pour répondre à votre première question, non, il n'y a aucune raison

de cacher Michael puisqu'il n'est pas guéri. Je suggé-
rerais tout de même de placer quelques hommes
supplémentaires aux entrées.

— D'accord, acquiesça Max. Où sont ces trois
patients ?

— Ils sont tous ici.

— Bien. Avez-vous eu le temps d'étudier les
dossiers personnels du Dr Grey ?

Harvey hocha lentement la tête.

— Avez-vous une liste de ses fichiers manquants ?

— Tenez.

Harvey lui tendit un morceau de papier, sur lequel
figurait une liste que Max parcourut. Sortant le stylo
de sa bouche, il barra plusieurs noms :

Krutzer, Theodore
Leander, Paul
~~Martino, Riccardo~~
Singer, Arnold
~~Trian, Scott~~
~~Whitherson, William~~

— Laissez-moi deviner, dit Max d'un ton las. Les
trois patients redevenus séronégatifs et qui sont
encore vivants sont Krutzer, Leander et Singer.

Harvey répondit par l'affirmative.

Max empocha la liste et se dirigea vers la porte.

— Il faut les préparer à déménager dans le lieu
sécurisé.

— Bien. Eric, on se voit plus tard.

— OK.

Une fois que Max et Harvey eurent quitté le labo, Eric Blake se dirigea vers son casier personnel. Il déverrouilla le tiroir du bas et glissa la main tout au fond. Ses doigts écartèrent des feuilles volantes, avant d'entrer en contact avec du verre chaud.

Il s'assura que personne ne regardait, puis sortit un tube à essai rempli d'un échantillon de sang.

Le brigadier Willie Monticelli était à trois ans de la retraite, après vingt-sept années de bons et loyaux services dans la police. Il avait passé les dix dernières à la Criminelle, un nom qui en faisait rêver plus d'un. En réalité, le boulot consistait surtout à suivre des pistes inutiles, à interroger des gens hostiles qui ne savaient rien, à rédiger de laborieux rapports que personne ne lisait et, summum de l'ennui, à exercer une surveillance.

Depuis deux jours, Willie Monticelli effectuait une filature. Le premier jour avait produit le résultat habituel, c'est-à-dire rien. Le sujet X n'avait strictement rien fait qui puisse éveiller le moindre soupçon. Le deuxième jour s'annonçait plus intéressant.

Tôt ce matin-là, Willie avait suivi le sujet X à l'aéroport de La Guardia, où le type avait acheté un billet sur le vol 105 d'American Airlines à destination de Washington D.C. Willie en avait fait autant. Après avoir atterri à l'aéroport international Dulles, le sujet X avait loué une voiture chez Hertz. Willie en avait fait autant. Et tous deux roulaient à présent sur Rockville Pike. Destination : inconnue. Willie ne craignait pas de perdre la Chevy Camaro grise devant lui : en matière de filature, il était le meilleur de la place. Il collait au train de n'importe qui comme des cuisses en sueur à un siège de voiture.

Il suivait les ordres de Tic Bernstein. Le jeune inspecteur était bizarre, aucun doute là-dessus, mais en presque trois décennies dans le métier Willie n'avait jamais vu personne d'aussi doué pour mener une enquête criminelle. Si Bernstein était intelligent, il n'était pas le seul à l'être ; en fait, c'était sa bizarrerie, justement, qui le plaçait au-dessus des autres. Les faits embrouillés et tordus ne lui posaient pas de problème ; il comprenait le fonctionnement des esprits dérangés.

La voiture du sujet X tourna, s'arrêta devant un poste de garde puis poursuivit sa route. Willie gara son véhicule et regarda la pancarte.

NATIONAL INSTITUTES OF HEALTH.

Sara se déshabilla à la hâte, s'assit sur la table d'examen froide et attendit. Pour passer le temps, elle lut deux fois les diplômes du Dr Carol Simpson et compta les carreaux du carrelage. Quatre-vingt-quatorze en tout.

À son entrée, Carol Simpson lui adressa un sourire contrit.

— Excusez-moi, dit-elle. La semaine est très chargée.

— Je comprends.

— Comment vous sentez-vous ?

— Ça va.

Carol prit une profonde inspiration, retint son souffle puis expira, comme on se jette à l'eau.

— Écoutez, Sara, il y a deux solutions. Je peux danser d'un pied sur l'autre en faisant semblant de

331

vivre dans une bulle et de ne rien savoir de l'état de Michael, ou alors je peux simplement vous dire que je suis désolée. Si je peux faire quoi que ce soit…

— Oui, vous pouvez m'aider à donner à Michael un bébé en bonne santé.

— Je ferai de mon mieux, mais je me dois d'être honnête avec vous. Ce ne sera pas une grossesse facile. En temps normal, je vous recommanderais d'éviter le stress, mais je me rends bien compte que ce sera impossible dans votre cas. En revanche, je vous conseille de le limiter au maximum. Essayez de continuer à vivre normalement.

— Je reprends l'émission demain, dit Sara. Maintenant que le traitement est plus intense, je ne dormirai plus à l'hôpital.

— Bien.

— Docteur Simpson ?

— Appelez-moi Carol.

— Carol, quelles sont mes chances d'arriver à terme ?

Une fois encore, Carol Simpson inspira profondément avant de répondre.

— Je ne sais pas. Les deux prochains mois seront déterminants. Ensuite, ce devrait être plus facile. À présent, allongez-vous et détendez-vous.

Chaque fibre du corps d'Harvey était à la limite de l'épuisement.

Il aurait voulu trouver un moyen de se relaxer, d'oublier cet endroit ne serait-ce que quelques minutes, de recharger ses batteries. Hélas, il n'existait nulle échappatoire, ou, pour dire la vérité, il n'en acceptait aucune. La clinique était trop importante.

Il entra dans son bureau plongé dans le noir et alluma l'interrupteur.

— Ferme la porte, lui ordonna une voix rauque.

Le ventre d'Harvey se contracta quand il découvrit Cassandra, debout devant son bureau, vêtue d'un court déshabillé dont la blancheur éclatante contrastait magnifiquement avec la peau hâlée de ses cuisses. Ses longs cheveux noirs étaient savamment décoiffés et quelques boucles lui retombaient sur l'œil. Elle affichait un sourire sauvage, aguicheur, terriblement excitant.

— Je t'ai dit de fermer la porte.

Harvey obéit.

Elle défit la ceinture du déshabillé et l'entrouvrit, laissant deviner les délices cachés en dessous.

Harvey était hypnotisé.

L'étoffe glissa le long de ses épaules et tomba à terre. Cassandra portait une guêpière noire.

— Je t'attendais, ronronna-t-elle.

Sans détacher de lui son regard torride, elle s'assit sur le bureau et s'allongea lentement sur le côté.

Harvey la dévora des yeux, s'attardant sur chaque courbe voluptueuse. Des jambes interminables, des hanches pleines et la taille fine, des seins ronds et des épaules satinées. Sublime.

Il sentit la montée familière du désir. Sa bouche s'assécha.

— Je croyais qu'on était d'accord pour aller lentement, réussit-il à dire.

Elle rit et rejeta la tête en arrière, l'invitant à la rejoindre d'un mouvement impérieux du doigt.

— Plus c'est lent, meilleur c'est.

Au volant d'un break de location, Max traversa le pont George-Washington en direction du New Jersey. Theodore Krutzer, Paul Leander et Arnold Singer étaient assis, en silence, à l'arrière. À les voir, jamais on n'aurait cru qu'ils avaient été diagnostiqués porteurs du virus du sida trois ans plus tôt. Leur apparente bonne santé et leur moral au beau fixe, en contraste frappant avec tous les amis et amants que Max avait vus démolis par le virus, lui rappelaient l'importance qu'il y avait à résoudre cette affaire.

Au moment où ils atteignirent le New Jersey, le biper de Max retentit. Il s'arrêta à la station d'essence suivante et se gara près d'un téléphone public.

— Je dois donner un coup de fil, expliqua-t-il à ses passagers.

Il sortit de la voiture et composa le numéro du commissariat.

— Max Bernstein, annonça-t-il.

— Oui, inspecteur, nous avons un appel du brigadier Monticelli. Je vous mets en relation.

Il y eut un bruit métallique.

— Tic ?

— Oui, Willie, c'est moi. Où êtes-vous ?

— À Bethesda, dans le Maryland. Devinez lequel de nos laborantins du Sud vient d'entrer au National Institutes of Health ?

— Winston O'Connor.

— Exact. Donc, j'ai relu son dossier à fond. Depuis sa jeunesse dans l'Alabama jusqu'à maintenant. Tout est en ordre. Pas de trou. Rien qui donne matière à soupçons. Parfaitement propre.

— Trop parfait ?

— Ouais. Ce type est sûrement une taupe.

— Merci, Willie. Inutile de continuer à le suivre. Vous pouvez revenir.

— OK, Tic.

Une fois arrivé au lieu sécurisé, Max prit à part le Dr Zry, le médecin très discret assigné à la surveillance des trois patients.

— J'ai des instructions précises pour vous.

— Lesquelles ?

— Je veux des échantillons de leur sang.

— Mais je croyais que les toubibs de la clinique refusaient qu'on…

— Je sais, le coupa Max. Donc, ça restera notre petit secret.

George pénétra dans le sous-sol de la clinique à dix-sept heures. Malgré le nombre de flics gardant les différentes entrées, il n'avait eu aucun mal à s'y introduire par la cave. C'est par là aussi qu'il comptait ressortir. Il avait consacré la plus grande partie de la journée à étudier les plans du bâtiment, et avait élaboré une stratégie imparable.

Michael Silverman était installé dans une chambre privée au deuxième étage, à dix mètres de l'escalier et de l'ascenseur. George n'avait pas encore choisi lequel des deux il emprunterait pour sortir, et penchait pour l'ascenseur. Il n'y avait aucun autre patient à cet étage, qui était déserté après dix-sept heures, sauf si quelqu'un s'attardait au labo au fond du couloir.

L'heure de réviser la stratégie avait sonné.

Il ressortit le plan de sa poche et le déplia sans bruit. La chambre de Silverman était ici, le labo à l'autre bout, deux chambres vides là, un débarras à droite, un placard renfermant les produits médicaux à gauche. C'était tout. Il n'aurait qu'à surveiller l'infirmière, et attendre qu'elle ait quitté la chambre du patient.

George replia le plan et le fourra au fond de sa poche. Il se demandait si Michael Silverman était homo ou s'il avait vraiment été contaminé après une transfusion sanguine. Sûrement la première réponse. Auquel cas son mariage avec Sara Lowell était une mise en scène.

Il s'adossa au mur de brique et attendit.

16

GEORGE CONSULTA SA MONTRE.

Dix-neuf heures quarante-cinq.

Il se trouvait déjà au deuxième étage, prêt à passer à l'action.

De son poste d'observation dans le renfoncement menant au labo, il vit Sara Lowell et Reece Porter sortir de la chambre de Michael. Exactement à l'heure prévue. Dix minutes plus tôt, le Dr Harvey Riker avait quitté les lieux. À présent, Michael Silverman se trouvait seul et dormait probablement.

George eut beau tendre l'oreille, il n'entendit aucune voix. Sara et Porter attendaient l'ascenseur en silence. Il n'y avait sans doute rien à dire, pensa-t-il.

Au moins, ils auront un beau sujet de conversation demain.

Bien qu'il sente une poussée d'adrénaline familière, George demeura calme. Inutile de se presser. C'est dans la hâte qu'on commet des erreurs.

Il devait attendre encore quelques minutes la visite de l'infirmière. Ensuite, il n'aurait plus qu'à descendre le couloir pour passer un moment privilégié avec Michael. Justement, quand on parlait du loup… L'infirmière venait d'arriver à la porte de la chambre. Il n'aurait plus à patienter longtemps.

Pas plus de deux minutes après le départ de Sara et de Reece Porter, Janice Matley pénétra dans la chambre de Michael. Une mélodie apaisante de Mozart l'y accueillit, en même temps que le bruit de la respiration régulière du patient.

L'athlète dormait comme un bébé. Le pauvre, songea Janice. Non seulement il lui fallait lutter contre cet épouvantable virus, mais en plus il devait le faire sous les regards avides du monde. Si ce n'était pas malheureux. Un gentil jeune homme comme lui.

Janice vérifia les diagrammes. D'après le dossier, le Dr Riker lui avait donné une injection de SR1 moins d'une heure plus tôt, ce qui signifiait qu'elle n'aurait pas à le réveiller avant quatre heures. Tant mieux. Dieu sait qu'il avait besoin de repos. Janice consulta sa montre. Huit heures moins dix. Elle allait redescendre et reviendrait lui faire sa piqûre à une heure.

Après avoir quitté la chambre, elle se dirigeait vers l'escalier quand quelque chose l'arrêta. Elle n'aurait pas su dire quoi exactement. Il n'y avait pourtant eu aucun bruit en provenance du labo, à part le bourdonnement régulier des lampes fluorescentes au plafond. Ces lumières lui tapaient sur les nerfs. On était capable d'envoyer des hommes sur la Lune, songea-t-elle, mais pas de fabriquer des ampoules qui ne bourdonnent pas comme des abeilles en colère.

Elle parcourut des yeux l'étendue du couloir, sans rien remarquer d'anormal. Qu'était-ce donc qui la perturbait ? Tout était calme et silencieux. À moins que ce ne soit justement ce silence qui l'ait titillée ; ce sentiment de pure désolation. C'était comme si quelqu'un, figé dans le noir, imprimait son immobilité à tout ce qui l'entourait.

Au lieu de redescendre, elle décida d'aller jeter un coup d'œil au labo, à l'autre bout du corridor.

George n'avait pas prévu ça.

Bon sang ! Qu'est-ce que cette satanée femme fabriquait ?

Du calme, George. Elle ne peut rien contre toi.

Elle peut me voir. Merde, elle va me voir.

Donc, tu vas devoir régler le problème, pas vrai ?

George détestait tout ce qui venait contrarier ses plans, comme était en train de le faire la grosse infirmière.

Il l'entendait marcher dans sa direction, d'un pas prudent mais néanmoins résolu. Comment réagirait son employeur en apprenant la mort de l'infirmière ? Mal, devina George. Mais ce n'était pas le moment de s'en soucier. Il avait un problème plus important à régler : s'occuper de Michael Silverman avant le retour de son foutu médecin.

Se collant contre le mur, à l'entrée du labo, il attendit. D'après le bruit de ses pas, l'infirmière n'était plus qu'à quelques mètres. Il glissa la main dans sa poche et en sortit son cran d'arrêt.

Ses muscles se tendirent dans l'attente de frapper.

Deux étages plus bas, Sara avançait en boitillant à côté de Reece Porter.

— Reece ?

339

— Oui ?

— Tu l'as trouvé comment ?

— Assez fatigué ; sinon, plutôt bien.

Dès qu'il avait entendu le communiqué télévisé de Michael, Reece avait quitté le vestiaire des Knicks, sauté dans un taxi pour se rendre à l'aéroport de Seattle, attendu pendant huit heures le prochain vol pour New York, traversé tout le pays, passé la journée à essayer de localiser Michael et, enfin, obtenu d'Harvey le droit de lui rendre visite.

Les dernières vingt-quatre heures avaient été longues.

— Je suis contente que tu sois venu, dit Sara. Ça compte beaucoup pour lui.

— Et toi, Sara, comment vas-tu ?

— Ça va.

— Pas de ça avec moi, s'il te plaît. Il n'y a qu'à voir comment tu marches. On a l'impression que tu as la jambe congelée.

Sara ne pouvait le nier. Toute la journée, elle avait eu des crampes, et la douleur se faisait sentir à chaque pas.

— Elle est un peu raide, mais ça ira.

— Attends-moi ici, je vais aller chercher la voiture.

— Je suis capable de marcher.

— Tu es parfois aussi pénible que Michael ! Assieds-toi là et arrête de faire ta tête de mule.

Avec un faible sourire, elle obéit.

— Je suis garé sur le parking visiteurs de la 167e Rue, poursuivit Reece. Je serai là dans dix minutes.

— Je ne bouge pas.

Sara regarda autour d'elle. Deux vigiles armés montaient la garde à la porte et deux policiers en civil, dans leurs voitures, surveillaient l'entrée de la clinique. Sa jambe l'élançait douloureusement. Dès qu'elle serait chez elle, elle se plongerait dans un bon bain chaud, puis se pelotonnerait sous les couvertures avec un bon bouquin et…

Et quoi ?

Et elle resterait là à s'inquiéter. Lorsqu'elle avait appris la maladie de Michael, la nouvelle ne l'avait pas réellement atteinte. Comme si son cerveau avait dressé une barrière – ou plutôt un tamis, qui laissait passer les informations, mais pas les émotions. Malheureusement, les trous du tamis commençaient à s'élargir, permettant à la réalité de s'infiltrer dans ses pensées conscientes.

Sara avait écrit quelques articles sur l'épidémie de sida. Elle avait vu les ravages de la maladie, la façon dont le virus dévorait les malades de l'intérieur. D'atroces images se mirent à défiler dans sa tête, dans un ordre aussi aléatoire que les horreurs infligées par le sida à ses victimes.

Des corps épuisés qui n'étaient plus que des champs de bataille pour la maladie ; sarcome de Kaposi, pneumonie à pneumocystis carinii, lymphome lymphoblastique, fièvre extrême, infections respiratoires ; destruction du système immunitaire ; altération mentale ; crise de délire qui laissait le malade balbutiant comme s'il était atteint d'Alzheimer ; chaque inspiration qui devenait une lutte ; les poumons qui se remplissaient de liquide et qu'on devait vider en passant un tube par la cage thoracique ; un affaiblissement tel qu'on n'avait plus la force de manger ; un jeune et beau visage transformé en un masque squelettique et hagard ; des corps athlétiques réduits à des os sur des peaux distendues ; la peau qui se couvrait d'affreuses lésions violacées ; des plaies qui se formaient dans la bouche et empêchaient de déglutir ; une perte de contrôle du mouvement des intestins ; une douleur permanente à laquelle on ne pouvait échapper ; des yeux qui voyaient la mort attendre patiemment sa victime…

Et la peur de la maladie, l'ignorance, la discrimination. Même aujourd'hui, vingt-cinq pour cent des Américains croyaient encore qu'on pouvait attraper le virus en donnant son sang.

Non, il n'y avait rien d'agréable dans le sida, rien de romanesque ni de photogénique. Juste la douleur, l'horreur et la mort. Avec le sida, le corps et l'esprit livraient une bataille sans fin contre une succession de maux épouvantables. On contractait une affection après l'autre, sans pouvoir reprendre des forces, comme un boxeur affaibli obligé de subir un round supplémentaire contre un adversaire plus fort que lui. Il n'y avait pas de répit.

Et à la fin, on perdait toujours.

Sara repensa à ce qu'Harvey leur avait raconté, moins d'une heure plus tôt, à propos de la visite de Raymond Markey. Elle avait du mal à croire à ses mots. Quelqu'un essayait-il véritablement d'empêcher la découverte d'un remède ? De ralentir les aiguilles de l'horloge afin de retarder la mise au point d'un traitement qui pourrait soulager des dizaines, voire des centaines de milliers d'êtres humains ? Une telle cruauté dépassait l'entendement.

Quelqu'un tenait-il tant à ce que le virus du sida continue de proliférer, au point d'en arriver à tuer ? Ça paraissait invraisemblable. Et toutes ces pensées lui donnaient envie de parler encore avec Michael ou, à tout le moins, de le voir encore une fois avant de rentrer chez elle.

— Bonsoir, Sara.

Eric se tenait devant elle. Bien qu'il eût travaillé pendant les cinquante dernières heures, il avait l'air frais et dispos. Il lui adressa un sourire chaleureux.

— Tout va bien ?

— Oui. J'attends Reece, qui va me ramener chez moi.

— Moi aussi, je rentre. Je n'ai pas dormi depuis… je ne sais même plus depuis quand. Il faut juste que je repasse d'abord au labo pour glisser ça sous la porte.

— C'est important ?

— Pas vraiment. Juste un mémo pour Winston O'Connor. Harvey veut qu'on se voie tous les trois demain matin.

— Si tu veux… euh… je peux le déposer à ta place.

— Je croyais que tu partais ?

— Oui, enfin, bientôt, mais…

Elle poussa fort sur sa canne pour se relever.

— Mais quoi ?

— Je voudrais retourner voir Michael.

— Il dort sûrement, Sara.

— Je sais. Je ne veux pas le réveiller. Seulement… je ne sais pas. Je veux juste passer la tête et m'assurer que tout va bien.

Eric esquissa un petit sourire crispé.

— Je comprends, mais je ne crois pas…

— S'il te plaît, insista-t-elle. C'est important pour moi.

Eric hésita, avant de céder.

— D'accord. Voici le mémo. Et souhaite-lui bonne nuit s'il est encore réveillé.

— Je le ferai. Merci, Eric.

Elle lui prit le papier des mains, l'embrassa sur la joue et appela l'ascenseur. Quelques secondes plus tard, la cabine l'emmenait vers le deuxième étage.

Janice Matley vit d'abord les baskets de George.

Leurs pointes étaient visibles dans le renfoncement de la porte du labo. C'étaient des baskets noires ; du moins, leurs extrémités l'étaient. Avec les jeunes d'aujourd'hui, allez savoir de quelle couleur était le reste de la chaussure ? Son petit-fils avait une paire de Nike Air Jordan plus colorées qu'un arc-en-ciel.

— Qui est là ? s'écria-t-elle.

À sa surprise, sa propre voix lui parut ferme et assurée.

— Qui est là ?

Elle vit le pied glisser en avant. La basket était complètement noire. Des Reebok, pour être précise. Un gros homme apparut, tout de noir vêtu. Chaussures noires, chaussettes noires, pull noir, pantalon noir. Ses manches de chemise remontées laissaient voir des avant-bras puissants. Il sortit du renfoncement et lui sourit. Un grand sourire éclatant mais… dénué de sentiments. Lorsqu'elle croisa le regard noir et terne de l'homme, un frisson glacé lui parcourut l'échine.

— Bonsoir, dit-il. Belle soirée.

344

Janice n'eut pas le temps de réagir. D'une main, George lui saisit la nuque et attira sa tête en avant. De l'autre, il actionna le bouton de son couteau, libérant la lame de vingt centimètres. La pointe s'enfonça dans le creux de la gorge et perça la trachée. Des flots de sang chaud éclaboussèrent le visage de George quand la lame ressortit de l'autre côté, à quelques centimètres en dessous de la main qui tenait le crâne.

Janice plongea le regard dans celui de son agresseur. Elle vit le reflet de son propre visage, frappé de stupeur, dans la surface froide des yeux de l'assassin. Il resserra sa pression sur sa nuque. Elle s'étrangla avec son sang, puis ses yeux se révulsèrent. Les derniers sons qu'elle entendit furent le bourdonnement des lumières et les bruits inhumains qui s'échappaient de sa propre bouche.

George regarda le corps glisser par terre. Sans s'émouvoir, il sortit son mouchoir et s'essuya le visage. Dégueulasse… Un travail de cochon pour un pro comme lui.

Avec un soupir las, il tira d'un coup sec pour récupérer son couteau, que le cadavre relâcha à contre-cœur, avec un bruit de succion. Puis il alla enfermer le corps dans le débarras, avant de se diriger vers la chambre de Michael.

Le son des violons diffusé par le lecteur de cassettes et la respiration profonde de Michael l'accueillirent. Après une seconde d'hésitation, il décida d'allumer : il voulait voir ce qu'il faisait. Après tout, ce n'est pas la vieille infirmière qu'il allait déranger, et le reste de l'étage était vide. Un peu de lumière l'aiderait. De plus, où était le risque ? Si Silverman se réveillait, ce qui était peu probable,

George serait sur lui avant qu'il ait pu esquisser un geste.

De fait, il aurait eu tort de s'inquiéter. Quand la lumière vive illumina la pièce, Silverman n'eut même pas un tressaillement. Mais, alors que George s'avançait vers le lit, il entendit s'ouvrir les portes de l'ascenseur.

Pendant que la cabine l'emmenait au deuxième étage, Sara se concentra très fort sur une question absolument sans intérêt : qu'allait-elle faire en premier – déposer le mémo ou aller voir Michael ? Au moment où les portes coulissèrent, elle décida d'aller d'abord glisser le papier sous la porte du labo. Sinon, si elle allait voir Michael en premier, elle serait tentée d'y retourner après être passée au labo.

Alors qu'elle avançait dans le couloir, Sara se figea soudain.

Oh, mon Dieu !

Le mur près du labo était maculé de sang. Qu'est-ce que… ?

Son cœur se mit à battre à toute allure, tandis qu'au milieu de sa confusion une autre pensée s'imposait : *Michael !*

Elle fit volte-face, se dirigea vers la porte de sa chambre et tressaillit en découvrant que la lumière était allumée.

L'espace d'une seconde, une ombre se découpa derrière le store de l'imposte.

Traînant la jambe comme un objet inanimé, elle entra et regarda autour d'elle.

Il n'y avait personne. À part Michael, bien sûr. Sauf que sa tête était bizarrement penchée d'un côté, et qu'il avait le corps à moitié sorti du lit.

Derrière elle, une voix retentit :

— Bonsoir, Sara.

Elle se retourna, mais n'eut pas le temps de voir le visage de l'homme.

17

Mercredi 25 septembre

— Papa ?

Le Dr John Lowell fit face à sa fille aînée.

— Oui, Cassandra ?

— Où vas-tu ? lui demanda-t-elle avec une certaine appréhension.

— En voyage d'affaires.

— Où ça ?

Il reposa son attaché-case.

— Pourquoi ce soudain intérêt ?

— Dis-moi juste où tu vas.

— À Washington.

Cassandra ferma les yeux.

— Tu ne vas pas encore rencontrer ces gens-là, n'est-ce pas ?

— De qui parles-tu ? répliqua-t-il, d'une voix où la crainte se mêlait à l'agacement.

— Du révérend Sanders, pour commencer.

Silence.

Puis :

— Je ne sais pas de quoi tu parles.

— Si, tu le sais très bien. J'étais là quand tu l'as vu il y a trois jours. J'étais cachée dans ton placard.

Il écarquilla les yeux.

— Quoi ?

— Il faut que ça cesse, insista-t-elle en s'approchant de lui. Tu dois dire la vérité avant qu'il y ait d'autres drames.

— Cassandra, tu ignores de quoi…

Elle se planta devant lui.

— Ne les laisse plus te faire chanter !

— Ne te mêle pas de ça, répliqua-t-il, le visage tendu. Je sais ce que je fais.

— Combien de gens devront encore mourir, avant que tu mettes un terme à tout ça ?

— Tu dis des âneries. Maintenant, laisse-moi passer.

— Papa…

— Écarte-toi !

Il la poussa plus brutalement qu'il n'en avait eu l'intention, et elle tomba par terre.

— Cassandra ! s'écria-t-il en se penchant aussitôt sur elle. Chérie, je suis désolé. Je ne voulais pas…

Quand elle se redressa, ses yeux lançaient des éclairs.

— Laisse-moi tranquille.

Il se recula, son visage trahissant son angoisse.

— Je dois y aller, chérie. Mais fais-moi confiance, s'il te plaît. Je sais ce que je fais. Nous en parlerons à mon retour, d'accord ? Je t'aime.

Là-dessus, il se retourna et quitta la pièce. Cassandra se releva, hésitant sur la marche à suivre. Après tout, il s'agissait de son père – pas de quelque monstre maléfique. Il existait peut-être une explication raisonnable à tout ça. Elle devait au moins lui laisser le bénéfice du doute.

Quel doute, Cassandra ? De quoi as-tu si peur ?

De rien. Elle allait attendre son retour. Et écouter ce qu'il avait à dire avant de tirer des conclusions hâtives.

Si chaud...

Michael essaya de reprendre pied avec la réalité, mais ses paupières lui semblaient de plomb et sa tête tournait. La bouche entravée par quelque chose, il avait du mal à respirer.

Autour de lui, il y avait un vacarme de tous les diables. Des bruits de voiture, des klaxons, des gens qui braillaient aussi fort que les vendeurs de hot dogs aux matchs de base-ball, de la musique rock, des rires, des conversations. Il tenta de se concentrer sur ces bruits. Certaines personnes parlaient anglais, pas de doute là-dessus, mais d'autres s'exprimaient dans une langue étrangère que son esprit cotonneux ne lui permettait pas de reconnaître. On aurait dit du chinois, en plus chantant, en plus agréable à l'oreille.

Bon sang, que se passe-t-il ?

Il se demanda s'il n'était pas en train de rêver. Mais quand avait-il fait des rêves avec le son mais sans images ? Non, il était réveillé. Il avait les yeux fermés. Il était couché sur un sol de bois dur et avait l'oreille gauche engourdie à force de s'appuyer dessus. Son corps tout entier lui paraissait endolori, comme s'il venait de passer une semaine couché dans la même position.

Par deux fois il tenta de se redresser, et par deux fois il retomba en arrière. Il s'aperçut alors qu'il avait les mains menottées dans le dos, bloquant ses omoplates.

Après une nouvelle tentative, il réussit à se mettre en position assise. En fond sonore, il entendit quelqu'un crier avec un fort accent : « Supergirl ! Supergirl ! Venez voir Supergirl ! Moment inoubliable ! » Michael fit un effort pour ouvrir les yeux. Il lui fallut deux minutes de plus pour accommoder et prendre la mesure de son environnement. Petite pièce. Vide. Sale. Des murs à la peinture écaillée. Une ampoule qui pendait du plafond sur des fils dénudés. Une chaise pliante. Un matelas miteux dégageant une odeur de moisi, de sueur et d'urine. Et couvert de taches de sang. La cheville droite de Michael était accrochée par une chaîne à un tuyau faisant le tour de la pièce. On lui avait fermé la bouche avec de l'adhésif. Ses yeux, qui continuaient d'examiner la pièce, s'arrêtèrent net.

Qu'est-ce que...

Fourré dans un trou au plafond, près de la porte, il y avait des bâtons qui ressemblaient à de la dynamite.

Putain, où est-ce que je suis ?

Il essaya de reconstituer ses dernières heures conscientes. Il se trouvait à la clinique. Harvey lui avait fait une injection de SR1. Reece et Sara étaient venus le voir. Il se souvenait qu'il avait commencé à somnoler. Et ensuite... rien.

Dans la pièce régnait une chaleur tropicale ; l'air était lourd et humide. Michael transpirait de tout son corps. Il voulut s'essuyer la joue sur son épaule, mais s'aperçut que sa chemise était trempée. C'est alors que ses yeux tombèrent sur un morceau de papier posé par terre.

Bonjour, Michael,

J'espère que vous avez bien dormi et fait un bon voyage. Mettez-vous à l'aise. Mais n'essayez pas de vous enfuir, s'il vous plaît. Si, par quelque miracle, vous n'étiez plus là à mon retour, je trouverais votre belle épouse et je la baiserais avant de la tuer.

Cordialement,

George

P-S : Il y a des gens à moi en bas, inutile d'appeler au secours.

C'est un cauchemar... Ou alors, je suis en train de devenir fou.

Michael réussit à ramper jusqu'à la fenêtre. La chaîne à sa cheville était juste assez longue. Redressant la tête, il passa le visage sous le store et regarda dehors. Sa confusion atteignit son comble. La rue grouillait de monde. Des enseignes au néon clignotaient dans la nuit noire. « *LIVE SEX SHOWS ! LIVE NUDES !* » À l'entrée du bar d'en face, un Asiatique au teint sombre ouvrait la porte à intervalles réguliers, pour laisser voir des filles nues dansant sur les tables, avec l'espoir d'attirer ainsi le client. Au milieu de la rue, trois femmes portant cape rouge, bottes bleues et justaucorps jaune orné d'un « S » géant sur la poitrine entouraient un type qui criait :

— Supergirl ! Supergirl ! Venez passer la soirée avec Supergirl ! Elle vous emmène au septième ciel !

Michael repéra un jeune Asiatique qui abordait un couple d'Américains, dans la soixantaine, semblant tout droit sortis d'un ranch du Midwest.

— Vous venir voir sex show ? demanda-t-il dans un anglais approximatif en leur tendant une carte. Vous voir toutes les positions.

Et le gamin commença à montrer différentes parties de la carte.

— Femme dessus. Deux femmes avec un homme. Grosse poitrine. Aussi avec banane. Vous aimez. Tout ce que vous voulez. Venir avec moi voir spectacle.

M. et Mme Péquenaud étudièrent ladite carte comme s'il s'agissait d'un contrat immobilier, hochèrent la tête puis suivirent le garçon.

Dans la rue, la foule se pressait dans les deux directions. Il y avait d'autres enseignes au néon, écrites dans des caractères que Michael ne reconnut pas. Ce n'était ni du chinois ni du japonais. La rue était piétonne, mais il entendait des voitures à proximité. Sur la droite, des tables croulaient sous le poids de montres, chemises, pantalons, pulls, cassettes et autres.

— Chemise Lacoste trois dollars ! cria un vendeur.

— Un dollar la cassette ! hurla un autre. Six pour cinq dollars. Tous les chanteurs préférés. George Michael. U2. Barbra Streisand. On a tout.

Qu'est-ce que c'est que cet endroit ?

Dans son dos, la porte s'ouvrit.

— Eh bien, eh bien, on est réveillé !

L'homme qui venait d'apparaître était grand, corpulent et apparemment très musclé. Il avait les cheveux lustrés, ramenés en arrière comme Pat Riley, l'ancien entraîneur des Knicks, et son costume aurait pu apparaître en couverture d'un magazine de mode.

— Bienvenue ici, Michael, reprit-il. Je m'appelle George. Vous avez lu mon message ?

Michael hocha la tête.

— C'était pour votre bien. Il serait dangereux d'essayer de fuir. Voyez-vous, j'ai déjà tué pas mal de gens. Votre femme n'aurait été qu'un nom de plus sur la liste.

Michael se débattit, mais la chaîne résista.

— Détendez-vous un peu, Michael.

George était passé maître dans l'art de l'intimidation. Menacer l'épouse d'un homme figurait parmi ses tactiques préférées. Rien ne décourageait plus un homme que la pensée que sa femme se faisait baiser par un autre – de gré ou de force. L'instinct de propriété, sans doute.

Il attrapa la chaise dans le coin de la pièce, s'assit et se pencha vers son prisonnier.

— Vous avez l'air paumé, Michael. Je vais vous expliquer ce qui se passe.

Il parlait d'un ton détaché, sachant qu'une voix calme est souvent plus déstabilisante que des cris.

— Nous sommes à Bangkok… C'est ça, en Extrême-Orient, rien que vous et moi, mon vieux. Cette maison est située rue Patpong, dans le quartier chaud. D'habitude, des putes de douze ans s'occupent de leurs clients dans cette chambre. Dingue, non, Michael ? Douze ans, et déjà sur le trottoir, si ce n'est pas malheureux.

George secoua la tête, l'air grave.

— Moi, je vous le dis, l'humanité s'effondre sous nos yeux et tout le monde s'en fout. En fait, en ce moment même, on est juste au-dessus d'un bar à strip-tease… strip-tease et plus si on y met le prix.

George éclata de rire à sa propre blague, sous les yeux horrifiés de Michael.

— Ne faites pas cette tête-là, Mike. Je peux vous appeler Mike ? Plus tard, on aura peut-être le temps de faire un peu de tourisme. Le bouddha couché est incontournable. Pareil pour le Grand Palais. On pourrait aussi louer un bateau et aller découvrir le marché flottant. Ça vous plairait ?

Michael continuait de le dévisager.

— Mais d'abord, parlons affaires. Si vous faites ce que je dis, personne n'aura à souffrir et vous serez vite de nouveau libre. En revanche, si vous refusez de coopérer, ma réaction sera rapide et douloureuse.

George sourit encore.

— Je vous montre.

Sans prévenir, une main jaillit et un poing atterrit sur le nez de Michael. Il y eut un craquement d'os. Du sang lui coula des narines.

— Vous avez compris ?

La douleur irradiait dans tout le visage de Michael. Comme il avait toujours la bouche fermée par de l'adhésif, il était obligé de respirer par son nez cassé. *Qu'est-ce que vous voulez ?* tenta-t-il de demander, mais sa voix était complètement étouffée.

— Bon, c'est pas tout ça, reprit George, je ne peux pas rester toute la journée à vous regarder. En plus, il fait beaucoup trop chaud ici. Bangkok est toujours très humide, mais on s'habitue au bout d'un jour ou deux. Mon employeur m'a demandé de vous installer le plus confortablement possible. Je vais donc détendre un peu cette chaîne et libérer votre bouche.

Mais vous devez d'abord me promettre de ne rien tenter. J'ai votre parole, Mike ?

Celui-ci hocha la tête.

— Bien. Si vous quittez cette chambre ou faites quelque chose d'idiot, mes gars vous repéreront et c'est Sara qui souffrira. Je suis expert pour infliger la douleur. Et Sara est une petite fleur si délicate.

Michael redressa brusquement la tête.

— Je suis aussi assez habile avec les explosifs. Si, par miracle, la police vous localisait et tentait un sauvetage…

Il s'interrompit, sourit et montra le bâton de dynamite près de la porte.

— … boum ! Plus de Michael. Compris ?

Nouveau hochement de tête.

— Je vais retirer l'adhésif. Si vous criez, je vous défonce la mâchoire. De toute façon, personne n'y prêtera attention. Les gens hurlent tout le temps dans cette rue.

D'un geste brusque, George arracha le ruban adhésif.

Michael reprit sa respiration.

— Que voulez-vous ? demanda-t-il.

— Ne vous occupez pas de ça.

— Je vous paierai tout ce que vous voulez.

— Impossible, Mike.

Michael réussit à se redresser.

— Vous pourriez retirer les menottes ? J'ai un mal de chien aux épaules.

— D'accord, mais je vous laisse la chaîne aux chevilles.

À l'aide d'une petite clé, George défit les menottes.

— C'est mieux ?

Michael se frotta les poignets, tout en étudiant son geôlier en douce. Il avait encore la tête qui tournait et la vision floue. Mais George n'était pas à plus d'un mètre de lui.

C'était maintenant ou jamais.

Plus tard, Michael mettrait son acte sur le compte de la peur qui lui embrumait l'esprit.

Son poing se ferma et se lança vers le visage de son ravisseur. Le coup partit avec une lenteur pitoyable. Les médicaments dont George l'avait gavé le privaient de toute force physique. George n'eut qu'à lever l'avant-bras pour esquiver l'assaut.

— Vous êtes courageux, Michael Silverman. Et complètement stupide aussi.

Tendant la main, George attrapa le nez cassé de Michael entre le pouce et l'index. Ce dernier hurla.

Puis George lui tordit le nez.

De minuscules fragments d'os se mirent à frotter les uns contre les autres avec des craquements épouvantables, comme si quelqu'un faisait des claquettes sur des milliers de scarabées. George serra plus fort. Des tendons et des tissus se déchirèrent. Le sang giclait dans tous les coins. Michael écarquilla les yeux puis les ferma, alors que son corps devenait tout mou.

— Recommencez un truc comme ça, et Sara trinquera. C'est clair ?

Michael eut à peine la force de répondre, avant de s'évanouir.

Cassandra fut ébranlée en découvrant l'aspect de sa sœur. Les yeux verts et lumineux de Sara semblaient s'être creusés, et des cernes sombres les entouraient. Son expression, d'ordinaire pleine de vie, trahissait le choc et l'incompréhension. Deux jours avaient passé depuis qu'on l'avait assommée dans la chambre de Michael – deux jours de désespoir, de peur et de confusion. Mais ces sentiments avaient fini par se transformer en quelque chose de plus puissant, quelque chose de plus… utile.

La colère.

— Salut, sœurette.

Cassandra affichait un sourire très large. Trop large pour être authentique, et Sara s'en rendit compte.

— Qu'est-ce qui ne va pas ? demanda-t-elle.

— Pourquoi…

— Allez, dis-moi tout.

Le sourire disparut du visage de Cassandra, alors qu'elle s'asseyait sur le lit à côté de Sara et lui prenait la main. Elle avait soudain l'air grave et préoccupé.

— Je n'ai pas toujours été la meilleure des sœurs…, commença-t-elle.

— Moi non plus.

— Mais je t'aime.

Sara resserra sa pression sur la main glacée de sa sœur.

— Moi aussi, je t'aime.

Des larmes se mirent à rouler sur les joues de Cassandra.

— Je crois que papa est impliqué dans cette histoire de Poignardeur de gays.

— Quoi ?

— Je pense qu'il est mêlé à une sorte de complot pour détruire la clinique.

— Qu'est-ce que tu racontes ?

— Je l'ai entendu se disputer avec le révérend Sanders dans son bureau, le lendemain du gala de charité.

— Mais papa a affirmé qu'il ne le connaissait pas !

— Je sais, c'est ce qu'Harvey m'a dit. Donc, j'ai eu des soupçons. J'ai fouillé son bureau en son absence, et j'ai trouvé des lettres disant que les fonds que papa voulait obtenir pour la nouvelle aile du Centre contre le cancer avaient été alloués au pavillon Sidney. Une lettre était signée d'un certain Markey…

— Le Dr Raymond Markey ?

— C'est ça. Le sous-secrétaire de quelque chose.

— Au ministère de la Santé.

Sara avait la bouche si sèche qu'elle avait du mal à parler.

— Mais ça ne signifie pas qu'il est lié à Sanders.

— C'est ce que je me disais… avant que Michael soit kidnappé. Un matin, comme papa insistait pour être sûr que je ne serais pas à la maison, j'ai fini par trouver ça louche. Donc, je me suis cachée dans le placard. Et le révérend Sanders est revenu.

Sara se redressa dans son lit.

— Rapporte-moi toute leur conversation, Cassandra. N'oublie rien.

Bangkok la nuit.

Les Thaïlandais abordaient tous les visages blancs qui descendaient la rue Patpong, en leur murmurant des promesses d'assouvissement sexuel qui auraient fait rougir des stars du porno. Mais nul ne se risquait

359

à approcher George. Quelques-uns le connaissaient personnellement ; beaucoup le connaissaient de réputation ; et tous le craignaient.

Malgré la densité de la foule, les gens du coin s'écartaient sur son passage. Il était déjà plus de minuit, mais Patpong commençait seulement à s'animer et à se préparer pour la nuit à venir. George frôla un groupe d'hommes d'affaires japonais qui négociaient tarifs et conditions avec un maquereau, comme s'ils étaient dans une salle de conférences à Tokyo.

Quand il atteignit la route Rama IV, George héla un tuk-tuk, le taxi local, une sorte de croisement entre une voiture et un scooter. Le tuk-tuk avait des avantages : petit, rapide et peu gourmand en carburant. Sauf qu'il était trop bas de plafond, se faisait écrabouiller en cas d'accident et était ouvert à tous les courants d'air.

Le chauffeur gratifia George du traditionnel salut thaï, joignant les mains et baissant la tête jusqu'à ce que son nez touche le bout de ses doigts.

— *Sawasdee, kap*, dit-il.

George lui rendit son salut et répondit :

— *Sawasdee*.

— Vous allez où ?

— Wat, répliqua George d'un ton désagréable.

Le chauffeur sourit tandis que son client grimpait dans le tuk-tuk. *Typiquement thaï*, se dit George. La Thaïlande, le pays du sourire. Tout le monde souriait. Même quand ils râlaient, volaient, tapinaient, tuaient, ils continuaient de sourire. Ça plaisait à George.

Alors qu'ils s'arrêtaient à un feu rouge rue Silom, une voix l'interpella :

— Eh, mon pote !

Elle appartenait à un quinquagénaire à l'accent australien, apparemment bien imbibé, installé dans un taxi avec six prostituées serrées autour de lui – des jeunes Thaïlandaises de treize ou quatorze ans, qui pouffaient de rire et promenaient leurs mains sur le bonhomme.

— Ouais, toi, je te parle !

— Qu'est-ce que vous voulez ? répondit George, affichant une expression de dégoût.

— Eh bien, mon pote, je crois que j'ai eu les yeux plus grands que le ventre. Je me demandais si tu voulais partager.

— Partager ?

— J'en prends trois, tu en prends trois – sauf si tu préfères qu'on fasse ça tous les huit. Je serais assez partant.

— Décérébré, cracha George.

— Eh, c'est pas gentil, répondit l'Australien d'une voix pâteuse. Surtout que je sais pas ce que ça veut dire.

Le type partit alors d'un grand éclat de rire. Les gamines l'imitèrent, ce qui redoubla l'hilarité de l'Australien, fier que les filles le trouvent si drôle. En réalité, George le savait, elles ne comprenaient pas un mot d'anglais, à l'exception de quelques termes sexuels.

— Allez vous faire voir ! répliqua George.

Le feu passa au vert, et son tuk-tuk s'engagea dans la rue Charoen avant de longer la rive de la Chao Phraya, toujours en direction de Wat. En thaï, *wat* veut dire temple ou monastère, et Bangkok en possède plus de quatre cents, de toute beauté. La couleur est le maître mot de l'architecture thaïlandaise. Du rouge, du jaune, du vert, du bleu et surtout du doré – qui sous le soleil éclatant formaient un incroyable kaléidoscope.

Il y avait Wat Pho, abritant le bouddha couché – une statue gigantesque, qui aurait pu occuper une moitié de terrain de foot. Une autre figure immense du Bouddha, moulée avec au moins cinq tonnes d'or pur, reposait sur l'autel de Wat Traimit. Quant à Wat Arum, le temple de l'Aube, il semblait flotter au-dessus de la rivière, et ses flèches s'élançaient vers le ciel qu'elles effleuraient de leurs pointes.

Mais le plus spectaculaire temple de Bangkok était connu des Thaïlandais sous le simple nom de *Wat*, même s'il représentait bien plus qu'un temple. Les touristes le connaissaient sous le nom de Grand Palais, même s'il était bien plus que cela aussi. Grand complexe royal aurait été un nom plus approprié. Tout ce que le roi Rama Ier, souverain de la dynastie *Chakri*, avait pu désirer se trouvait dans l'enceinte du palais, dont une des images les plus sacrées du bouddhisme – le bouddha d'Émeraude. Dans ce lieu de couleurs et de beauté époustouflantes, cette simple statuette de jade, haute de quelques centimètres seulement, s'imposait par sa modestie. On pouvait d'ailleurs en acheter une réplique exacte pour quelques bahts dans n'importe quel magasin de souvenirs.

— On y est, patron.

— Passe par l'autre côté.

— OK, patron.

La nuit, des spots illuminaient les nombreuses flèches et pagodes du Grand Palais, créant une impression mystérieuse et envoûtante. Comme la plus séduisante des femmes, Bangkok laissait entrevoir des attraits incomparables, tout en dissimulant ses parties les plus secrètes.

— Arrête-toi là.

— Oui, patron, acquiesça le chauffeur en stoppant le tuk-tuk.

George paya la course et traversa la rue pour rejoindre la Chao Phraya. Des barges en bois pleines de riz passaient lentement sur la rivière, comme si elles n'avaient pas de destination précise, conduites par des hommes coiffés de larges chapeaux de paille alors que le soleil était couché depuis des heures. La Chao Phraya était plus qu'une rivière pour Bangkok, c'en était l'élément vital. On l'utilisait pour le transport, pour le bain, pour son marché flottant. Depuis des siècles, des familles vivaient dans des huttes sur la rivière plutôt que sur ses rives.

À travers l'obscurité, un sampan long et étroit s'approcha du bord en silence, manœuvré à la poupe par un jeune garçon maigre. Un vieux manchot, portant une fine moustache, se tenait à l'avant.

— George ? murmura l'homme.

Exactement à l'heure, comme toujours. George embarqua dans le sampan, s'assit, joignit les mains et exécuta un salut respectueux.

— *Sawasdee, kap.*

— *Sawasdee, kap.*

— Comment vont les affaires, Surakarn ?

— Bien, répondit le vieil homme. Mais, hélas, nous avons dû mettre un terme à nos rentables opérations en Malaisie. Trop d'embêtements de la part de la police. Ils ne sont plus aussi sensibles qu'avant à nos petits cadeaux.

— C'est ce que j'ai entendu dire.

George contempla le visage de Surakarn, sa peau brune et sèche comme une feuille morte. L'ancien champion de boxe thaïe devait approcher les soixante-dix ans et pesait des millions de dollars. Pourtant, Surakarn ne semblait pas près de lever le pied, pas plus d'ailleurs qu'il ne faisait quoi que ce soit de son immense fortune. Il vivait dans une modeste hutte le long de la Chao Phraya, qui jouissait cependant de tout le confort moderne. De l'extérieur, la cahute semblait tout droit sortie d'un documentaire sur la guerre du Vietnam ; à l'intérieur se trouvaient deux téléviseurs grand écran, des magnétoscopes, un réfrigérateur, un lave-vaisselle, un lave-linge, un micro-ondes, la climatisation – le grand luxe.

— Vous êtes resté absent longtemps, mon vieil ami, dit Surakarn en souriant.

— Trop longtemps, répondit George.

Surakarn leva le bras vers le garçon, et le sampan commença son lent voyage sur la Chao Phraya. L'autre bras de Surakarn avait été tranché à Chiang Rai, presque vingt-cinq ans plus tôt, par un concurrent de l'industrie de la contrebande, appelé Rangood. Rangood avait cependant commis l'erreur de laisser Surakarn en vie. Après l'avoir capturé, ce dernier l'avait torturé sans merci, usant de méthodes défiant l'imagination. Malgré les supplications de Rangood pour qu'on l'achève, Surakarn n'avait écouté que ses cris d'agonie, pas ses mots. Lorsque son cœur avait fini par lâcher, de longues semaines plus tard, il avait depuis belle lurette perdu la raison.

Bien qu'il n'y eût pas plus fiable que Surakarn, George ne lui avait pas parlé de l'enlèvement de Michael Silverman. L'affaire était trop énorme pour qu'il prenne le moindre risque. George avait aussi décidé de ne pas solliciter l'aide des truands locaux avec lesquels il travaillait d'habitude, en dépit de ce qu'il avait écrit dans son message à Michael. Il avait même pris la précaution de cacher le visage de sa victime sous une cagoule lorsqu'il l'avait fait entrer au Eager Beaver.

La Chao Phraya était paisible cette nuit-là, et le silence seulement troublé par le clapotis de l'eau quand passait un bateau. L'humidité était suffocante, et la ville paraissait toujours prise dans une brume de chaleur.

— Rien ne change, ici, dit George.

— Bangkok reste la même, acquiesça Surakarn.

— J'ai besoin d'utiliser une ligne téléphonique sécurisée.

— Bien sûr.

Surakarn montra une radio équipée d'un micro.

— La radio est connectée à un téléphone cellulaire à bord d'un de mes navires au large de Hong Kong.

— Je vois.

— Vous voulez passer un appel impossible à retracer. Voilà. Et n'ayez aucune crainte, ajouta Surakarn en s'éloignant, je n'écouterai pas.

George consulta sa montre, puis appela le numéro du capitaine du bateau convoyeur de drogue de Hong Kong, qui le connecta aux États-Unis. Quoi qu'ait dit Surakarn, il était possible de retracer cette communication. Les autorités pouvaient, du moins en théorie, découvrir que l'appel avait été passé d'un téléphone cellulaire (sans doute volé) à Hong Kong. Mais il serait presque impossible de savoir qui avait téléphoné, et de découvrir qu'il y avait une liaison radio avec Bangkok. Ou en tout cas, ça prendrait des semaines.

Quelques instants plus tard, George entendit la voix de son employeur à l'autre bout du monde.

— Allô ?

— Parfait, dit George. Vous êtes à l'heure.

— Je vous entends mal.

— Ne vous inquiétez pas pour ça. On n'en aura pas pour longtemps.

— Il va bien ?

— Très. On s'amuse beaucoup, tous les deux. Vous avez viré l'argent ?

— Oui.

— En intégralité ?

— Jusqu'au dernier cent, répondit la voix.

— Comment l'avez-vous trouvé ?

— Ce n'est pas votre problème.

— Je vérifierai mon compte demain matin, juste pour être sûr. Si tout n'est pas là, mon hôte aura quelques doigts en moins demain après-midi.

— Je vous répète que tout y est.

La voix se tut une seconde puis reprit :

— Pourquoi avez-vous tué l'infirmière ?

— Pardon ?

— L'infirmière. Quel besoin avez-vous eu de la tuer ?

— Elle m'a vu.

— Mais vous êtes censé être un pro. Cela n'aurait pas dû arriver.

Les mots atteignirent George de plein fouet car ils reflétaient la vérité. Il avait mal calculé son coup. C'était rare. Et très ennuyeux.

— Il y a eu un contretemps.

— Écoutez-moi bien : aucun « contretemps » ne doit arriver avec Michael Silv…

— Ne prononcez pas de nom, imbécile ! On pourrait nous écouter.

— Que… euh, désolé.

La voix était particulièrement tendue ce soir. George craignit que son employeur ne soit en train de perdre pied.

Et l'idée ne lui plaisait pas du tout.

— J'imagine que je devrais m'estimer heureux, poursuivit la voix. Au moins, vous n'avez pas tué Sar… euh, sa femme.

— Je l'ai frappée par-derrière, répondit George d'un ton égal. Elle n'a pas eu le temps de me voir.

— Et si ç'avait été le cas ?

— Elle serait elle aussi à la morgue à l'heure qu'il est.

— Personne ne doit être blessé sans mon autorisation. Absolument personne. Et occupez-vous bien de qui vous savez.

— Je ferai ce que j'ai à faire.

— Non. Écoutez…

— Au revoir, dit George.

— Attendez ! Comment puis-je vous joindre ?

— Vous ne pouvez pas.

George avait trop fait confiance à son employeur jusqu'ici. Il était temps pour lui de prendre le contrôle des événements.

— Contentez-vous de suivre nos plans.

Et il éteignit la radio.

— Surakarn ?

— Oui ?

George tenta de sourire, mais il était encore préoccupé.

— Je me sens en pleine forme, déclara-t-il. Allons faire une petite virée.

— Où ça ?

— Je viens de gagner beaucoup d'argent.

— Félicitations.

— Dites-moi, Surakarn, un homme peut-il encore acheter tout ce qu'il veut à Bangkok ?

Surakarn le gratifia de son sourire édenté.

— Vous les aimez toujours un peu plus âgées ?

— Oui, elle doit avoir au moins vingt ans.

Ces deux derniers jours, Jennifer Riker avait lu les journaux, appris la nouvelle du rapt de Michael et vu l'indignation soulever le pays tout entier. Mais ce n'était pas l'indignation qui l'animait.

C'était la peur.

Sa sœur ne rentrerait pas avant le surlendemain, et Jennifer comprenait qu'elle ne pouvait plus attendre jusque-là. Après avoir pesé le pour et le contre pendant deux jours, elle se rendait compte que l'enjeu était trop important pour rester les bras croisées. La vie de Michael dépendait peut-être de ce qu'elle allait faire.

Pourtant, quand elle reprit l'enveloppe, sa résolution vacilla de nouveau. Après tout, elle n'avait aucune preuve que ce mystérieux envoi était lié au Poignardeur de gays ou à l'enlèvement de Michael. Il s'agissait uniquement de dossiers médicaux et d'échantillons de laboratoire. Point.

Mais alors, pourquoi Bruce les avait-il envoyés le jour de son suicide ? Et pourquoi trois des patients figurant dans les dossiers – Trian, Whitherson et Martino – avaient-ils été assassinés ? Une coïncidence ? Elle en doutait.

Elle avait tergiversé trop longtemps. La lettre adressée à Susan était personnelle : il n'était pas question qu'elle y touche. Pour le reste, c'était différent. Les dossiers médicaux n'étaient certes pas à mettre entre toutes les mains, mais il y avait une personne qui serait capable de comprendre pourquoi Bruce avait tenu à les envoyer à une boîte postale jamais utilisée, le jour même où il s'était donné la mort.

Jennifer décrocha le téléphone et composa le numéro privé d'Harvey.

Sara repoussa vivement les couvertures, se redressa et attrapa sa canne. Assez de cette inactivité ; assez de se faire materner ; assez des regards de pitié. Elle devait cesser de pleurer, se lever et agir. Il fallait qu'elle découvre ce qui se passait et qui était derrière tout ça.

Il fallait qu'elle sauve son mari.

— Où vas-tu ? demanda Cassandra.

— Parler à Max et Harvey. Ils sont à la clinique.

— Attends ! Tu ne dois pas parler de ça, même pas à Max et Harvey. Il s'agit tout de même de papa.

— Je sais. Je ne dirai rien à son sujet tant qu'on ne se sera pas entretenu avec lui. Retrouvons-nous chez lui ce soir à huit heures.

Les sœurs s'embrassèrent et Sara partit pour la clinique.

Une demi-heure plus tard, elle ouvrait la porte du labo du deuxième étage.

Max et Harvey tournèrent la tête à son entrée.

— Sara, commença Harvey, qu'est-ce que tu fais là ? Tu devrais…

— Je suis exactement là où je dois être.

— Max et moi faisons tout ce que nous pouvons. Tu ferais mieux de rentrer te reposer. On t'avertira s'il y a du nouveau.

— Arrête, Harvey. Je ne suis pas en sucre.

— Je le sais. Mais je me soucie de ta santé.

— Je vais bien. Je veux savoir où vous en êtes.

Max coupa court aux nouvelles protestations d'Harvey.

— Bon, alors approche et assieds-toi, dit-il. On n'a pas le temps de se disputer.

Sara boitilla jusqu'à la table et tira une chaise.

— OK, qu'est-ce que vous avez ?

— Plusieurs choses, répondit Max. D'abord, nous avons passé en revue les dossiers des patients assassinés.

— Vous avez appris des choses ?

— Peut-être que oui, peut-être que non. Ils ont été tués presque dans l'ordre où ils sont arrivés ici. Trian et Whitherson font partie des premiers patients de la clinique, et Martino a été admis deux mois plus tard. Les trois autres patients guéris – Krutzer, Leander et Singer – sont arrivés environ un an après.

— Et alors ?

Max hésita.

— Je ne sais pas, dit-il, entortillant des mèches de cheveux autour de ses doigts. C'est peut-être sans conséquence, mais quelque chose me gêne…

— Et où mettre Bradley là-dedans ? Et… et Michael ?

— Justement, ça ne colle pas. Ils n'ont pas de point commun avec les trois autres victimes, ni d'ailleurs avec les trois hommes encore en vie. En fait, la seule similitude que je vois entre Bradley et Michael, c'est qu'ils sont tous les deux des patients VIP.

Harvey claqua des doigts.

— Mais c'est sûrement ça ! Le tueur en a peut-être aussi après les patients célèbres, pas seulement les patients guéris.

— Possible, répondit Max. Ce qui entraîne une autre question : pourquoi avoir tué quatre patients, une infirmière, peut-être un médecin, et avoir épargné Michael ?

Harvey lança à Sara un regard hésitant.

— Pardonnez-moi, mais… rien ne prouve que Michael soit toujours vivant. Le tueur a pu simplement déplacer son corps.

— Le tuer à la clinique puis embarquer le corps ? Non, trop risqué. Ce ne serait pas logique.

Harvey fut sur le point de répliquer que Bradley avait précisément subi ce sort-là, mais il préféra ne pas insister en présence de Sara.

— OK, poursuivons.

L'interphone bourdonna sur la table.

— Docteur Riker ? demanda une voix féminine.

Harvey décrocha le combiné.

— Oui ?

— Mme Riker est en ligne sur la 6, annonça la réceptionniste.

— Prenez le message.

— Elle dit que c'est urgent.

— Bien sûr. Je dois avoir une semaine de retard dans le paiement de la pension alimentaire. Dites-lui que je la rappellerai.

Harvey raccrocha.

— Rien d'important, expliqua-t-il. Continuons.

Luttant pour ne pas s'effondrer, Sara rassembla ses pensées et demanda :

— Comment le kidnappeur a-t-il pu entrer et sortir de la clinique ?

— Nous pensons qu'il a utilisé un petit tunnel dans le sous-sol qui mène à un immeuble du voisinage. Reste à savoir comment il a découvert son existence.

— Quelqu'un a dû lui donner des renseignements, fit remarquer Sara. Et que penses-tu du timing, Max ? Markey décide d'utiliser Michael comme cobaye et aussitôt après il disparaît. C'est forcément lié.

Max, qui faisait les cent pas dans le labo, accéléra l'allure.

— Je suis d'accord.

— Une seconde, intervint Harvey. Personne n'a accès à ce genre d'information, sauf…

Max s'arrêta net.

— Sauf qui ?

— Personne.

Comme sur un signal, Winston O'Connor fit son entrée.

— Bonjour à tous, lança-t-il de son accent traînant. Que se passe-t-il ?

— Où étiez-vous, bon sang ?

Winston parut tomber des nues.

— Eh, du calme, Harvey ! J'étais à la pêche. Je me suis installé dans le cabanon familial au bord du lac. J'ai pêché le plus énorme…

— Vous n'avez pas lu les journaux ?

— Non. On n'a même pas le téléphone, là-bas.

Il regarda un à un les trois autres.

— Bon sang, vous allez me dire ce qui se passe ?

Max s'avança vers le technicien en chef du labo.

— Vous voudrez bien nous excuser un moment, dit-il à l'intention de Sara et d'Harvey. Je voudrais parler avec Winston seul à seul.

18

À BETHESDA, DANS LE MARYLAND, quatre hommes de pouvoir étaient rassemblés dans un luxueux bureau d'un bâtiment élégant et pittoresque, sur le campus du National Institutes of Health. L'un faisait autorité dans le monde religieux, un autre dans la sphère politique, les deux derniers dans l'univers médical.

C'était une belle journée. Le ciel sans nuages était d'un bleu profond ; le gazon, soigneusement tondu, d'un vert éclatant. On se serait cru dans le *country club* le plus select.

Mais les quatre hommes ne prêtaient aucune attention à leur environnement d'exception.

La discussion s'envenimait. Le ton montait. Les accusations fusaient. À la fin, rien ne fut résolu. Pendant toute l'entrevue, un des hommes n'avait pas élevé la voix, pas pris part au débat. Quoique volubile d'ordinaire, il n'avait pas ouvert la bouche.

Toutefois, il avait écouté. Et pris une décision.

À la fin de la réunion, l'homme s'approcha du Dr John Lowell et lui murmura :

— On doit parler en privé.

— Rentrons d'abord à New York, répondit Lowell.

Max referma la porte du labo.

— Alors, la pêche a été bonne ?

— Magnifique, affirma Winston O'Connor de son accent traînant. Mon vieux, j'ai attrapé une de ces perches ! Elle pesait au moins…

— Bravo. Félicitations. Et maintenant, si vous laissiez tomber votre petit numéro ?

— Je ne comprends pas, inspecteur.

Max se remit à faire les cent pas, avec une vigueur renouvelée.

— Vous voulez bien m'expliquer pourquoi vous êtes allé à Washington, il y a trois jours ?

— Comment savez-vous… ?

— Contentez-vous de répondre à ma question.

Winston garda son expression décontractée, bien que sa voix trahît une certaine impatience.

— Même si je pense que ça ne vous regarde pas, je me suis arrêté à Washington pour rendre visite à des amis, avant de rentrer chez moi. Satisfait ?

— Chez vous en Alabama ?

— Exact.

— Le cabanon au bord du lac et tout ça.

— Ouais.

— Dites-moi, Winston, où êtes-vous allé précisément, à Washington ?

— Je ne vois pas en quoi c'est important.

— Ça ne l'est pas. Je veux seulement savoir pourquoi vous êtes passé au National Institutes of Health.

Le regard noir de Winston n'eut aucun effet sur Max, qui lui tournait le dos.

— Vous m'avez fait suivre ?

— Oui.

— Eh bien, désolé de vous décevoir, inspecteur, mais il n'y a rien de louche là-dedans. J'ai rendu visite à d'anciens collègues avec qui j'ai travaillé là-bas.

— Intéressant, répondit Max. Et comment se fait-il que ça n'apparaisse pas dans votre CV ?

Max fouilla dans les poches de son manteau, dans celles de son pantalon.

— Bon sang, je l'avais quelque part.

— Inspecteur…

— Ah, le voici.

Max sortit le papier froissé et le déplia.

— On a là votre parcours professionnel depuis vos études jusqu'à aujourd'hui. Quand précisément avez-vous travaillé au NIH ?

— J'ai un ami qui travaille au NIH, ce n'est pas un crime, si ? Je ne voulais pas en parler parce que je savais que…

— Bon, on a deux solutions, le coupa Max, ignorant les explications fluctuantes de Winston. Soit vous me dites ce que je veux savoir. Soit vous continuez votre petit jeu et je vous arrête.

— Pour quel motif ?

— Meurtre au premier degré. Effraction. Agression.

— Vous êtes dingue ! Et qui suis-je censé avoir tué ?

— Riccardo Martino.

— Qui ?

Max sourit.

— Le patient qui a été assassiné à la clinique.

— Je ne connais le nom d'aucun patient, Harvey a dû vous le dire.

— Riccardo Martino a été mentionné dans le reportage de *NewsFlash* diffusé il y a quelques jours.

— Je ne me souviens pas du nom, répliqua O'Connor avec un geste dédaigneux de la main. De toute façon, vous n'avez rien contre moi.

Si O'Connor gardait un air détendu, Max vit l'ombre de la peur traverser son visage.

— En êtes-vous bien sûr, Winston ?

— Qu'est-ce que vous voulez dire ?

— Nous avons un témoin prêt à jurer sous serment que vous étiez à la clinique à l'heure de la mort de Martino, alors que vous aviez affirmé être chez vous.

— Allez vous faire foutre.

— Le même témoin vous a vu frapper le Dr Riker à la tête. Nous savons aussi que vous étiez dans le labo en train de consulter les dossiers confidentiels du Dr Riker.

— Vous bluffez, rétorqua O'Connor.

C'était vrai, songea Max, qui remarqua pourtant que la voix d'O'Connor avait perdu de son assurance. Il décida de le pousser dans ses retranchements.

— Autre chose, dit-il. Laissez tomber l'accent du Sud. C'est agaçant.

— Mais qu'est-ce que vous racontez ?

Max se retourna, les yeux baissés, un crayon entre les dents.

— Personne ne peut avoir un accent aussi prononcé après avoir passé vingt ans à New York. On se croirait dans un film.

À cela, O'Connor ne trouva rien à répondre.

— Nous savons que vous travaillez pour le NIH, reprit Max. Nous supposons que vous avez été formé par la CIA. Et nous savons ce que vous avez fabriqué.

— Vous savez que dalle !

L'accent du Sud avait faibli.

Max sortit le crayon de sa bouche et l'examina.

— Je sais que j'ai le droit de vous traîner au poste, de vous arrêter pour meurtre et de vous enfermer dans une cellule. Et si vous vous imaginez que vos copains de la CIA ou du NIH vont venir vous sauver, vous vous trompez lourdement. Ils préféreront vous laisser croupir plutôt que d'admettre que vous bossez pour eux.

— Je ne sais pas de quoi vous parlez, répondit Winston, quoique d'un ton de moins en moins assuré.

— Mais je vous rappelle que vous avez toujours une seconde solution, qui est de me dire ce que je veux savoir. En échange, je vous promets que notre discussion restera confidentielle. Entre vous et moi seulement. Washington n'en saura rien. Réfléchissez. C'est à vous de décider.

Il y eut un silence pesant, que Max interrompit en sortant ses menottes et une carte en plastique qu'il commença à lire :

— « Vous avez le droit de garder le silence. Tout ce que... »

— Attendez !

Max leva les yeux.

— Vous avez quelque chose à dire ?

O'Connor se frotta le visage.

— Comment être sûr de pouvoir vous faire confiance ?

— Vous ne pouvez pas. Mais si vous refusez de coopérer, je vous colle le meurtre de Martino sur le dos. Ça, je vous le promets.

Les deux hommes s'affrontèrent du regard pendant un court instant. Winston fut le premier à détourner les yeux.

— Que voulez-vous savoir ?

— Pour qui travaillez-vous ?

— Tout est confidentiel, hein ?

— Je vous l'ai dit. Pour qui travaillez-vous ?

— Je ne sais pas. Je fais partie de la CIA, mais je dépends du ministère de la Santé.

— De qui exactement ?

O'Connor secoua la tête.

— Pas de noms.

— Quelle est votre fonction ?

— Rassembler des informations sur la clinique.

— Quel genre d'infos ?

— Tout et n'importe quoi.

— Et comment vous y prenez-vous ?

— Facile, répondit O'Connor avec un haussement d'épaules. Je fouine. Je fouille dans les dossiers confidentiels.

— C'est ce que vous faisiez la nuit où le Dr Riker vous a surpris ?

Au lieu de répondre, O'Connor sortit une cigarette et la porta à ses lèvres.

— Vous avez du feu ?

— Je ne fume pas. C'est mauvais pour la santé.

— Tandis que mâchouiller des crayons, c'est bon ?

— Étiez-vous à la clinique le soir où Martino a été tué ?

— Je préfère ne pas répondre.

— Donc, c'est oui.

Ayant trouvé une boîte d'allumettes près d'un bec Bunsen, O'Connor alluma sa cigarette et tira profondément dessus, comme si c'était un masque à oxygène.

— Pensez ce que vous voulez, inspecteur. Mais je n'ai tué personne.

— Pourquoi le NIH veut-il toutes ces informations ?

— Je n'aime pas théoriser, inspecteur.

— Essayez tout de même.

Nouvelle bouffée de cigarette.

— J'imagine que le NIH voulait contrôler les progrès de la clinique de manière indépendante. Ils ont beaucoup investi dedans, or Harvey et Bruce ne donnent des infos qu'au compte-gouttes.

Max réfléchit un instant.

— OK, alors dites-moi : pourquoi êtes-vous allé en personne à Washington il y a trois jours ?

— Mon contact avait peur.

— De quoi ?

— Les reportages louangeurs des médias sur la clinique ne lui plaisaient pas.

— Pourquoi ?

— Il voulait savoir ce que préparait Harvey. Ce qu'il allait faire ensuite.

— Que lui avez-vous répondu ?

— La vérité. Je peux forcer des casiers pour accéder à des dossiers confidentiels, mais je ne peux pas lire dans la tête de quelqu'un. Je lui ai déclaré que je n'en avais aucune idée.

— Qu'est-ce que le NIH vous a dit à propos de l'enlèvement de Michael Silverman ?

— Rien. Je n'ai pas eu de relation avec eux depuis mon passage à Washington.

— Votre contact a-t-il mentionné le Poignardeur de gays ?

— Jamais.

— Pensez-vous que vos employeurs soient derrière toute cette affaire ?

Winston sourit, la cigarette aux lèvres.

— Vous me prenez pour un dingue, inspecteur ?

— Combien de fois avez-vous consulté les dossiers confidentiels de la clinique ?

— Une fois par semaine, environ.

— Le jour ou la nuit ?

— Principalement la nuit. Quand je pensais que les lieux étaient déserts.

Max hocha la tête et se mit à arpenter la pièce.

— Sauf que vous ignoriez que Michael Silverman était hospitalisé au deuxième étage, n'est-ce pas ?

— Pardon ?

Max marcha vers lui.

— Quelques heures avant le meurtre de Martino, un nouveau patient a été admis en secret dans la chambre au fond du couloir – Michael Silverman. Forcément, vous avez voulu savoir de qui il s'agissait. Donc, vous êtes allé consulter les dossiers privés d'Harvey ce soir-là.

— Eh, attendez une minute…

— Mais le Dr Riker se trouvait à l'étage, poursuivit Max. Il vous a entendu dans le labo, et vous l'avez frappé.

381

— Pas si vite !

— Puis vous êtes descendu, avez tué Martino…

— Je n'ai jamais tué personne ! OK, je reconnais que j'étais au labo cette nuit-là. J'ai forcé le meuble de rangement et vu le nom de Silverman. Sachant que le NIH serait intéressé, j'ai essayé d'en apprendre davantage. Harvey m'a surpris et je l'ai frappé derrière la tête. Mais je n'ai pas tué Martino, je vous le jure.

— Vous êtes un expert en arts martiaux.

C'était plus une affirmation qu'une question.

— Oui, et alors ?

— Le coup porté à Sara Lowell l'a été par un spécialiste.

— Eh, oh, tout doux, inspecteur. Je n'ai jamais touché Sara Lowell. Ni son mari, ni Janice, ni ce Martino. La mort de Janice m'a causé un choc. C'était une femme remarquable.

Winston se prit la tête dans les mains.

— Je n'ai jamais fait de mal à personne, je vous le jure. Je tentais juste de rassembler des informations pour une branche du gouvernement qui a parfaitement le droit de savoir ce qui se passe ici. Ce n'est pas un crime.

— Que savez-vous d'autre ?

— Rien. Je le jure.

Max cessa de marcher et regarda O'Connor.

— Vous avez intérêt à ne rien me cacher. Sinon…

Il avait voulu prendre un ton dur, mais sa voix sortit avec un accent plaintif.

— Baise-moi ! Oh, oui, comme ça. Oui. Ohhhh, ohhhhh, je vais jouir…

Tentant d'ignorer les cris des prostituées dans la pièce voisine, Michael s'efforçait de réfléchir aux solutions possibles.

Un, il pouvait essayer de briser la chaîne attachée à sa cheville. Sauf que l'acier était solide et refusait de céder.

Deux, il pouvait hurler à la fenêtre pour appeler à l'aide. Mais si George et ses complices l'entendaient ?

Trois…

Il n'y avait pas de troisième solution. La longueur de la chaîne lui permettait d'approcher de la fenêtre, mais pas de la porte. C'était sûrement fait exprès. La porte, en bois pourri, était maintenue par une serrure qui n'aurait pas résisté à une rafale de vent.

Dans le bar en dessous, la fête battait son plein. La musique résonnait beaucoup plus fort qu'avant, et les pulsations de la basse se répercutaient jusque dans sa poitrine. Il entendait les prostituées et leurs clients aller et venir dans le couloir. Deux portes se refermèrent de chaque côté de la pièce. Puis une femme reprit la même rengaine :

— Baise-moi ! Oh, oui, comme ça. Oui. Ohhh, ohhh, je vais jouir…

La femme cria en feignant l'orgasme. L'homme grogna, sans feindre le sien.

La séance n'avait pas duré plus de quelques minutes. Puis ça recommencerait. La prostituée allait remonter avec un nouveau gars. Il y aurait les mêmes pouffements de rire. Le même « baise-moi », appris par cœur. Le même orgasme mimé. Encore et encore. Les gémissements de plaisir n'en finissaient pas, monotones, sans passion : Michael avait l'impression d'entendre un robot ou une mauvaise actrice de série Z.

Bon, réfléchissons. Harvey m'explique que Raymond Markey veut m'utiliser comme cobaye. Juste après, je me retrouve en Asie, prisonnier d'un psychopathe. Que déduire de tout ça ? Une seule chose : je dois me barrer en vitesse.

Son nez cassé l'élançait. Des crampes lui cisaillaient l'estomac. La cause pouvait en être son hépatite ou la privation de SR1 ou... ou autre chose.

Un mal lié au sida.

— Prends-moi ! Oh, oui, comme ça...

Dans cet endroit sordide, même l'air était vicié. Le simple fait de respirer lui donnait la nausée. Les cris ininterrompus des femmes le rendaient fou. Il tenta de les faire taire en se bouchant les oreilles, mais les voix étaient juste derrière sa porte.

— Allez viens, Frankie, ronronna une prostituée à l'accent asiatique très prononcé.

— Je te suis, poupée... Merde, je viens de renverser mon verre.

— Par ici, Frankie. On va dans la chambre. Tawnee va s'occuper de toi, tu verras.

— À moins que ce soit l'inverse, ma poule, répondit l'homme, un Américain à la voix pâteuse.

Michael l'entendit se cogner contre le mur comme une boule de flipper.

— L'argent, en bas, c'est pour le patron. Tu donnes gros pourboire à Tawnee, d'accord ?

— On va en parler dans la chambre.

C'est alors que Michael vit la poignée de la porte tourner.

— Non, Frankie, pas là, dit la fille.

— Bon sang, c'est fermé !

La porte vibra sur ses gonds.

— Pas là, Frankie. C'est marqué pas entrer.

— Rien à foutre de ce qui est marqué. On entre.

— Non, Frankie, insista la fille, d'une voix plus pressante. C'est la chambre du patron, Frankie. Lui furieux. Viens, Frankie !

Mais Frankie donna un grand coup d'épaule et la serrure céda sans difficulté. Michael écarquilla les yeux en voyant le battant s'ouvrir.

— Non, Frankie ! Pas là !

La prostituée écarta Frankie, remit la serrure en place et repoussa la porte en toute hâte. Pendant la seconde où Michael croisa son regard, il lut dans ses yeux un mélange de peur et de sympathie. Puis la porte se referma et il perdit tout espoir.

— Allez, viens, Frankie, dit la fille en essayant d'insuffler un peu d'entrain dans sa voix. On va s'amuser. Tu vas aimer beaucoup.

— J'espère bien, ma poule.

Michael entendit une autre porte s'ouvrir et se refermer.

Le sexe de Frankie refusait de réagir.

— Qu'est-ce qu'il y a, Frankie ? demanda la fille. Toi pas aimer Tawnee ?

Frankie baissa les yeux vers la prostituée qui lui léchait consciencieusement les testicules. Et pourtant rien. Bizarre. Les dysfonctionnements sexuels chez Frankie arrivaient généralement plus tard : en une éruption prématurée de ce vieux Vésuve. Côté érection, il n'avait jamais eu de problème.

Super bizarre.

L'alcool n'était pas en cause, même s'il avait bu comme un trou. Non. Frankie n'en était pas à sa première cuite, loin de là. Mais c'était la première fois que Popol restait sans réaction. À ce stade, en général, le gros bonhomme était au garde-à-vous. Ce n'était pas non plus la faute de la fille. C'était une vraie pro, à la langue délicate comme celle d'un chaton près d'une soucoupe de lait.

Mais, d'un seul coup, l'envie lui était passée. Il se sentait triste.

Et pourquoi ?

Parce qu'il était un fan de basket.

— Allonge-toi, Frankie. Relax.

Il obéit, mais il avait l'esprit ailleurs. Deux jours plus tôt, il avait appris l'enlèvement de Michael Silverman dans le *Herald Tribune*. Super bizarre, ça aussi. Le rapt avait eu lieu dans une clinique spécialisée contre le sida sur la côte Est des États-Unis.

Dans ce cas, que fichait Silverman enchaîné au sol dans un bordel thaïlandais ?

Simple, Frankie. Tu es ivre. Pété. Complètement cuit. Tu as tout imaginé. Combien de temps la porte est-elle restée ouverte ? Deux secondes ? Tu as à peine vu le type à l'intérieur.

Très juste. Sauf que Frankie n'avait jamais d'hallucinations. Boire le détendait. Boire lui faisait du bien. Quand il abusait, il lui arrivait de s'évanouir, d'accord, mais jamais il ne voyait de victimes d'enlèvement enchaînées par terre. Il devait aller prévenir la police, et le plus vite possible. Qui sait s'il n'y aurait pas aussi une récompense à la clé ?

— Ah, chérie, ralentis une seconde, dit-il.

La fille se redressa.

— Quelque chose te fait plaisir, Frankie ?

Il se leva et enfila son pantalon.

— Ne le prends pas mal, chérie, mais je dois y aller. Peut-être une prochaine fois.

— Mais, Frankie…

— Tiens, voilà cinquante balles. Je dirai à ton patron en bas que tu as été super, ne t'inquiète pas.

Il lui adressa un clin d'œil et se dirigea vers la porte.

Tawnee ramassa les billets en haussant les épaules. Pauvre homme. C'était triste. Elle avait vu plus que son compte de sexes masculins, mais celui de ce type n'était pas plus grand que le petit doigt d'un bébé.

Sara arriva au domaine familial juste avant huit heures. Cassandra vint l'accueillir à la porte.

— Bonsoir, dit Sara.

— Bonsoir.

Leur conversation s'arrêta là.

Toutes deux allèrent s'installer dans le salon et attendirent. Elles ne parlèrent pas. N'échangèrent pas un regard. On aurait dit deux adolescentes esseulées lors d'une première boum. L'horloge sur la cheminée égrenait les minutes. Sara commença à battre la mesure avec sa jambe en entonnant un vieux classique de Thin Lizzy, mais sa voix se brisa.

— Sara ?

— Oui ?

— J'espère que Michael va bien.

Un mince sourire apparut sur le visage de Sara.

— J'en suis sûre.

Le bruit familier du moteur de la Mercedes se fit entendre dans l'allée. Leur père était rentré. Avec un effort, Sara se leva et sa sœur fit de même. Elles descendirent le couloir aux boiseries raffinées, ornées de portraits d'ancêtres.

Dès qu'il poussa la porte, John Lowell se figea en découvrant ses filles, et son visage se décomposa.

Cassandra s'avança.

— J'ai tout dit à Sara. Je suis désolée…

John leva la main pour l'interrompre.

— Tu as bien fait.

— Que se passe-t-il, papa ?

— Nous allons peut-être pouvoir vous expliquer.

— Nous ?

John s'écarta pour laisser s'avancer Stephen Jenkins. Le sénateur n'avait plus rien de l'homme fringant qu'il était au gala de charité, quinze jours plus tôt. Il avait les traits tirés et les yeux hagards.

— Bonsoir, mesdames, dit-il en s'efforçant de sourire.

Les sœurs échangèrent un regard perplexe.

— Papa, fit Sara, je ne comprends pas ce qui se passe.

— Je sais, chérie. Venez dans mon bureau, nous allons tout vous expliquer.

Harvey n'était pas revenu chez lui depuis cinq jours et n'avait pas revu Cassandra depuis leur cinq à sept dans son bureau, le jour où Michael avait été enlevé. Par moments, lorsqu'il était plongé dans son travail, il réussissait à écarter son ami de ses pensées pendant quelques minutes, mais jamais beaucoup plus. Depuis quand n'avait-il pas dormi ? Il s'accordait de courtes périodes de repos à son bureau, rien à voir avec une nuit de sommeil. Ses recherches étaient trop importantes. Les changements dans la formule du SR1 – de véritables améliorations – allaient porter leurs fruits, il en était sûr. Il devait juste bosser encore un peu, tirer un peu plus sur la corde.

Comme tous ceux qui avaient travaillé avec lui pouvaient en attester, la motivation n'avait jamais été un problème chez lui. Mieux que quiconque, il comprenait les ramifications de son travail. Et ce savoir l'éperonnait quand d'autres – presque tous les autres – auraient renoncé.

L'interphone bourdonna.

— Docteur Riker ?

— Oui ?

— Mme Riker vient de rappeler. Elle voudrait que vous la contactiez le plus vite possible. Elle dit que c'est urgent.

Harvey soupira. Urgent, bien voyons… Pour être honnête, Jennifer voulait probablement savoir comment allait Sara et s'il y avait du nouveau à propos de Michael. Mais il n'avait pas de temps à perdre avec ça. De plus, penser à elle le distrayait, et la distraction était la dernière chose dont il avait besoin.

— D'accord, merci, je vais m'en occuper.

— Voulez-vous que je la rappelle pour vous ?

À la réflexion, mieux valait en finir tout de suite, songea Harvey.

— Ce serait gentil, merci.

— Je vous passe la communication.

Quelques secondes plus tard, Harvey entendait la tonalité.

19

INSTALLÉ À SON BUREAU, L'INSPECTEUR MAX BERNSTEIN examinait les derniers développements de l'affaire du Poignardeur de gays. « Installé » n'était peut-être pas le mot juste. En réalité, il s'asseyait, se relevait, faisait les cent pas, s'agenouillait, jonglait avec des beignets de la veille (il essayait d'en lancer quatre à la fois) et rendait fous ceux qui travaillaient autour de lui.

En pensée, il se repassait inlassablement sa conversation avec Winston O'Connor, la première avancée véritable depuis quelques jours. À l'évidence, le National Institutes of Health s'intéressait de très près au pavillon Sidney. Restait à savoir pourquoi. L'explication d'O'Connor selon laquelle le NIH voulait surveiller ses investissements sonnait faux. Il devait y avoir autre chose.

Mais quoi ?

OK, oublions ça pour l'instant, et passons au meurtre de Riccardo Martino. Winston O'Connor avait affirmé qu'il n'y était pour rien, et Max le croyait. En fait, ça résolvait même une question qui le taraudait depuis la découverte du corps de Martino.

Le timing.

Reprenons. Harvey Riker avait vu Riccardo Martino en vie quelques minutes avant que Winston O'Connor l'assomme. Donc, Martino avait été tué avant que Riker soit agressé. Dans ce cas, le meurtrier aurait dû surprendre Harvey dans le labo, descendre, supprimer Martino puis s'enfuir – ce qui paraissait peu probable. Même si le Poignardeur de gays avait des nerfs d'acier, il aurait probablement pris la fuite dès qu'Harvey l'aurait surpris, en remettant le meurtre de Martino à un autre jour.

Quelle était alors l'explication ?

Très simple : la personne qui avait tué Martino n'était pas celle qui avait agressé Harvey Riker.

Et si Winston O'Connor n'avait pas tué Martino, qui l'avait fait ?

Le Poignardeur de gays ?

Mais pourquoi ne l'avait-il pas poignardé comme les trois autres ?

Hum. Bonne question.

Elle te plaît, Max ? J'en ai plein d'autres en réserve. Le type qui a engagé le Poignardeur de gays vise-t-il les patients guéris tels Trian, Whitherson et Martino ? Ou en a-t-il (ou en a-t-elle, ne soyons pas sexiste) après les patients secrets tels Jenkins ou Michael ? Ou les deux ? Et qu'en est-il de l'ordre des assassinats des patients guéris – les trois premiers patients sont morts, les trois arrivés plus tardivement sont encore en vie ? Cela a-t-il une signification quelconque, ou est-ce juste un neurone défectueux dans ton cerveau qui te ramène inlassablement à ce point en apparence sans importance ?

Et la plus grande question, que Max ne cessait de griffonner sur son bureau :

À qui profitent les meurtres ?

La question essentielle.

Surpris par la sonnerie du téléphone, Max lâcha les beignets qui dégringolèrent par terre.

— Bernstein, annonça-t-il.

— Bien content de vous trouver encore là, dit le brigadier Monticelli. Vous n'allez pas y croire.

D'après sa voix, ce n'était pas un coup de fil de routine.

— Où êtes-vous ?

— En bas. Je suis en ligne avec un commissariat de Bangkok. Un type nommé colonel je-ne-sais-pas-quoi. Un nom imprononçable.

Bangkok ! Max s'assit.

— Qu'est-ce qu'il veut ?

— Il est encore en ligne, Tic. Je vous le passe. Merde… c'est quel bouton, déjà ?

— Le jaune.

— Ah, oui, voilà.

Il y eut un clic, puis des parasites, puis un :

— Allô ?

— Allô ? dit Max, parlant lentement. Je suis l'inspecteur Max Bernstein, de la police criminelle de New York. Qui est à l'appareil ?

— Colonel Thaakavechikan. Des forces spéciales de Bangkok.

— Colonel Thaka…

— Colonel suffira, inspecteur. J'ai fait mes études en Californie, et je sais que les Américains ont du mal avec les noms thaïlandais.

— Merci, colonel. Vous avez des informations pour nous ?

— Je le pense. J'ai cru comprendre que vous êtes en charge de l'affaire du Poignardeur de gays et de l'enlèvement de Michael Silverman ?

— C'est exact.

— Nous avons des renseignements qui pourront peut-être vous intéresser. Avez-vous déjà entendu parler de George Camron ?

— Non.

— C'est un tueur à gages qui vit à Bangkok, même s'il voyage beaucoup. Un expert dans son domaine. D'après nos estimations, il aurait tué plus de deux cents personnes au cours des dix dernières années.

— Impressionnant.

— Quand il est à Bangkok, il travaille au-dessus d'un bar appelé l'Eager Beaver, rue Patpong. Il y a été vu fréquemment ces derniers jours. D'après nos sources, il serait arrivé au cours de la semaine.

— Intéressant…, fit Max.

— Attendez la suite, inspecteur Bernstein. J'ai ici un Américain nommé Frank Reed, assis à côté de moi. M. Reed est un client de l'Eager Beaver.

— Ah ?

— Je dois commencer par préciser que M. Reed admet avoir été ivre au moment où il se trouvait dans le bar.

— Continuez.

— Il semble que M. Reed ait été engagé dans des activités sexuelles avec une prostituée au premier étage du bar. Par erreur, il a ouvert une porte, et a vu un homme enchaîné par la cheville dans une pièce.

— Hum, dit Max en tripotant sa moustache. Mais n'est-ce pas plutôt habituel de trouver des chaînes et des fouets dans un bordel ?

— Oh, oui, très habituel, confirma le colonel. Cependant, M. Reed jure que l'homme qu'il a vu était Michael Silverman.

— Quoi ? s'écria Max, comme s'il avait reçu un coup à l'estomac.

— Il affirme que Silverman est retenu prisonnier dans ce bar.

— Vous avez vérifié son histoire ?

— Ce n'est pas aussi simple que vous pourriez le penser, expliqua le colonel. George Camron est un homme intelligent et prudent. Si Michael Silverman est retenu au Eager Beaver – et ce ne serait pas la première fois que Camron garderait quelqu'un prisonnier à cet endroit –, il sera presque impossible de le libérer. Camron a sûrement placé des explosifs partout, et il n'hésitera pas à tout faire sauter s'il a le moindre soupçon.

— Vous ne pouvez pas le prendre par surprise ?

— C'est trop risqué, inspecteur. Si nous ne le tuons pas sur-le-champ, ou s'il travaille avec des complices, je ne donne pas cher de la vie de M. Silverman. Compte tenu de la notoriété de votre compatriote, notre gouvernement hésitera à mener ce genre d'action. C'est la raison pour laquelle je vous appelle. Je ne suis pas sûr que l'endroit soit miné. Je vous informe seulement du passé de Camron.

— Et je vous en remercie... Willie, vous êtes toujours là ?

— Oui, Tic, je suis là.

— Réservez-moi un billet sur le prochain avion en partance pour Bangkok.

— C'est déjà fait. Vous embarquez sur le vol Japan Airlines 006 qui part de l'aéroport Kennedy dans deux heures. À Tokyo, vous prendrez la correspondance sur le vol JAL 491 qui atterrira à Bangkok dans la soirée. Le problème, c'est que je ne suis pas sûr que le service acceptera de payer.

— Je m'occuperai de ça à mon retour... Colonel, vous ne voyez pas d'inconvénient à ma venue ?

— Aucun, inspecteur, tant que vous comprenez que nous avons la responsabilité de la situation.

— Compris.

— Parfait. En attendant, nous nous efforcerons de surveiller le bar aussi discrètement que possible.

Max fouilla dans ses tiroirs jusqu'à ce qu'il trouve son passeport sous un pot de moutarde. Il l'essuya avec une vieille serviette en papier.

— Je suis en route.

Dans la bibliothèque, John Lowell avait pris place derrière son grand bureau en chêne. Le sénateur était à sa droite, légèrement en retrait. Sara et Cassandra leur faisaient face de l'autre côté.

Pendant un instant, ils se dévisagèrent sans rien dire. Puis Sara rompit le silence.

— Michael est-il en vie ?

— Nous n'en savons rien, chérie.

— Mais vous savez quelque chose sur son enlèvement ?

— Nous savons *peut-être* quelque chose, la corrigea Jenkins, mais nous ne sommes sûrs de rien.

— Papa, que se passe-t-il ?

396

— Je ne sais pas par où commencer.

Le Dr Lowell se leva et s'approcha des rayonnages chargés d'imposants volumes médicaux. Il regarda les titres sans les voir.

— Vous avez conscience de ce que le Centre contre le cancer représente pour moi, n'est-ce pas ?

— Bien sûr, mais qu'est-ce que ça a à voir avec…

— Tout, Sara, répondit simplement son père.

Il sortit un livre, examina la reliure et le reposa.

— Voyez-vous, une passion exclusive peut se révéler dangereuse. Quand elle tourne à l'obsession, elle réduit notre vision du monde, devient le centre de notre univers. On n'accepte plus la défaite. On ne comprend pas pourquoi les autres ne la partagent pas. Dans la poursuite effrénée du savoir, on peut facilement devenir ignorant.

Sara et Cassandra échangèrent un regard d'incompréhension.

— Je ne vois pas…

John eut un sourire triste.

— Patience. Ce ne sont pas des choses faciles à dire ; laissez-moi un peu de temps. Je vais en venir au fond de l'affaire… Je voulais tant cette nouvelle aile pour le centre que j'en avais mal physiquement. J'aurais pu aider tellement de gens, atteints d'un des pires maux qu'ait connus l'humanité ! Les maladies et les épidémies vont et viennent, mais le cancer est une constante. Je pensais que cette nouvelle aile et les fonds supplémentaires nous permettraient d'avancer dans la compréhension du cancer, et, à la fin, de le vaincre. J'aurais fait n'importe quoi pour avoir cette nouvelle aile. N'importe quoi !

Il marqua une pause, laissant le sens de ses paroles s'amplifier dans le silence de la pièce.

— Lorsqu'on m'a refusé les subventions supplémentaires, je ne l'ai pas supporté. J'enrageais. Les imbéciles ! Comment pouvaient-ils être aussi stupides ? J'ai utilisé tout l'argent que j'ai pu trouver, j'ai tenté de lever de nouveaux fonds privés. Mais ce n'était pas assez. La nouvelle aile était morte. Et pourquoi ? Où les financements étaient-ils allés ? Au sida. À la clinique de Bruce et Harvey. À une maladie d'homosexuels. À une maladie de drogués. À une maladie dont je crois toujours qu'elle ne se répandra pas chez les hétérosexuels normaux.

Sara ouvrit la bouche, mais John fit taire ses protestations d'un geste.

— Je ne veux pas argumenter avec toi, Sara. Je sais que tu n'es pas d'accord. Mais moi, c'est ainsi que je vois les choses. Certes, certains hétérosexuels non consommateurs de drogue par intraveineuse ont attrapé le sida, mais il s'agit d'une infime minorité, surtout comparée au nombre de gens qui meurent du cancer. C'est mon opinion – juste ou non, ça n'a plus d'importance.

Il soutint le regard de Sara, et un mince sourire se dessina sur son visage.

— Tu te souviens de l'histoire de Faust ? Qui vendait son âme au diable pour obtenir ce qu'il voulait ? C'est ce que j'ai fait. Je n'en ai pas eu conscience à l'époque ; ou peut-être que si, mais je m'en fichais. Le fait est que j'ai signé un pacte avec le diable et qu'il n'y avait pas de retour en arrière possible.

— Qu'as-tu fait ? questionna Sara d'un ton froid.

— La colère me consumait. J'ai commencé à chercher tous les moyens, légaux ou non, pour que les fonds n'aillent pas à la clinique mais à mon centre. Raymond Markey, le sous-secrétaire…

— Je sais qui c'est.

— Le Dr Markey m'a contacté. Il m'a dit que je n'étais pas seul, que d'autres pensaient aussi qu'on faisait trop de cas du sida, et qu'ils voulaient la mort du pavillon Sidney.

— Quels autres ?

John prit une profonde inspiration.

— Le révérend Sanders, pour ne citer que lui.

— Tu as partie liée avec cet escroc ? demanda Sara.

— Écoute, nous savons l'un et l'autre que nous n'avons pas la même idéologie, seulement le même ennemi. Sanders avait ses raisons de vouloir détruire la clinique et j'avais les miennes. Ses raisons m'importaient peu. Tout ce qui comptait pour moi, c'était d'obtenir le financement de ma nouvelle aile – même si ça signifiait travailler avec Sanders.

— Et qui d'autre vous a rejoints ?

— Moi, lâcha le sénateur Jenkins. J'étais le quatrième homme du complot.

Elle lui lança un regard noir.

— Et quelle était votre raison, sénateur ?

— Une raison bizarre, répondit-il d'une voix calme. L'amour.

— Pardon ?

— J'ai été facilement accepté par Sanders à cause de mes positions conservatrices, mais la politique n'a rien à voir là-dedans.

— Alors, pourquoi ?

— Tu as déjà couvert des campagnes politiques, n'est-ce pas, Sara ? Je n'ai donc pas besoin de t'expliquer que la politique est un drôle de jeu. Que ça lui plaise ou non, un candidat doit faire des compromis pour gagner une élection. Je suis le sénateur le plus en vue du Parti républicain. Je suis d'accord avec presque tout le programme du parti, mais supposons par exemple que je me prononce contre la peine de mort. Tu sais ce qui arriverait ?

Sara croisa les bras.

— Dites-le-moi.

— Je serais fini. Terminé. Toutes mes années de bons et loyaux services passeraient à la trappe. Je ne serais plus jamais élu. Donc, parfois, il faut savoir mettre ses convictions en sourdine. Et il en va de même chez les démocrates. C'est le système qui veut ça. Il faut jouer le jeu, ou perdre son siège.

— Je ne vois pas le rapport avec ce qui nous intéresse, fit remarquer Sara.

— Je dis juste que nous devons tous être un peu hypocrites. Et qu'il nous arrive à tous de faire des choses que d'autres jugeraient répréhensibles.

Il lança un bref regard à Cassandra, avant de poursuivre :

— Ce que j'essaie de vous faire comprendre, c'est que, en dépit de ce qu'on croit, je ne suis pas d'accord avec beaucoup des opinions du révérend Sanders.

— Alors, pourquoi l'avez-vous rejoint ?

— Pour mon fils.

Les yeux du sénateur s'embuèrent, mais sa voix demeura ferme.

— J'essayais uniquement de sauver Bradley. Quand j'ai découvert que Sanders voulait détruire la clinique, j'en ai déduit que celle-ci devait faire des progrès rapides dans la recherche d'un médicament. J'ai donc pris contact avec Sanders en lui disant que j'étais intéressé par sa « sainte croisade ». Sanders m'a accueilli à bras ouverts. À la vérité, je voulais seulement en savoir plus sur ce mystérieux établissement, pour pouvoir y faire admettre Bradley.

— Et c'est ce qui s'est passé ?

— Oui. Riker et Grey m'ont promis de garder le secret.

— Donc, dit Sara, vous avez rejoint cette folle conspiration pour sauver votre fils, mon père voulait aider son Centre contre le cancer, et le révérend Sanders voulait éviter d'avoir à expliquer à ses ouailles qu'on avait trouvé un remède au « fléau de Dieu ». C'est bien ça, messieurs ?

Les deux hommes hochèrent la tête.

— Et quelle est la place de Raymond Markey dans tout ça ?

— Je ne sais pas exactement, déclara John. Markey connaît Harvey Riker depuis longtemps et n'a pas confiance en lui. Il prétend qu'Harvey ne respecte pas les règles, mais à mon avis il y a autre chose. Je pense que Sanders le fait chanter.

— En plus, intervint Jenkins, c'est grâce à l'influence de Sanders que Markey a eu son poste et son beau bureau au NIH.

— Un renvoi d'ascenseur, donc ?

— On peut dire ça, oui.

Sara avait la tête qui tournait. Elle se concentra sur les visages autour d'elle. Son père et le sénateur affichaient un mélange d'embarras, de peur et d'anxiété, comme des gamins attendant devant le bureau du proviseur. Cassandra, elle, se taisait et regardait sa sœur avec une inquiétude inhabituelle.

— Et vous savez ce qui est le plus étrange ? reprit John d'une voix presque suppliante. Je crois qu'Harvey Riker et Bruce Grey comprendraient ce que j'ai fait.

— J'en doute.

— Si, Sara. Harvey et Bruce ressentent pour leur clinique ce que je ressens pour mon centre. Simplement, la situation m'a échappé. Et on m'a menti. Sanders et Markey m'ont fait croire qu'Harvey et Bruce étaient très loin d'avoir trouvé un traitement.

— Je pense qu'on a assez perdu de temps à écouter tes justifications, papa, déclara Sara. Dis-nous plutôt ce que tu as fait.

Une fois encore, John lança un regard au sénateur avant de répondre :

— Très peu de choses.

— Très peu de choses ? Le meurtre de…

— Nous n'avons tué personne, l'interrompit John. Du moins, nous n'avons jamais approuvé une chose pareille.

Sara n'en croyait pas ses oreilles.

— Non, mais tu t'entends ? Vous n'avez pas « approuvé » des choses pareilles ? Des patients se sont fait assassiner. Le propre fils du sénateur a été tué. Es-tu en train de me dire que votre petite conspiration n'a rien à voir là-dedans ?

— Non, répondit John. On essaie de te dire que nous n'étions pas au courant. Nous avons appris les morts à *NewsFlash* l'autre jour.

— Vous ne saviez rien avant ?

— Absolument rien.

— Alors, dites-moi, sénateur, comment expliquiez-vous la mort de Bradley ?

— Comme tout le monde, répondit Jenkins. J'ai pensé que Bradley avait été la victime de hasard d'un psychopathe homophobe. Avant de voir le reportage, je n'avais aucune idée que son assassinat était lié au pavillon Sidney.

John acquiesça.

— Nous avons seulement essayé de faire pression sur les autorités de Washington pour qu'elles leur coupent leurs subventions. Nous sommes allés jusqu'à falsifier des rapports pour faire croire que le pavillon Sidney usurpait des fonds.

Sara fut sur le point de sourire.

— Alors que Raymond Markey accusait Harvey d'avoir faussé des rapports, c'est vous quatre qui trafiquiez les preuves.

— Oui, dit son père. À la vérité, le reportage de *NewsFlash* a failli faire plonger la clinique. En révélant que Bradley y était soigné, vous auriez pu faire accuser Harvey de tromperie. En théorie, Markey aurait pu lui supprimer sa dotation.

— Et pourquoi ne l'a-t-il pas fait ?

— Parce qu'on vit dans le monde réel, pas dans celui de la théorie. Tu imagines les protestations si Markey avait tenté de liquider la clinique après l'émission ? Les médias l'auraient taillé en pièces. Il y aurait eu une enquête approfondie, dont personne ne voulait.

— Donc, le coupa Sara, vous avez tous décidé de freiner les progrès de la clinique quelques années en utilisant Michael comme cobaye.

— C'était le plan de Sanders, la corrigea John. Michael recevrait le traitement, et la découverte d'un médicament serait retardée le temps que Sanders trouve un autre moyen de les détruire.

— Qu'est-ce qui a mal tourné ? interrogea Sara. Puisque Sanders a eu ce qu'il voulait, pourquoi Michael a-t-il été kidnappé ?

— On l'ignore, chérie, c'est bien là le problème. Markey et Sanders jurent tous les deux qu'ils n'ont rien à voir avec le Poignardeur de gays ou le rapt de Michael. Sanders affirme que ça lui déplaît autant qu'à nous.

— Et vous le croyez ?

— Je ne sais plus que croire. J'ai eu beau piquer une colère à Washington, il n'en a pas démordu. Il affirme même que l'histoire du Poignardeur de gays et toute la publicité autour a renforcé la clinique, au lieu de lui porter atteinte.

Sara secoua la tête.

— Mais vous ne comprenez pas ? Sans les patients guéris, il n'y a plus de preuves que le SR1 marche. En tuant les patients guéris, l'assassin fait votre jeu.

Aucun des deux hommes ne répondit.

— Allez-vous vous dénoncer ? demanda Sara.

— Si seulement c'était aussi simple…

— C'est très simple, rétorqua Sara, glaciale. Il vous suffit d'arrêter de vouloir vous protéger.

— Écoute, Sara. Je sais que tu m'en veux, et même qu'une partie de toi me déteste à l'heure qu'il est. Je ressentirais la même chose si la situation était inversée. Crois-moi, j'ai retenu la leçon. Je ne me soucie plus de ma réputation personnelle. Mais si je parlais de ce que j'ai fait, ça détruirait le Centre contre le cancer. Les œuvres caritatives ne résistent pas aux scandales, tu le sais. Tu as réalisé un reportage sur ce foyer pour adolescents fugueurs – il a fallu le dérapage d'un seul homme pour détruire l'association. Je suis désolé, Sara. Je ne peux pas mettre en péril le centre. C'est trop important.

— Donc, tu ne vas rien faire du tout, papa ?

— Je n'ai pas dit ça.

— C'était inutile.

Sara attrapa sa canne et se leva.

— Je ferai tout pour découvrir ce qui se cache derrière vos manigances. Et je me contrefiche de faire tomber mon propre père, la moitié de Washington et ton foutu centre avec.

Sur ces mots, elle sortit de la pièce comme une furie.

Jennifer décrocha à la troisième sonnerie.

— Bonjour, Jen.

— Bonjour, Harvey. Comment vas-tu ?

— J'ai connu mieux.

— J'imagine. Et Sara, elle tient le coup ?

— Elle fait ce qu'elle peut.

— Tu lui transmettras mes amitiés, d'accord ?

— Bien sûr. Comment ça se passe, à Los Angeles ?

— Bien.

— Tu vas bien ?

— Oui.

Il y eut un silence.

Harvey s'éclaircit la gorge.

— Écoute, Jen, je ne veux pas te presser au télé-phone, mais…

— J'ai récupéré un paquet de Bruce.

— Pardon ?

— Le jour de sa mort, Bruce s'est envoyé une grande enveloppe à sa boîte postale de la poste centrale de Los Angeles.

— Tu l'as ouverte ?

— Oui. Elle contient des dossiers médicaux.

— Combien ?

— Six.

— Tu les as sous les yeux ?

— Oui.

— Tu peux me lire les noms ?

— Krutzer, Leander, Martino, Singer, Trian et Whitherson.

Nouveau silence. Puis un soupir.

— Harvey, tout va bien ?

— Oui, oui, répondit-il, mais sa voix demeurait voilée. Il y avait autre chose dans l'enveloppe ?

— Des échantillons sanguins. Deux tubes pour chaque patient, marqués A et B.

Harvey réfléchit un moment.

— Écoute-moi, Jen, d'accord ? Il faut que tu m'expédies tout ça immédiatement.

— Ce courrier a un rapport avec l'enlèvement de Michael ?

— Je ne suis sûr de rien tant que je n'ai pas vu son contenu. Jen, tu dois vraiment me l'envoyer tout de suite.

— Il est six heures passées. La poste est fermée.

Jetant un coup d'œil à l'horloge, Harvey poussa un juron.

— J'ai essayé de te joindre plus tôt, fit remarquer Jennifer.

— Je sais, c'est ma faute.

— Je peux te l'envoyer en express demain matin à la première heure.

— Merci, Jen.

— Tu me tiendras au courant ?

— Bien sûr.

Il s'interrompit une seconde, avant d'ajouter :

— J'espère que tu es heureuse. Je tiens encore à toi, tu sais.

— Moi aussi, Harvey.

Et Jennifer raccrocha, craignant ce qui aurait pu être dit ensuite. Puis elle prit la petite enveloppe blanche adressée à Susan et la contempla un long moment.

20

ALORS QUE LES DOIGTS DE SARA composaient le numéro du poste de police de la 83ᵉ Rue, son esprit bouillonnait, oscillant entre rage et incompréhension.

— Ici, le commissariat de police.

— Je voudrais parler à l'inspecteur Max Bernstein, s'il vous plaît.

— Une seconde, je vous prie.

Son père, Stephen Jenkins. Raymond Markey. Et Ernest Sanders. Une alliance démoniaque qui avait...

... qui avait fait quoi, au juste ?

Elle n'était sûre de rien. Que devait-elle faire, maintenant ? Elle n'en savait rien non plus. Il fallait pourtant qu'elle agisse, avant de perdre complètement la tête.

Sara avait envisagé d'affronter Sanders et Markey bille en tête, puis y avait renoncé. Si ces deux salauds avaient nié toute responsabilité devant leurs « associés », ils n'allaient sûrement pas lui révéler quoi que ce soit à elle – elle risquait surtout de les avertir de possibles dangers ou, pire, de les effrayer au point de les pousser à des actes désespérés.

Le brigadier qui tenait le standard revint en ligne.

— Désolé, madame. L'inspecteur Bernstein n'est pas là.

— Pouvez-vous le biper pour moi ? insista Sara. C'est important.

— Impossible. Il est en mission officielle et ne peut pas être joint.

— Vous savez où il est ?

— Je ne peux rien dire, madame. Je ne suis pas autorisé à discuter de ses déplacements.

— Écoutez, il faut absolument que je lui parle.

— Pour l'instant, c'est impossible. Si vous voulez laisser un message... Je suis sûr que l'inspecteur Bernstein nous contactera.

Où Max avait-il bien pu aller, pour qu'on ne puisse pas le biper sur son *pager* ?

— Dites-lui de rappeler Sara Lowell immédiatement, s'il vous plaît. Dites-lui que c'est important. Si je ne suis pas chez moi, il pourra me joindre à la clinique.

— À la clinique. D'accord, madame Lowell, je transmettrai.

— Merci.

Elle raccrocha et se demanda ce qu'elle allait faire ensuite.

Aéroport Narita.

Max ne fut pas mécontent de quitter le Boeing qui l'avait emmené sans escale de New York à Tokyo. Un coup d'œil au tableau des départs lui indiqua la porte d'embarquement de sa correspondance, vers laquelle il se dirigea. Pour être honnête, le vol avait été plutôt confortable, et le service à bord, irréprochable. Seulement, rester coincé pendant quatorze heures dans un tube métallique à trente mille pieds au-dessus du sol avait tendance à rendre fou – même si on vous servait trois repas et si on diffusait deux films.

Derrière les baies vitrées du terminal, il vit une rangée de Boeing 747 de la Japan Airlines. Chacun était relié à l'aérogare par un tunnel, semblable à un cordon ombilical géant qu'il faudrait couper pour que l'appareil puisse prendre son envol.

Il lui restait une heure avant d'embarquer pour Bangkok. Tant mieux : il avait d'importantes choses à faire dans l'intervalle.

Il suivit un panneau jaune indiquant « TÉLÉPHONE INTERNATIONAL », puis s'entretint avec l'opératrice qui lui indiqua une petite cabine. Quelques secondes plus tard, on lui passait la communication demandée.

La voix de Sara lui fit presque l'effet d'un cri. À New York, il était près de deux heures du matin, mais la jeune femme paraissait parfaitement réveillée, ce qui ne le surprit pas. Il se demanda ce qu'il allait lui dire puis décida de rester aussi vague que possible.

— Max ? Mais où es-tu ? J'ai essayé de te joindre toute la journée !

— Désolé, je n'étais pas joignable.

— Où es-tu ?

— À Tokyo.

— Quoi ?

— Eh bien, techniquement parlant, je ne suis pas à Tokyo, mais à l'aéroport Narita, à environ une heure et demie du centre-ville.

— Épargne-moi la leçon de géographie ! Qu'est-ce que tu fabriques à Tokyo ?

Max commença à enrouler le cordon du téléphone autour de son bras.

— Je suis en route pour Bangkok.

— Pourquoi ?

— Il y a du nouveau.

— À propos de Michael ?

Reste vague, Max. Inutile de lui donner de faux espoirs.

— Peut-être. Écoute, je suis une piste, mais je ne sais pas où elle mène.

— Quel genre de piste ?

— Arrête de jouer les reporters, je n'ai pas beaucoup de temps. Je t'appelle s'il se passe quoi que ce soit.

— Tu seras absent combien de temps ?

Bonne question.

— J'espère faire l'aller-retour. Et de ton côté, du nouveau ?

— Beaucoup.

— Je t'écoute.

Pendant que Sara lui racontait sa conversation avec son père et le sénateur Jenkins, Max porta machinalement le cordon du téléphone à sa bouche et se mit à grignoter le caoutchouc. Il s'attira un coup d'œil réprobateur de la Japonaise dans la cabine voisine et, avec un sourire d'excuse, lâcha le cordon.

Une fois que Sara eut fini son récit, il lui rapporta sa conversation avec Winston O'Connor.

— Maintenant, on sait au moins comment ils obtenaient toutes les informations de l'intérieur, fit-elle remarquer.

— Peut-être, mais il reste beaucoup de zones d'ombre.

— Comme quoi ?

— Eh bien, pourquoi Sanders aurait-il fait ça ? Qu'est-ce qu'il avait à gagner à commanditer ces meurtres ?

— Il fait disparaître les preuves. Plus de patients guéris, plus de traitement.

— Il y aurait eu des moyens plus simples d'arriver à ce résultat sans élaborer toute cette histoire de Poignardeur de gays. Comme dit ton père, la publicité autour de l'affaire a plutôt renforcé la clinique. Plus de soutien médiatique, davantage de dons : après ça, Markey ne pouvait plus les obliger à fermer.

— Alors, comment tu l'interprètes ?

Max réfléchit. Aux victimes des meurtres. À la clinique. À la conspiration de Washington et au rôle de Winston O'Connor. Au Poignardeur de gays. À George Camron, qui retenait Michael prisonnier dans un bordel de Bangkok.

— Je n'en sais rien, finit-il par répondre. Je t'appelle s'il se passe quelque chose.

Et il raccrocha avant que Sara n'ait pu protester.

Avisant la pharmacie de l'aéroport, il alla acheter de la mousse à raser et un rasoir jetable, puis se dirigea vers les toilettes. Dix minutes plus tard, il s'était débarrassé de sa moustache.

Aéroport Don Muang de Bangkok.

Lorsque Max sortit sur la passerelle, il fut d'abord saisi par l'humidité de la nuit – une humidité moite, comme si des petites gouttes de sirop flottaient dans l'air. Il était presque onze heures du soir, mais il se sentait remonté comme un ressort. Il voulait agir vite.

Une fois dans le terminal, il repéra une pancarte avec son nom et se dirigea vers l'homme qui la tenait. Avec son mètre quatre-vingts, ce dernier était grand pour un Asiatique, et il était très maigre. Il se tenait parfaitement immobile, bougeant seulement les yeux, comme s'il voulait économiser ses forces.

— Colonel ? Je suis Max Bernstein.

Le Thaïlandais le dévisagea.

— Vous êtes inspecteur de police ?

Max opina.

— Pardonnez ma surprise, mais je m'attendais à quelqu'un de plus âgé.

Max leva la main vers sa bouche pour caresser sa moustache, avant de se souvenir qu'il l'avait rasée.

— C'est pour ça que je porte la moustache d'habitude. Ça me vieillit.

— Pardon ?

— Non, rien. Où pouvons-nous parler ?

— Venez. Une voiture nous attend dehors. J'ai amené Frank Reed.

Le colonel invita Max à le suivre hors de l'aérogare et à prendre place dans le véhicule. Point commun avec les voitures de police new-yorkaises : la climatisation ne marchait pas.

Max ne perdit pas une seconde :

— Vous êtes Frank Reed ?

— C'est moi, répondit l'homme en tendant la main. Appelez-moi Frankie.

Max la serra rapidement et poursuivit :

— Monsieur Reed, je veux que vous me donniez une description aussi précise que possible de l'endroit où est retenu Michael Silverman.

— Vous êtes vraiment un flic de New York ?

— Oui.

— Vous avez l'air d'un collégien.

— Je suis entré dans la police à quatre ans. Bon, je vous écoute.

— Alors, Silverman est enfermé au premier étage, commença Frankie. Il y a une dizaine de chambres là-haut. Un peu comme dans un motel. Il est dans une pièce à gauche au bout du couloir. Il y avait une pancarte « DÉFENSE D'ENTRER » sur la porte. J'ai cru que j'hallucinais. J'ai ouvert et paf ! il était là. C'est dingue, hein ? J'ai vu Silverman jouer contre les Bulls au Madison Square Garden l'année dernière. Un dieu !

— Vous pourriez me dessiner un plan de l'étage ?

— Oui, bien sûr.

— Et vous avez dit qu'il était enchaîné au sol ?

— C'est ce qu'il m'a semblé. Mais je ne l'ai vu qu'une seconde.

— Inspecteur, intervint le colonel Thaakavechikan, vous avez une idée en tête ?

Max acquiesça en enroulant une mèche de cheveux autour de son index.

— George Camron connaît la plupart de vos hommes, pas vrai ?

— Oui.

— Moi, il ne me connaît pas. Et j'ai rasé ma moustache dans l'avion, au cas où... Je veux aller voir sur place.

— Quand ?

— Dès que Camron quittera le bar. Michael est très malade. Il faut le faire sortir de là tout de suite.

— Bien, commenta le colonel. Dites-moi quel est votre plan.

Le Dr Eric Blake vérifia son apparence dans le miroir. Comme toujours, rien ne dépassait. Lorsqu'on demandait aux gens de le décrire, ils ne disaient jamais qu'il était « beau » ou « laid ». Non, le mot qui revenait le plus souvent était « soigné ». Propre sur lui. Les cheveux peignés, les lacets parfaitement noués, tous les boutons fermés. La chemise toujours bien rentrée dans le pantalon, les chaussettes toujours assorties, le visage toujours rasé de frais. Même en cet instant, il affichait une apparence irréprochable, alors qu'à l'intérieur... à l'intérieur, c'était tout autre chose.

Il avait une migraine épouvantable, comme si son front était sur le point d'éclater. Soudain, tout menaçait de s'effondrer autour de lui, et il ne savait pas comment réagir.

Fais ce que tu dois faire...

Il se dirigea vers le labo. Harvey, il le savait, était en bas, en train de donner son traitement à Kiel Davis. Ensuite, il ferait ses visites. Il ne remonterait pas au deuxième étage avant un certain temps.

La voie était libre.

Une fois dans le labo, il déverrouilla le meuble contenant ses dossiers privés. Une fois encore, il ouvrit le tiroir du bas, en sortit les échantillons de sang, les posa sur la paillasse et les examina attentivement.

Toujours rien.

Mais c'était à prévoir. Il n'aurait pas de résultats avant le lendemain : il lui faudrait être patient.

Les mains légèrement tremblantes, il rangea les échantillons, verrouilla le meuble et repartit travailler.

Max et le colonel T, comme il se faisait appeler, étaient installés dans un taxi rue Rama IV, non loin de Patpong. À travers les parasites du système radio, une voix retentit, inintelligible pour Max. Le Colonel T prit le combiné et fit une réponse tout aussi incompréhensible.

— Camron vient de quitter le bar, expliqua-t-il ensuite. Il a pris un tuk-tuk ; ce sont les taxis locaux.

— C'est le moment de passer à l'action.

— Je vais placer des tuk-tuk là où on le déposera. On essaiera de le retarder s'il revient avant que vous ayez eu le temps de libérer M. Silverman, mais je ne vous garantis rien.

— Je comprends.

— Vous nous adresserez un signal si la chambre est piégée à l'explosif ?

— Je monterai puis baisserai le store, répondit Max. Si je vous donne le signal, n'essayez pas de l'arrêter. Il risquerait de tout faire sauter.

— Vous avez mémorisé la disposition des lieux ?

— Oui.

— Alors, bonne chance.

— Merci.

Un nœud commença à se former dans le ventre de Max.

— Une dernière question.

— Oui ?

— Comment on engage une prostituée ?

Le colonel sourit.

— Asseyez-vous au bar et tendez un billet de dix dollars, inspecteur. Ensuite, tout se fera tout seul.

Sara se réveilla tard. D'instinct, elle tendit le bras vers le côté de Michael et trouva le lit vide. Elle se leva et se prépara pour aller voir Harvey.

Une heure plus tard, elle frappait à la porte de son bureau et passait la tête dans l'embrasure.

— Je peux entrer ?

Il leva les yeux de son bureau, lui adressa un sourire fatigué et retira ses lunettes.

— Bien sûr.

— Je ne voudrais pas te déranger.

— Ne t'inquiète pas, j'ai besoin de faire une pause.

— Quand as tu dormi pour la dernière fois ?

— Voyons… On est en quelle année ?

— Tu as une mine épouvantable.

— Je t'ai déjà vue plus pimpante, répondit-il du tac au tac.

Elle prit place dans le fauteuil en face de lui, et ses yeux se posèrent sur le poster de Michael qu'Harvey avait accroché derrière lui. Le voir ainsi s'élancer vers le panier était une image étrangement réconfortante. Elle chaussa ses lunettes et regarda la photo une minute, Michael suspendu dans l'air, le visage parfaitement concentré. Puis elle annonça :

— J'ai quelque chose à te dire. À propos de mon père et du révérend Sanders.

— Ah bon ?

— Ça ne va pas te plaire.

— Si ça concerne ton père et Sanders, je m'en doute. De quoi s'agit-il, Sara ?

Elle lui raconta tout. Et si Harvey l'écouta en silence, son langage corporel le trahit : il serra les poings jusqu'à faire blanchir ses jointures ; son visage devint écarlate et ses traits se déformèrent sous l'effet de la colère.

— Les salauds ! s'écria-t-il quand elle eut fini. Les ignorants ! Les ordures !

Sans rien dire, Sara le regarda se lever et se laisser gagner par la rage.

— Comment ai-je pu être aussi stupide ? Je le savais et je n'ai fichtrement rien fait ! Bien sûr que Markey était de mèche avec eux, ce ver de terre.

Il secoua la tête.

— Je n'en attendais pas moins de Sanders et de Jenkins, mais de ton père, Sara ? Il se prétend un médecin ! Et il pactise avec ces gens-là ! Comment est-ce possible ?

— Je ne sais pas, répondit-elle simplement.

— Ils ne vont pas s'en tirer comme ça ! Le monde entier saura ce qu'ils ont fait !

Les épaules d'Harvey s'affaissèrent, et toute la fatigue accumulée sembla lui tomber dessus.

— C'est une lutte permanente, Sara. Les intégristes religieux, les homophobes, les naïfs. Il faut se battre sur tous les fronts. La recherche contre le sida a tant d'ennemis qu'on se demande si elle aboutira un jour.

Il se laissa retomber lourdement dans son fauteuil, le fit pivoter et contempla la photo de son frère.

— Tu te souviens de la première apparition du sida ? Certains ont parlé d'enfermer les personnes contaminées dans des camps. De mettre en quarantaine tous les homosexuels connus. Des tactiques de nazis, Sara. C'est comme ça que tout a commencé. Aujourd'hui, on ne parle plus ainsi, mais d'une certaine façon c'est presque pire.

— Qu'est-ce que tu veux dire ?

— Les types comme Ernest Sanders sont devenus plus subtils. Leurs objectifs sont les mêmes, mais le discours a changé. Et ça marche. Les gens les écoutent. On nous explique que le sida ne deviendra jamais épidémique dans la communauté hétérosexuelle. D'éminents médecins comme ton père nous le répètent à longueur de journée. La grande question cependant n'est pas de savoir jusqu'à quel point le virus risque de toucher les hétérosexuels, mais pourquoi on se croit obligé de contester si fort cette idée.

— Je ne te suis pas.

La voix d'Harvey était à la fois passionnée et peinée.

— Supposons une minute que ce soit vrai. Ça ne l'est pas, mais supposons que ton père ait raison, et que le sida touche exclusivement les homosexuels et les drogués. Et alors ? Si ton père et ses acolytes ne font pas de discrimination, comme ils le prétendent, que nous importe quelle partie de la population meurt du virus ? Si on découvrait que le sida ne touchait que les fillettes entre cinq et douze ans, est-ce que quelqu'un oserait affirmer : « Ne vous inquiétez pas, vous, vous ne risquez rien ! » Bien sûr que non. Ces gens sont uniquement guidés par l'homophobie. L'air a changé, mais la chanson est la même.

— Et donc, qu'est-ce qu'on fait ?

— On rend coup pour coup. On fait tout ce qu'on peut pour les battre. On s'adresse à la presse et on les détruit.

— Mais ils risquent de paniquer. Si ce sont eux qui détiennent Michael…

— Je comprends… Tu en as parlé à l'inspecteur Bernstein ?

— Oui.

— Qu'est-ce qu'il en dit ?

— De ne pas bouger avant son retour.

— Où est-il ?

— À Bangkok.

— Pourquoi est-il là-bas ?

— Il m'a dit qu'il avait peut-être une piste.

— Si seulement c'était vrai ! On aurait bien besoin d'un peu d'espoir.

Harvey se pencha en avant.

— Et entre-temps, on est censés rester assis, les bras croisés, et laisser les meurtriers en liberté ?

— Max n'est pas persuadé que Sanders soit derrière les assassinats et le kidnapping.

— Alors qui ?

— Il n'en sait rien. Il dit juste qu'il a des doutes.

— Et toi, Sara ? Tu as aussi des doutes ?

— Oui, bien sûr.

— Moi, ça me paraît assez logique, dit Harvey. Sanders a kidnappé Michael pour gêner la clinique, un point c'est tout. Markey savait que j'étais la seule personne à avoir approché Michael...

— Eric également.

L'incompréhension se peignit sur le visage d'Harvey.

— Non, Sara. Je parle des contacts médicaux avec le patient. C'est moi qui ai donné à Michael toutes ses injections de SR1. C'est moi qui ai effectué les prélèvements sanguins.

— Eric l'a fait aussi.

— Quand ?

— Je ne sais plus exactement. Un jour ou deux avant l'enlèvement.

— Tu en es sûre ?

— Évidemment. J'étais là. Il y a un problème ?

Il secoua la tête.

— Je trouve ça bizarre, c'est tout. J'ai donné des instructions précises pour que personne ne fasse d'analyses ou ne lui donne de traitement à part moi.

— Il n'était peut-être pas au courant, suggéra Sara. Ou alors, il a oublié.

— Oui, peut-être, admit Harvey, l'air peu convaincu.

— Pourquoi tu ne lui poses pas la question ?

— Je le ferai dès qu'il rentrera.

Harvey leva les yeux et tenta d'esquisser un sourire rassurant.

— Ne me regarde pas comme ça, Sara. Je suis sûr qu'il n'y a rien de grave.

— Salut, Joe. Toi veux voir sex show ? Concours de lancer pois ?

— Concours de lancer pois ?

— Oui, super, Joe. Toi aimer. Elle viser et exploser ballon. Devine avec quoi elle lancer ?

Max n'était pas sûr de comprendre ce que lui racontait l'adolescent, ni d'ailleurs de le vouloir. Bien des années plus tôt, avant qu'il rencontre Lenny, il avait passé une semaine avec des amis dans le quartier chaud d'Amsterdam. Là, ils avaient assisté à un show où une femme lançait divers objets à travers la salle avec une certaine partie de son anatomie. Et si la plupart des gens trouvaient son orientation sexuelle bizarre, Max n'avait pas compris en quoi ce spectacle aurait pu paraître érotique, quelles que soient vos préférences sexuelles.

— Alors, qu'est-ce que tu dire, Joe ? Tu veux jolie fille ? Elle te faire tourner ta tête sur elle-même !

— Euh, non merci.

Et il poursuivit son chemin au milieu des groupes de vendeurs de sexe, gardant les yeux braqués sur l'enseigne au néon rose de l'Eager Beaver. Deux hommes en gardaient l'entrée. Le plus petit accueillit Max d'un large sourire et d'une poignée de main ferme ; le gros, d'un regard menaçant. Le jeu classique du gentil flic et du méchant flic.

— Bienvenue ! s'écria le petit par-dessus la musique disco qui pulsait à plein volume. Entrez ! Vous trouverez tout ce que vous cherchez ici.

— Merci.

Max dépassa le portier à la carrure de sumo et entra. Le décorateur avait dû faire ses classes dans les années 1960. Lumières multicolores ; formes psychédéliques ; très go-go bar. Pour la musique, c'était *La Fièvre du samedi soir*. Le chanteur s'égosillait sur un air de disco. Malgré le rythme rapide, des femmes aux seins nus dansaient lentement sur le bar, répétant inlassablement les mêmes pas. Max contempla leurs visages, mais aucune ne lui rendit son regard. Toutes avaient un air absent – des yeux vides qui ne s'éclairaient brièvement que quand on glissait un billet dans la lanière de leur string.

Michael se trouve quelque part ici...

— Remue-le, baby ! hurla un homme.

La fille sourit et obéit, gagnant cent bahts (quatre dollars) pour sa peine. Elle se pencha vers le client pour l'inciter à donner davantage, mais il la congédia d'un geste.

La foule était mélangée. Des gros durs. Des touristes curieux. Des couples mariés. Des Thaïlandais, des Japonais, des Américains, des Italiens, des Allemands, des Australiens – les Nations unies du sexe.

Max s'installa au bar sur un tabouret pivotant et commença à tourner comme un gamin qui s'ennuie à un dîner. Deux secondes plus tard, une jeune Thaïlandaise l'approcha, vêtue de l'uniforme classique de la pute américaine : bustier et minishort en satin qui lui rentrait dans l'entrejambe. Les prostituées étaient d'âges variés, mais celle-ci semblait avoir chipé la trousse de maquillage de sa maman.

— Salut, dit-elle.

Elle n'avait pas plus de quinze ans. Elle possédait une magnifique peau veloutée et cette beauté fraîche de poupée que tant d'hommes trouvent attirante.

— Salut.

Elle affichait un large sourire lumineux, quoique un peu artificiel.

— Tu me payer à boire ?

— Pourquoi pas. Qu'est-ce que tu veux ?

— Et toi ?

— Une vodka on the rocks.

— Je prends la même chose, s'il te plaît.

Max fit signe au barman et passa la commande. L'addition se montait à douze dollars – cinq pour sa vodka, sept pour celle de la fille. Avant que Max proteste, le barman lui montra la pancarte : « BIÈRE : 3 $, ALCOOL : 5 $, BOISSON HÔTESSE : 7 $. »

Des hôtesses ?

— Comment tu appelles ?

— Max.

— C'est joli. Tu vis Amérique, Max ?

Il se mit à enrouler une mèche de cheveux autour de son doigt.

— Oui.

— C'est joli, hein ?

— Ça me plaît.

— Pourquoi toi bouger tout le temps, Max ?

— On appelle ça remuer.

— Pourquoi toi remuer tout le temps, Max ?

— Je ne sais pas.

— Tu es Bangkok pour affaires ou pour plaisir ?

Max s'efforça de sourire et d'entrer dans la peau de son personnage d'homme à femmes.

— Un peu des deux, si tu vois ce que je veux dire.

Il lui adressa un clin d'œil ridicule.

Mon Dieu !

La petite main de la fille s'était posée sur sa jambe.

— Tu aimes moi, Max ?

Elle se pencha vers lui et plongea son regard dans le sien, jusqu'à ce qu'il détourne les yeux.

— Beaucoup.

— Combien plaisir tu veux, Max ?

— L'équivalent de cent dollars, répondit-il. Pour commencer.

— Qu'est-ce que tu veux ?

Max s'éclaircit la gorge.

— La Chambre des Délices.

Elle se figea.

— Toi déjà venu, Max ?

— Non. Un ami m'en a parlé.

Elle hocha la tête, l'air soudain plus professionnel.

— La Chambre des Délices très chère.

— J'ai de l'argent.

Nouveau hochement de tête. La main de la fille était maintenant à quelques millimètres de son aine. Ses longs ongles rouges frôlaient le tissu de son pantalon. Étonnamment, il ressentit une forme d'excitation. La caresse était apaisante, relaxante. Agréable – ce qui était bizarre, pour un homme attiré d'habitude par des *bodybuilders*. Non pas que Max n'ait pas connu de femmes. Mais il préférait les hommes, tout simplement.

Elle retira sa main.

— Paie homme, là-bas, Max, et on ira en haut. On s'amuse beaucoup beaucoup tous les deux. Je te fais exploser tout entier.

425

Max se demanda s'il valait mieux ça ou se faire tourner la tête sur elle-même. Choix difficile.

Il arracha un petit bout de peau qui pendait de son doigt et obéit. Le jeune maquereau évoquait un boxeur catégorie welter – petit, musclé, sans une once de graisse.

— Vous êtes sûr de vouloir la Chambre des Délices ? demanda le maquereau. Très chère. Très dangereuse.

— J'en suis sûr. Combien ?

— Deux cents dollars l'entrée. Mais si vous voulez utiliser le mur rouge, c'est supplément. Gros supplément. Vous me dire.

Le mur rouge ?

Après un moment de négociations, ils s'accordèrent sur cent soixante-quinze dollars.

Max paya. Aussitôt, la jeune fille apparut à côté de lui et l'entraîna à l'étage, lui murmurant les mots attendus sur le plaisir qu'ils allaient prendre.

— Comment tu t'appelles ? lui demanda-t-il.

— Bambi.

Un nom thaï traditionnel.

— Quel âge as-tu ?

— Âge qu'il faut.

— Qu'il faut pour quoi ?

Il eut de nouveau droit au sourire séducteur.

— Pour rendre toi heureux.

— Pourquoi tu fais ça, Bambi ?

— Faire quoi ?

En haut, la chaleur était encore plus oppressante qu'au rez-de-chaussée. Dans le couloir obscur, la peinture s'écaillait. Lorsqu'ils passèrent devant une porte, à gauche, portant un panneau « DÉFENSE D'ENTRER », Max se força à ne pas réagir.

— Te prostituer.

— Pourquoi ?

— Je te demande ça comme ça. Tu as l'air intelligente…

L'espace d'une seconde, le sourire de la fille disparut, remplacé par une expression de pure haine.

— Tu emmènes moi loin de tout ça, Max ?

Le mépris affleurait dans sa voix. Ça ne dura qu'un instant. Aussitôt, le sourire réapparut, lumineux.

— Viens, dit-elle en ouvrant une porte. Je suis ton fantasme. Tu rentres chez toi heureux.

La première chose qui le frappa fut la puanteur. On avait pulvérisé un désinfectant à la cerise pour masquer l'odeur fétide de… du sordide. Toute la pièce en était imprégnée, comme si les activités pratiquées en ce lieu s'étaient installées dans les murs tels des milliers de cafards, pourrissant les fondations. Max frissonna.

D'où venait son malaise ? Il avait fréquenté des établissements peu reluisants dans sa vie, mais cette chambre l'intimidait. Elle était tellement… déshumanisante.

L'ironie qui avait présidé au nom de la Chambre des Délices ne lui échappa pas. Un des murs était orné de godemichés, de tailles et de formes défiant l'imagination. Des fouets, chaînes, menottes, cordes, masques de cuir et autres accessoires de bondage couvraient des étagères à sa gauche. Et droit devant, sur un mur de couleur rouge… il s'en approcha pour mieux voir.

— Ça alors !

Le mur rouge.

Il se retourna vers Bambi, qui souriait toujours, mais dont le regard trahissait l'appréhension.

— Mur rouge en supplément, Max.

Pause.

— Tu veux ?

Il regarda de nouveau le mur, incrédule. Un pistolet hypodermique. Comme ceux des policiers. Capable de provoquer des spasmes aussi violents que ceux d'un épileptique en crise.

— Les hommes utilisent ça sur toi ? demanda-t-il.

— Pas sur moi. Mais sur autres filles.

Il reposa le pistolet et prit... bon Dieu... un aiguillon à bestiaux électrique. Là, on sortait du domaine du bizarre pour entrer dans celui du sadisme pur et simple. Il avait entendu parler de ces pratiques, d'hommes qui se plaisaient à mutiler des tétons ou d'autres parties sensibles, mais y avait vu la marque d'esprits dérangés.

— Des fois, dit Bambi, ils veulent que j'utilise ça.

— Ah ?

— Sur eux, précisa-t-elle.

En imaginant le contact de l'aiguillon sur ses organes sexuels, Max sentit ses muscles se contracter et son ventre se nouer. Il continua d'examiner les étagères, de plus en plus horrifié. Des pinces. Des clous pointus. Des engins de torture semblant tout droit sortis du Moyen Âge. La nausée s'empara de lui.

La Chambre des Délices ? Plutôt le musée des horreurs.

— Tu veux quoi, Max ?

— Je veux t'attacher.

— Tu veux utiliser… le mur rouge ?

— Non.

Le soulagement de la fille était palpable. Comme elle commençait à se déshabiller, Max l'arrêta.

— Allonge-toi sur le lit, dit-il en essayant de prendre un ton lascif.

Bambi le regarda bizarrement, mais obtempéra. Max était un expert dans l'art de faire des nœuds et de ligoter les gens. Il lui lia les bras et les jambes de trois manières différentes, afin de l'immobiliser sans entamer la chair. Il n'avait aucune raison de la faire souffrir.

— Ouvre la bouche, dit-il.

La jeune prostituée obéit, et sembla surprise quand il lui fourra un chiffon entre les dents, qu'il maintint par une autre corde pour la bâillonner.

— Tu peux respirer ? demanda-t-il.

Elle hocha la tête.

Il aurait voulu la quitter avec quelques mots gentils, mais il savait qu'ils sonneraient creux. En définitive, il se pencha et lui embrassa délicatement le front.

— Adieu.

Elle le suivit des yeux tandis qu'il se dirigeait vers la porte et l'entrebâillait. Le couloir était désert. Sans bruit, il se dirigea vers la pièce où, d'après Frank Reed, Michael était détenu. Il saisit la poignée, poussa fort et la serrure céda.

George appuya le combiné contre son oreille.

— Dans ce cas, je vais aller tuer Michael Silverman sur-le-champ, dit-il.

— Attendez ! s'écria la voix. Je vous paie pour détruire l'entrepôt de Bangkok et…

— Et je vais le faire, répondit George, mais d'abord Silverman doit mourir. Il ne sert plus à rien et je ne peux pas le relâcher. Il en sait trop.

— Eh, une seconde ! J'avais été clair…

George raccrocha. Le sampan oscillait sur les eaux tranquilles de la Chao Phraya, mais il n'en goûtait pas les effets apaisants. Pour la première fois depuis les meurtres du Poignardeur de gays, il était inquiet. Son employeur paniquait et, pire, lui cachait des choses. Lui demander de tout arrêter, de détruire l'entrepôt de la clinique et de relâcher Michael Silverman ? Ça n'avait pas de sens, sauf si…

… s'il y avait eu un très sérieux problème.

Avait-il commis une erreur, lui, George Camron ? Impossible.

— Merci, Surakarn. J'apprécie votre aide.

— Je vous en prie, mon ami.

George prit congé et débarqua sur la terre ferme. Face à lui, la silhouette du Grand Palais se dressait dans son silence monumental. George se dirigea vers les tuk-tuk.

— Je vous emmène, monsieur ? demanda un chauffeur chauve.

George s'avança vers lui, puis changea brusquement de direction. Autant en finir tout de suite. Il parcourut une centaine de mètres au pas de course, héla un taxi et grimpa à l'arrière.

— Patpong, dit-il au chauffeur qui démarra.

Le conducteur de tuk-tuk chauve décrocha une radio.

— Colonel ? George Camron vient de monter dans un taxi. Il sera là-bas dans quelques minutes.

Le colonel reposa le récepteur et attendit le signal de Bernstein.

Michael leva un regard voilé.

— Max ?

Max lui fit signe de rester immobile et silencieux, pendant qu'il fouillait la pièce des yeux.

— Camron a-t-il parlé d'explosif ? demanda-t-il.

Michael répondit d'une voix faible, presque inaudible.

— Derrière toi. Au plafond.

Max se retourna, leva la tête et aperçut les bâtons de dynamite.

— Merde !

Il ouvrit et referma le store à l'intention du colonel.

— Il faut te sortir de là.

Michael tenta de concentrer son regard sur Max, mais ses yeux ne lui obéissaient plus. La sueur lui collait les cheveux au front. Sa lèvre inférieure tremblait comme s'il avait la fièvre.

— Tout va bien, Michael. On sera bientôt à la maison.

Max grimpa sur la chaise pour examiner les explosifs, puis redescendit. De l'intérieur de sa botte, il sortit une scie à longues dents et, agenouillé devant Michael, commença à scier la chaîne qui lui entravait la cheville. Le métal était épais, rendant la

431

progression péniblement lente. Il faisait encore plus chaud que dans un sauna. Max avait du mal à respirer.

— Tu es resté ici tout le temps ?

Michael hocha la tête.

Pendant que Max poursuivait sa tâche fastidieuse, au rez-de-chaussée, George Camron entra au Eager Beaver.

Le colonel T vit deux choses presque simultanément : le signal de l'inspecteur Bernstein, lui indiquant que l'endroit était bel et bien piégé à l'explosif, et George Camron qui payait sa course en taxi.

— On l'arrête, colonel ?

— Vous avez vu le signal de l'inspecteur. C'est trop risqué.

— Alors, qu'est-ce qu'on fait ?

— Ce qu'on fait ? répéta le colonel.

— Nous attendons vos ordres.

Mais le colonel savait qu'il n'y avait rien à faire. S'ils essayaient de l'arrêter, George Camron risquait de faire sauter tout le bâtiment. L'inspecteur Bernstein devait se débrouiller seul. Le colonel et ses hommes ne purent donc que regarder, impuissants, le tueur à gages pénétrer dans le bar.

Michael n'avait jamais connu un tel état d'épuisement. C'était comme si on lui avait siphonné toute son énergie, ne laissant qu'une carcasse vide. Ses membres étaient pareils à des blocs de plomb, impossibles à bouger. La douleur dans son nez cassé avait fait place à une sensation d'engourdissement presque aussi désagréable.

Pour toute nourriture, son ravisseur ne lui avait donné qu'un morceau de pain par jour. Il avait eu droit à un peu d'eau ; juste de quoi éviter la déshydratation. Le plafond lui paraissait plus bas, les murs plus rapprochés. Le délire avait commencé à s'installer. Michael avait envie de hurler.

Puis Max avait ouvert la porte.

Au début, Michael avait cru à une hallucination. Encore maintenant, la pièce lui paraissait irréelle. Des sons étranges semblaient venir de l'intérieur même de sa tête – le bruit de la scie qui attaquait le métal, le tic tic tic de la bombe, alors même qu'il ne s'agissait pas d'une bombe à retardement. Tic tic tic.

Boum !

— Max ?

— J'y suis presque, Michael. Tiens bon.

— Sara ?

— Elle va bien.

— Notre enfant ?

— Bien à l'abri dans son ventre. Tu la retrouveras bientôt.

Une fois encore, Michael essaya de se concentrer sur le visage de Max. Visage émacié. Long nez. Rasé de frais.

— Et ta moustache ?

— Je l'ai rasée. Ça y est presque, Michael… C'est bon !

La chaîne se rompit.

— Tu peux marcher ? demanda Max.

— Bien sûr.

Michael réussit à se mettre à genoux avant que sa tête commence à tourner, comme un avion qui pique du nez.

— Appuie-toi sur mon épaule, l'enjoignit Max. On doit se dépêcher.

Avec l'aide de Max, Michael parvint à se lever. Ses jambes flageolaient, mais il réussit à faire un pas.

— C'est bien. On sera bientôt chez nous.

Max fit un pas supplémentaire et s'arrêta brusquement en sentant le contact froid du métal dans son cou.

Avant qu'il ait pu faire le moindre mouvement, un biceps géant lui entourait le front et pressait son crâne contre un torse dur comme du béton. Max était immobilisé, la pointe d'un couteau sur sa gorge.

— Salut, les garçons, dit George. Comment ça se passe ?

21

LE Dr ERIC BLAKE CONSULTA L'HORLOGE MURALE.

Le moment était venu.

Une boule se forma dans sa gorge, qu'il réussit à ravaler. Il remit de l'ordre dans la pile de papiers sur son bureau, aligna ses stylos et se leva. Il vérifia son apparence dans le miroir, resserra le nœud de sa cravate, aplatit ses cheveux à deux mains. Puis il examina son visage un long moment. Quelque chose paraissait changé. Comme si ses pensées avaient fait surface et s'étaient peintes sur ses traits.

Tout ce pour quoi j'ai travaillé, tout ce que je voulais accomplir...

Tout allait-il disparaître ?

Il sortit de sa poche un mouchoir bien plié, se tamponna le front et s'apprêta à rejoindre le labo.

— Bonjour, docteur Blake.

— Bonjour.

Eric tenta en vain de se rappeler le nom de l'infirmière. C'était la plus jeune et la moins expérimentée de l'équipe. Elle avait peu de contacts avec les patients et se voyait confier les tâches les plus subalternes. Une seule infirmière avait eu accès à tous les patients de tous les étages.

Janice Matley.

Dès que le nom se forma dans son esprit, Eric le chassa. Inutile d'y penser à cet instant. Il n'y avait pas de retour en arrière possible.

Il entra dans l'ascenseur et appuya sur le bouton du second. Cherchant une diversion, il parcourut la cabine des yeux et tomba sur la signature du technicien chargé de l'entretien. Le paraphe, illisible, ressemblait plus à un ECG qu'à une signature. Le technicien, décida Eric, aurait pu être médecin.

Une minute plus tard, il arriva devant la porte du labo. Une partie de lui aurait voulu reculer, maintenant que l'heure de vérité était toute proche, mais son corps le propulsa dans la pièce et jusqu'à son casier. Il déverrouilla le tiroir du bas, plongea la main à l'intérieur et en sortit l'échantillon de sang.

Silence.

Son visage ne trahit pas la moindre émotion. Il rangea soigneusement le tube au fond du tiroir qu'il referma à clé. Puis il décrocha le téléphone et composa un numéro à Bethesda, dans le Maryland.

— Dr Raymond Markey, s'il vous plaît, demanda-t-il.

J'ai foiré. Moi. George Camron.

Il avait du mal à y croire, pourtant, il en tenait la preuve entre ses bras. Ils avaient retrouvé Michael Silverman. Merde, ils l'avaient trouvé, lui. Même l'employeur de George ignorait où il retenait Silverman.

Garde ton calme, George. Montre-leur que c'est toi qui commandes.

— Alors, messieurs, commença-t-il, le sourire et la poigne assurés, comment ça va ? Temps splendide, n'est-ce pas ?

— Un peu chaud pour mon goût, George, répondit Max.

Ce type connaît mon prénom !

— J'en suis désolé, répliqua George.

Il s'efforça de garder une voix égale, mais une goutte de sueur dégoulina le long de son cou et dans le col de sa chemise.

— Puis-je savoir à qui je vais avoir l'honneur de trancher la gorge ?

— Inspecteur Max Bernstein. Police de New York. Vous êtes en état d'arrestation pour…

— Je vous en prie, inspecteur !

Un flic ! Alors qu'on aurait dit un étudiant de première année ! George n'en croyait pas ses yeux. Ils avaient envoyé un bleu contre George Camron !

— Je dois vous lire vos droits, poursuivit Max.

— Un geste et vous êtes mort.

Sans faire dévier la pointe du couteau, George relâcha son étreinte et fouilla dans sa poche. Il en sortit ce qui ressemblait à une petite télécommande et la leva devant le visage de Max.

— Vous savez ce que c'est ? demanda-t-il.

— On va regarder la télé ?

— Très drôle, inspecteur.

George n'aimait pas l'attitude de ce flic. Alors qu'il avait un couteau sous la gorge, il réussissait encore à blaguer.

Il sait quelque chose. Tu as fait preuve de négligence...

— Ce bouton, là, dit George en plaçant son pouce dessus pour faire plus d'effet, déclenche le petit explosif, là-haut. Très bruyant, je le crains. Boum !

Cette fois, le flic parut secoué. Son visage devint tout pâle. *Tu fais moins le malin, maintenant, mon gars.*

— Un truc très puissant. On retrouvera des petits morceaux de nous tous jusqu'à Singapour. S'il y a le moindre problème, je fais tout sauter.

Les yeux de Max filèrent dans toutes les directions, à la recherche d'une issue.

— Laissez tomber, Camron, dit-il. C'est fini. La maison est cernée.

— Je n'ai donc plus le choix, dit George d'un ton de regret feint. Je vais être obligé de tout faire sauter.

— Vous mourrez aussi.

— Tant pis.

— Attendez ! cria Max.

La pointe du couteau perça sa peau, et un filet de sang coula sur son cou.

— Quoi ? demanda George.

Max ferma les yeux. Il n'aimait pas les effusions de sang, surtout quand c'était le sien.

— J'ai une idée, dit-il.

— Ah ?

— Disons, une proposition.

— Quel genre de proposition ?

— Des informations en échange de votre liberté. Les charges contre vous seront abandonnées si vous témoignez contre la personne qui vous paie.

George réfléchit à cent à l'heure. Il ne savait pratiquement rien sur son employeur : pas de nom, pas d'adresse, rien. Merde ! Pourquoi ne s'était-il pas renseigné davantage ? Pourquoi n'avait-il pas fait les recherches auxquelles il procédait d'ordinaire ? Idiot ! Encore une foutue erreur.

Qu'est-ce qui n'allait pas, chez lui ?

Il pouvait faire semblant, cependant. Gagner du temps. Inventer un nom. Mais George était réaliste. Les Thaïlandais ne le laisseraient jamais s'en sortir – pas après un incident pareil. Ils n'étaient pas comme les Américains.

— Pas de négociations, répondit-il.

Tel un chirurgien, il gratta la coupure de Max avec la pointe de son cran d'arrêt. Le sang coula de plus belle. Un plan – brillant – commença à prendre forme dans son esprit. Il sourit de toutes ses dents.

— Mais j'ai une autre idée, ajouta-t-il.

— Oui ?

— Je vais sortir d'ici. En échange, je vous garantis que personne ne sera blessé.

Max secoua la tête.

— La maison est entourée de…

— Ne vous inquiétez pas pour ça. Je sais comment sortir. Vous allez attendre cinq minutes. Si vous quittez cette pièce avant, je déclencherai la bombe. Au bout de cinq minutes, vous serez libres de partir.

— Max…, intervint Michael.

C'était la première fois qu'il ouvrait la bouche depuis l'arrivée de George.

— Ne l'écoute pas. Il ment.

439

— Comment savoir si on peut vous faire confiance ? demanda Max.

— Vous avez ma parole.

— Alors, d'accord, mais à une condition.

— Max, écoute-moi. Tu ne peux pas…

— Tu as une meilleure idée, Michael ? Je te rappelle que j'ai un couteau sous la gorge.

George se délectait de ce qu'il entendait.

— On perd du temps. Quelle est la condition ?

— Vous nous donnez des informations avant de partir.

— Non.

— Alors, pas d'accord, dit Max.

— C'est moi qui tiens le couteau et le détonateur…

— Pas d'accord, sauf si vous parlez. Seules les informations m'intéressent. Je me fous de vous arrêter.

George réfléchit au choix qui s'offrait à lui. Après tout, son employeur avait tout fait foirer ; il n'était donc plus tenu de lui être loyal. Pourquoi ne pas parler ? Le flic serait moins tenté d'entreprendre quoi que ce soit s'il avait les renseignements désirés.

De plus, l'inspecteur Max Bernstein n'allait pas vivre très longtemps. Pas plus que Michael Silverman.

— Posez votre question.

— Qui vous emploie ?

— Je ne sais pas. Je reçois des appels anonymes.

— Quel était le but de ces meurtres ?

— Le but ?

— Pourquoi avez-vous pris pour cibles des patients d'une clinique spécialisée contre le sida ?

— Je ne suis pas au courant de ça non plus.

— Allez, George, il va falloir faire un petit effort.

— Je suis un tueur à gages, dit George. Moins j'en sais, mieux je me porte.

— Vous avez bien dû entendre quelque chose.

— Rien.

— Alors, pourquoi avez-vous fait en sorte que les meurtres aient l'air de l'œuvre d'un tueur en série ?

— C'étaient les ordres. On m'a demandé de les massacrer exactement de la même façon – et que ce soit le plus sanglant possible.

— Pourquoi avez-vous abandonné Bradley Jenkins derrière un bar gay ?

— J'ai fait ce qu'on m'a demandé. C'est pour ça qu'on me paie, quoique avec un peu de retard.

Alors même que George parlait, les détails de son plan prenaient forme : dès qu'il serait dans la rue, il ferait partir les explosifs, se débarrassant de Silverman et du flic tout en créant la diversion idéale pour sa fuite.

— Avez-vous tué le Dr Grey et maquillé sa mort en suicide ?

— Oui.

— Pourquoi ?

— Les ordres.

— Toutes les autres victimes ont été mutilées ? demanda Max.

— Oui.

— Aucune n'a été tuée d'une autre façon ?

George poussa un soupir d'impatience.

— Ils ont tous été poignardés, sauf le Dr Grey.

— Et Riccardo Martino ?

— Jamais entendu parler de lui.

— Pourquoi Michael a-t-il été kidnappé ?

George leva les yeux au ciel.

— Comment voulez-vous que je le sache ? Un matin, j'ai reçu un coup de fil me disant d'enlever Silverman avant la fin de la journée. C'est ce que j'ai fait. J'ai graissé la patte d'un ami à la douane, je l'ai embarqué sur un avion-cargo et on est partis… Je n'aime pas me répéter, inspecteur, donc, je vous le dis pour la dernière fois : je ne sais pas, et je ne tiens pas à savoir, pourquoi mon employeur m'a confié ces boulots.

— Quels étaient les derniers ordres ?

— Faire sauter un bâtiment et relâcher Michael Silverman.

— Quel bâtiment ?

— Un entrepôt.

— L'entrepôt de la clinique, intervint Michael. Tout le travail de laboratoire d'Harvey aurait été détruit.

— Bon, je vais vous laisser, déclara George. Mais avant de partir, je dois vous rappeler que j'ai le pouce sur le détonateur. Si vous essayez de jouer les héros, j'appuierai sur le bouton. Et si vous vous attendez à ce qu'un sniper me descende, il a intérêt à ce que je meure instantanément. Sinon, j'appuie. C'est compris ?

Max hocha la tête.

— Bien. Je vais vous lâcher ; vous, ne bougez pas pendant cinq minutes.

George poussa Max, qui trébucha et se retrouva à quatre pattes, mais tourna la tête pour dire :

— Une dernière question…

— Fini, les questions, inspecteur. Adieu. Et n'oubliez pas... le détonateur.

Max fourra la main dans sa botte et en sortit son pistolet. C'était la première fois qu'il faisait ce geste dans l'exercice de ses fonctions, et il fut surpris d'avoir agi si naturellement.

— Les mains en l'air !

George parut amusé.

— Vous plaisantez, inspecteur.

— Placez les mains au-dessus de votre tête.

George éclata de rire.

— Allez-y. Tirez. Et je ferai sauter tout le pâté de maisons.

— Aucun risque.

— Et pourquoi ?

Max sourit.

— Parce que vous avez foiré, George. Encore une fois.

Le sourire disparut du visage de George.

— Qu'est-ce que vous racontez ?

— J'ai désamorcé les explosifs avant votre arrivée.

George en resta bouche bée.

— C'était du travail d'amateur, George. Pas de fil de détente, rien. N'importe quel idiot aurait pu le déconnecter en deux secondes.

George secoua la tête.

— Les Thaïlandais auraient déjà débarqué si c'était vrai.

— Les Thaïlandais ne le savent pas. Je ne voulais pas qu'ils sachent.

— Pourquoi ?

443

— En cas d'assaut, quelqu'un aurait pu être tué. Vous, en particulier. Or je voulais d'abord recueillir vos informations.

— Vous mentez.

— Alors, allez-y. Appuyez sur le bouton. Dès que vous le ferez, j'aurai une raison de vous descendre. Dans les deux cas, vous êtes mort.

Max visa.

— Allez-y. Vous m'avez dit tout ce que vous savez. Vous ne me servez plus à rien. Appuyez.

C'est fini. J'ai merdé complètement...

L'esprit de George se mit à fonctionner à cent à l'heure, cherchant une issue.

— Si je me rends, commença-t-il, est-ce que je serai extradé aux États-Unis ?

— Oui.

Je peux peut-être encore négocier. Les Américains auront besoin que quelqu'un témoigne contre mon employeur. Je détiens des informations précieuses. Ce ne serait pas la première fois qu'ils laissent filer l'exécutant pour attraper le gros poisson...

— Alors, d'accord, dit George, tenez.

Et il tendit le détonateur.

— Il ne sert plus à rien, George. Lâchez votre couteau et posez les mains sur la tête.

Max ouvrit le store. En quelques secondes, les policiers thaïlandais envahissaient la pièce. Ils passèrent les menottes à George et l'emmenèrent. Max se précipita sur le détonateur qu'il ramassa aussi délicatement que s'il s'agissait du cristal le plus précieux.

— Max ? demanda Michael.

— Oui ?
— Tu ne connais rien aux explosifs, si ?
Max ne leva pas les yeux.
— Non, absolument rien.

22

HARVEY CONTEMPLA LA NOUVELLE AUBE qui se levait par la fenêtre de la clinique. Il avait réussi à rattraper quelques heures de sommeil sur le canapé de son bureau la nuit précédente, mais s'était réveillé avec une migraine carabinée. Pourquoi ? Il l'ignorait. L'angoisse, probablement. La patience, indispensable dans son domaine, n'avait jamais compté parmi ses principales qualités. D'autant que les enjeux avaient pris des proportions démentielles. Quelque chose allait se passer aujourd'hui, il en était sûr. Quelque chose de capital.

Lié au paquet de Bruce.

Celui-ci n'allait pas tarder à être livré. Harvey tenta de juguler son malaise. Le colis ne contenait peut-être rien d'important. Bruce avait pu s'envoyer ces dossiers pour une quantité de raisons. Par exemple, il aurait voulu…

Harvey se creusa la cervelle sans rien trouver.

Il se massa les tempes en essayant de se relaxer, mais une autre pensée lui revenait sans cesse à l'esprit, qui pouvait se révéler pire que le paquet de Bruce. Eric Blake avait effectué un prélèvement de sang sur Michael, alors qu'il l'avait formellement interdit. Pourquoi ? Eric avait toujours strictement respecté le protocole et suivi les règles. Pourquoi pas cette fois ?

Autant de questions angoissantes. Dont les réponses pouvaient l'être encore davantage.

Harvey consulta sa montre. Eric ne devrait pas tarder à arriver. Il le confronterait aussitôt.

L'interphone retentit.

— Un colis pour vous, docteur Riker.

— Envoyez-le-moi.

Quelques minutes plus tard, un employé d'UPS entrait dans le bureau. D'une main tremblante, Harvey signa le reçu, verrouilla la porte derrière le livreur et retourna à son bureau. Il sentit son cœur s'accélérer. Sa respiration devenir plus superficielle.

Harvey ouvrit le paquet et commença à en inspecter le contenu.

— Fatigué ? demanda Max.

Michael était couché sur un lit de camp. Quelques heures plus tôt, il était encore prisonnier de George Camron. À présent, Max, un médecin thaïlandais et lui occupaient une section privée à l'arrière d'un jet qui survolait le Pacifique.

— Disons plutôt anxieux.

— Pas étonnant.

Max porta un crayon à sa bouche et entreprit de le mâcher.

— D'un certain côté, c'est aussi bien que Sara n'ait pas été chez vous. Ce n'est pas le genre de nouvelle qu'on a envie d'apprendre par téléphone.

Michael réussit à se redresser et à s'asseoir.

447

— C'est un sacré bluff que tu as tenté tout à l'heure.

— Je n'avais pas le choix, répondit Max. Si j'avais laissé Camron s'enfuir, il nous aurait fait sauter. En plus, ce n'était pas vraiment du bluff. Je voulais juste que ce soit lui qui prenne la décision de vivre ou de mourir. Or Camron ne voulait pas mourir. C'est aussi simple que ça.

Michael hocha la tête.

— Comment va ton cou ?

Max effleura le pansement sur sa gorge.

— La plaie est superficielle. Mais ce n'est tout de même pas beau à voir.

— Tu peux me raconter ce qui s'est passé pendant que j'étais retenu par Camron ?

— Je peux essayer.

— Pourquoi ai-je été kidnappé ?

Max se mit à faire les cent pas dans l'allée étroite. Il raconta tout ce qu'il savait sur l'affaire du Poignardeur de gays. Michael ne le quitta pas des yeux. Son visage ne trahit aucune émotion, même quand il apprit le rôle de son beau-père dans la conspiration de Washington.

— Alors, à ton avis, qui est derrière tout ça ?

— Je ne suis sûr de rien.

— Le groupe de Sanders ? Ils semblent être les suspects les plus probables.

— Oui et non, je n'y crois pas vraiment. Si Sanders avait été prêt à commettre des meurtres pour détruire la clinique, il n'aurait pas eu besoin de toutes ces mises en scène – il lui aurait suffi de supprimer quelques médecins ou de faire exploser le pavillon.

— Les autres – Markey, Jenkins ou mon beau-père – auraient-ils pu agir seuls ?

— Mais pour quel motif ? Mystère.

— Tout à l'heure, tu as parlé de l'ordre des meurtres…

— Ça n'a peut-être aucune importance, mais je bloque sur ce point. Il y avait six patients guéris.

Il prit un bout de papier et se mit à griffonner :

Trian, S.
Whitherson, W.
Martino, R.
Krutzer, T.
Leander, P.
Singer, A.

— Et Bradley Jenkins ? demanda Michael.

— Il n'a jamais été guéri, donc, laissons-le de côté pour le moment.

Max montra la liste de noms.

— C'est l'ordre dans lequel ils sont arrivés à la clinique. Trian, Whitherson et Martino – les victimes du Poignardeur de gays – y ont été admis entre un an et demi et un an avant les trois autres. En fait, c'est Whitherson qui est entré le premier.

— Donc, l'ordre est faux puisque Trian a été tué d'abord.

— Exact, admit Max. Mais la vraie question, c'est : pourquoi les trois premiers patients guéris ont-ils été assassinés et pas les trois autres ?

— Ils l'auraient peut-être été un peu plus tard, fit remarquer Michael. Tu les as peut-être mis à l'abri avant que Camron ait eu le loisir de passer à l'action.

— Peut-être. Mais le commanditaire avait sûrement envisagé cette possibilité. Il devait bien se douter qu'on ferait très vite le lien et que le Poignardeur de gays ne pourrait pas s'en prendre de la même façon aux trois autres, sauf si…

— Sauf s'il ne voulait pas les éliminer tous les six.

— Exactement.

— Alors, qu'est-ce qui distingue les trois premiers patients guéris des trois autres ?

— Bonne question. Essayons de comprendre.

Pendant l'heure suivante, Max compulsa les dossiers d'Harvey.

— Intéressant, dit-il finalement.

— Quoi donc ?

— Trian, Whitherson et Martino ont tous les trois été admis par Bruce Grey.

— C'est important ?

Max haussa les épaules et tourna une page.

— Autre chose ?

— Ton copain Eric Blake a rejoint la clinique après l'admission de Trian, Whitherson et Martino, mais avant l'arrivée des trois autres.

— Je ne vois pas le rapport.

— Moi non plus. Pour l'instant.

— Qui a admis ces trois-là ?

Max consulta les dossiers.

— Harvey.

— Tous les trois ?

— Oui.

— Eric n'a admis aucun patient ?

— Non. Il n'a que le droit d'assister les médecins en chef.

— Autre chose ? demanda une nouvelle fois Michael.

Max continua de farfouiller dans les dossiers.

— Regardons qui s'est occupé de leurs premières analyses sanguines. Voyons… C'est Bruce qui s'en est chargé pour les trois premiers. Théoriquement, ça veut dire qu'Harvey a dû procéder aux examens suivants, pour voir s'ils étaient redevenus séronégatifs.

— C'est le cas ?

Max tourna quelques pages.

— Oui. C'est Harvey qui a procédé aux derniers tests. Maintenant, voyons si Bruce s'en est chargé pour les patients admis par Harvey.

Il fit de nouveau défiler quelques pages avant de refermer les dossiers.

— Alors ?

— Oui, Bruce a procédé aux analyses comme prévu. Ils ont laissé Eric en faire sur Krutzer et Leander par mesure de précaution.

— Donc, tout est normal.

— C'est ce qu'il semble.

Max prit le crayon rongé et commença à rédiger un tableau succinct :

Patients	Premières analyses sanguines	Analyses ultérieures
Trian	Grey	Riker
Whitherson	Grey	Riker
Martino	Grey	Riker
*Krutzer	Riker	Grey
*Leander	Riker	Grey
*Singer	Riker	Grey

* Patients admis après l'arrivée d'Eric Blake.

— Alors, qu'est-ce qui cloche ?

— Rien. Poursuivons.

Michael s'assit sur son lit, sous l'œil réprobateur du médecin thaïlandais.

— Et qu'en est-il des motivations des « associés » de Sanders ?

Encore absorbé par la question des analyses, Max écrivit machinalement les noms sur un autre morceau de papier :

Sous-secrétaire à la Santé Raymond Markey
Sénateur Stephen Jenkins
Dr John Lowell

Le Dr Sombat se leva et s'avança vers eux.

— Excusez-moi, déclara-t-il, mais M. Silverman doit se reposer. Il est encore très faible.

— Ça va, dit Michael.

— Non, le docteur a raison, Michael, dit Max. Repose-toi. Tu as une mine épouvantable.

— Je suis trop énervé.

Le médecin sortit une seringue.

— Ceci va vous aider. Ne bougez pas, s'il vous plaît.

Tandis que Michael s'endormait, Max continua de contempler les trois noms inscrits sur la feuille devant lui.

Markey, Jenkins et Lowell.

On aurait dit le nom d'un cabinet d'avocats new-yorkais.

Sara entra chez elle en s'appuyant lourdement sur sa canne. Elle enclencha le répondeur automatique.

Les deux premiers correspondants avaient raccroché sans laisser de message. Le troisième était Harvey.

— Sara, c'est Harvey. Rappelle-moi à la clinique. C'est… c'est assez important.

Elle tendait la main vers le téléphone quand il sonna.

— Allô, Sara ? C'est Jennifer Riker.

— Bonjour, Jennifer. Comment vas-tu ?

— Bien, merci.

Silence.

— Sara, tu as eu des nouvelles…

— Rien.

— J'aimerais pouvoir t'aider en quoi que ce soit.

— On va le retrouver.

— J'espère que le paquet que j'ai envoyé à Harvey vous sera utile.

— Quel paquet ?

— Harvey ne t'a pas appelée ?

— Il m'a laissé un message, mais je n'ai pas eu le temps de le rappeler. Quel paquet, Jennifer ?

— Bruce s'est envoyé un colis à sa boîte postale en Californie le jour où il s'est suicidé. C'est probablement sans importance, mais…

— Qu'est-ce qu'il y avait dedans ?

— Tout un tas de dossiers médicaux et des échantillons de sang. Harvey a dû les recevoir à l'heure qu'il est.

— Merci d'avoir appelé, Jennifer. Je ne veux pas te presser, mais…

— Je comprends. Bon courage, Sara.

Sara raccrocha puis se dépêcha de composer le numéro de la clinique.

— Dr Riker, s'il vous plaît. De la part de Sara Lowell.

— Il fait ses visites. Voulez-vous que je le bipe ?

— Inutile. Dites-lui que je suis en route.

— Très bien, mademoiselle Lowell.

Sara attrapa sa canne et se dirigea vers la porte.

Aéroport JFK, New York.

Le brigadier Willie Monticelli montra son insigne, monta dans l'avion et se dirigea vers la section privatisée à l'arrière.

— Salut, Tic.

— Bonjour, Willie.

— L'ambulance est là, pour Silverman.

— La presse est au courant ?

— Pas encore. On va l'embarquer sur le tarmac. Il fait nuit noire. Personne ne le verra.

— Vous avez localisé Sara ?

— Elle est à la clinique.

— Vous lui avez parlé ?

— Vous m'aviez dit de ne pas le faire.

Max se mit à faire les cent pas.

— Bien. Je vais accompagner Michael dans l'ambulance.

— Je ne vous le conseille pas, Tic. J'ai reçu un appel du bureau du coroner. Ralph Edmund a des informations cruciales sur Martino. Il vous attend à la morgue.

Max sentit une excitation familière s'emparer de lui. Si ses soupçons concernant les tests de Martino se confirmaient…

— Le Dr Sombat que voici pourra accompagner Michael à l'hôpital. Willie, emmenez-moi à la morgue. Vite.

Willie sourit.

— Pas de problème.

— Et voici, ma petite dame.

— Merci.

Susan paya le chauffeur de taxi. Après une longue (trop longue) coupure, son fils et elle étaient enfin de retour chez eux. En ville. Avec des gens. Dans la vraie vie. Tout ça lui avait manqué, raison pour laquelle ils étaient rentrés deux jours plus tôt que prévu. Vadrouiller dans les bois avait été amusant au début, bénéfique même, mais Tommy et elle s'étaient vite lassés et avaient eu hâte de retrouver la civilisation. L'électricité. L'eau chaude. Les hommes sans barbe. Les femmes aux jambes épilées. La télévision. Un épisode de *La Roue de la fortune*. Un exemplaire de *Cosmopolitan*. Un centre commercial. Une conversation où n'apparaisse pas le mot « muesli ».

Au moins, leur retraite avait produit l'effet escompté. Sans rien d'autre à faire, Tommy et elle avaient bien été obligés d'affronter leurs problèmes, de discuter du suicide de Bruce, de la direction de leurs vies. Les choses n'étaient pas encore parfaites, mais au moins étaient-ils revenus à des relations à peu près normales. Tommy ne lui reprochait plus la mort de son père, c'était déjà ça.

Si seulement j'arrivais à arrêter de culpabiliser...

Tommy empoigna la valise de sa mère.

— Je m'en occupe, m'man, dit-il.

Son sourire, si semblable à celui de son père, lui serra le cœur.

Pourquoi, Bruce ? Tu n'étais pas du genre suicidaire. Pourquoi te donner la mort ? Pourquoi priver ton fils de son père ?

Susan s'était posé ces questions des milliers de fois, sans pouvoir y apporter de réponses. Elle ne saurait sans doute jamais, et pouvait seulement espérer qu'un jour elle cesserait de s'interroger et reprendrait le cours de sa vie.

— Jennifer ? appela-t-elle dès qu'elle pénétra dans l'appartement.

— Susan ? C'est toi ?

— On est rentrés un peu plus tôt ! Les bois commençaient à nous taper sur les nerfs. Quoi de neuf dans le monde civilisé ?

Jennifer ne répondit pas, mais sortit de la cuisine pour venir les accueillir. Susan eut un choc en voyant le visage livide de sa sœur, ses yeux cernés, comme si elle n'avait pas dormi depuis des semaines. Elle semblait fragile et très fatiguée.

Dans sa main gauche, elle tenait une enveloppe blanche.

— Jen… ?

— Ceci est arrivé pour toi, dit-elle.

Susan prit l'enveloppe et dut retenir un cri en reconnaissant l'écriture.

23

SARA FRAPPA.

— Entrez ! s'écria Harvey.

En pénétrant dans le bureau, elle fut une fois de plus accueillie par le sourire las d'Harvey.

— Bonsoir, Sara. Tu as des nouvelles de l'inspecteur Bernstein ?

— Pas encore. J'ai entendu ton message sur mon répondeur. Tu voulais me parler du paquet envoyé par Bruce ?

— Tu as eu Jennifer au téléphone ? demanda Harvey.

— Il y a une heure. Tu l'as reçu ?

— C'est arrivé ce matin.

— Et ?

— Je ne comprends toujours pas. J'ai passé des heures à tout examiner, et je ne sais toujours pas qu'en penser.

— Je peux voir ?

Il lui tendit une pile de papiers.

— Tiens. Il y a six dossiers.

— Ceux des patients guéris ?

— Oui. Il y avait aussi six cylindres de polystyrène contenant deux échantillons de sang par patient,
marqués A et B.

Elle parcourut les informations concernant Trian
puis Whitherson.

— La mention, à la fin, ça veut dire quoi ?

— « ADN A vs B » ? Moi aussi, je trouve ça
bizarre.

Elle feuilleta les autres dossiers.

— Ils terminent tous ainsi.

— Je sais. J'imagine que A et B se réfèrent aux
échantillons de sang. Mais je ne vois pas le rapport
avec l'ADN.

Sara ferma les yeux. Un souvenir lui revenait.

— Tu te rappelles le meurtre de Betsy Jackson, il
y a deux ans environ ?

— Le type qui avait tué sa femme avec un couteau
de boucher ?

— Oui. L'affaire a fait les gros titres, parce qu'on
a eu recours à des tests ADN. Du sang du groupe B-
avait été retrouvé sur le lieu du crime – le groupe du
mari de la victime, Kevin Jackson. Mais son avocat a
fait valoir que le groupe B- était très répandu.

— Je m'en souviens. Les tests ADN ont prouvé
qu'il s'agissait bien du sang du mari.

— Oui. Son avocat a essayé de contester la vali-
dité des analyses, mais la partie civile a apporté la
preuve que le test ADN était fiable à 99,7 pour cent.

— Bon, et quel rapport avec Grey ?

— Imagine que Bruce ait voulu comparer les
deux échantillons de sang du même patient pour voir
s'ils correspondaient.

— Pourquoi ?

— Je ne sais pas. Il avait peut-être des raisons de penser qu'ils ne correspondraient pas. Il soupçonnait peut-être une manipulation…

— Pas si vite, Sara. Je t'ai expliqué, ainsi qu'à l'inspecteur Bernstein, qu'on était toujours deux à travailler sur les analyses sanguines. Il n'y a pas de manipulation possible.

— Oui, mais tu oublies une chose : Eric a fait une prise de sang à Michael à ton insu. Qui dit qu'il ne l'a pas fait avec d'autres patients ? Et de même pour Bruce…

— Dans quel but ?

— Je l'ignore, mais il y a sûrement un lien. Un, Bruce s'envoie à lui-même des échantillons de sang avec des instructions concernant des tests ADN. Deux, Eric fait un prélèvement sur Michael en contrevenant à tes ordres.

— Tu sous-entends qu'Eric a quelque chose à voir là-dedans ?

— Je ne sous-entends rien du tout, dit Sara. La seule chance de savoir, c'est de faire ces tests ADN sur ces échantillons. Où sont-ils ?

— Au labo.

— Eric a une clé ?

— Évidemment.

Sara sentit une sueur froide lui parcourir le dos.

— Eric est à la clinique actuellement ? demanda-t-elle d'une voix sans timbre.

— Oui.

— Tu l'as vu ?

— Il y a un petit moment. Pourquoi ?

— Tu lui as demandé pourquoi il avait fait une prise de sang à Michael sans ton autorisation ?

— Il m'a dit qu'il en avait besoin pour une vérification par rapport au traitement, c'est tout.

— Et tu l'as cru ?

— Pourquoi je ne l'aurais pas cru ?

— Il avait déjà fait une chose pareille ?

— Non, jamais.

Sara se leva.

— On doit aller au labo !

— Pourquoi ?

— Eric pourrait être en train de détruire les preuves.

— Les preuves ? Mais, Sara, de quoi tu parles ?

— Des échantillons de sang. Pourquoi Bruce les aurait-il envoyés quelques heures avant d'avoir été assassiné, s'ils n'étaient pas importants ? Harvey, écoute-moi : quelqu'un a tué Bruce pour s'en emparer.

Harvey ouvrit la bouche pour répondre, puis la referma.

— Bon sang !

Il se leva et se précipita vers la porte.

— Eric est au labo en ce moment même.

Penché sur un cadavre, Ralph Edmund croquait dans un sandwich grec au moment où Max se précipita à la morgue.

— Willie m'a dit que vous vouliez me voir ?

Ralph leva les yeux. De la sauce s'échappa du pain pita, dégoulina sur ses mains gantées et le long de ses bras.

— Passez-moi une serviette, Tic, s'il vous plaît.

— Elles sont où ?

Il fit un mouvement avec son coude.

— Là, dans le tiroir du bas. Vite, avant que ce truc tombe dans les intestins du gars.

Max alla chercher des serviettes qu'il passa à Ralph en évitant de regarder la forme inerte sur la table d'autopsie. La présence de cadavres le mettait toujours mal à l'aise, et un simple coup d'œil là, en bas, présentait le plus souvent une surprise désagréable. Une victime d'accident au visage broyé. Un sans-abri rongé par les rats. Un nourrisson tombé du quatrième étage.

— Tenez-moi ça.

Ralph lui tendit le sandwich et attrapa les serviettes.

— Écoutez, Ralph…

— Une seconde !

Le coroner s'essuya les mains et les avant-bras, changea de gants et récupéra son sandwich.

— Merci.

— Willie m'a dit que vous aviez les résultats des analyses de Riccardo Martino, insista Max.

— Quand vous m'avez demandé de pratiquer ce test, je n'ai pas compris pourquoi. Il était clair que la mort de Martino n'avait rien à voir avec le sida.

— Je sais.

— Mais quand j'ai vu le reportage à la télé, l'autre jour, et entendu que Martino et deux autres gars porteurs du virus du sida étaient redevenus séronégatifs, je me suis dit que vous aviez une idée derrière la tête.

— Ralph, je n'ai pas beaucoup de temps. Martino était-il séronégatif, oui ou non ?

Ralph sourit.

— Non.

— Vous en êtes sûr ?

— Aussi certain que le test de Martino est positif. J'ai fait deux Western-Blot et deux tests Elisa pour plus de sûreté. Si Martino était guéri du sida, ses analyses ont une drôle de façon de le montrer. Je peux aussi vous dire que son taux de lymphocytes T était dangereusement bas.

— Ce qui veut dire que…

— Riccardo Martino avait le sida.

Max sentit ses jambes chanceler.

— Où est le téléphone ?

— Là-bas.

Max s'y précipita et appela le Dr Zry qui s'occupait des trois patients cachés en lieu sûr.

— Allô ?

— Vous avez reçu les résultats des tests ?

— Oui, ils correspondent.

— Les trois patients sont guéris ?

— Oui. Ils sont séronégatifs.

— Vous êtes sûr ?

— Certain. Krutzer, Leander et Singer sont tous les trois guéris. C'est un miracle, Tic.

— Ils vous paraissent comment ?

— En bonne santé, mis à part quelques effets indésirables du SR1.

Max raccrocha, l'esprit en ébullition. Des éléments épars tourbillonnaient dans sa tête, mais pour la première fois il était capable de les hiérarchiser et d'assembler ceux qui étaient importants. Les analyses sanguines. Les patients de Grey. Ceux de Riker. Eric. Sanders. Le père de Sara. La séropositivité de Martino. La séronégativité des trois autres.

Les analyses sanguines…

Max se remémora l'historique médical des patients. Puis il sortit le tableau qu'il avait dressé dans l'avion :

Patients	Premières analyses sanguines	Analyses ultérieures
Trian	Grey	Riker
Whitherson	Grey	Riker
Martino	Grey	Riker
*Krutzer	Riker	Grey
*Leander	Riker	Grey
*Singer	Riker	Grey

* Patients admis après l'arrivée d'Eric Blake.

Max reposa le papier. Il avait l'impression d'essayer de lire l'étiquette d'un disque tournant sur une platine. Michael qui doit servir de cobaye à Markey. Sara qui croise Eric Blake la nuit de l'enlèvement. Elle remonte dans la chambre. Dépose un document pour Eric. Manque déjouer les plans de Camron et de son commanditaire. George Camron qui se plaint d'avoir été payé avec du retard...

— Oh, non.

Une vague de peur déferla sur lui.

— Cette affaire de Poignardeur de gays devient de plus en plus bizarre, pas vrai, Tic ? fit remarquer Ralph.

Max secoua doucement la tête.

— Non, Ralph. Pour la première fois, ça commence à s'éclaircir.

Le coroner engloutit la fin de son sandwich et se lécha les doigts.

— Vous savez qui a tué ces types ?

Max hocha la tête et se précipita vers la porte.

— Je le sais, oui.

La jambe de Sara l'élançait alors qu'elle essayait de rester à la hauteur d'Harvey. Son cœur s'emballait, mais plus à cause de la peur que de l'effort.

Arrivé devant le labo, Harvey trouva la porte verrouillée.

— C'est normal ? demanda Sara.

— Pas si Eric est au labo, non.

Il sortit sa clé, l'introduisit dans la serrure, et la porte s'ouvrit avec un grincement sinistre.

— Eric ? appela-t-il.

Pas de réponse. Les stores étaient baissés et la lumière éteinte. Harvey appuya sur l'interrupteur, et la pièce s'éclaira d'une lumière fluorescente. Il se précipita vers une paillasse dans un coin.

— Merde !

— Qu'y a-t-il ?

— Les échantillons ont disparu. Je les avais laissés là.

Il chercha sous la paillasse et aux alentours. Rien.

— Va voir dans la pièce réfrigérée, dit-il. Je vais inspecter le casier d'Eric.

— Je croyais que tout était fermé à clé.

— Je vais défoncer ce foutu machin !

Sara passa devant plusieurs paillasses, où becs Bunsen et éprouvettes à l'ancienne côtoyaient microscopes ultramodernes et autre matériel high-tech.

À l'autre bout de la pièce, Harvey avait déniché une règle en métal et s'attaquait au tiroir supérieur du meuble d'Eric, grognant dans l'effort.

Un courant d'air glacé balaya Sara quand elle ouvrit la porte de la salle réfrigérée. Elle s'avança et jeta un coup d'œil à l'intérieur.

Son cri resta bloqué dans sa gorge. Elle demeura comme paralysée, les yeux écarquillés.

Le corps ensanglanté d'Eric Blake était recroquevillé par terre devant elle.

Un long moment passa avant qu'elle s'arrache au spectacle macabre et se retourne vers Harvey. Il lui faisait face, un pistolet braqué sur elle. Son visage ne trahissait nulle surprise ou panique – on n'y lisait que l'épuisement, l'irritation et la défaite. Harvey poussa un gros soupir, verrouilla la porte du labo et tenta de sourire.

— Je n'ai pas eu le temps de le déplacer, dit-il en guise d'explication.

24

SUSAN GREY GARDAIT LES YEUX FIXÉS SUR SON NOM, écrit de la main familière de Bruce. Ses genoux tremblaient.

— Regarde l'autre côté, dit Jennifer d'une voix atone.

Susan retourna l'enveloppe :

À OUVRIR APRÈS MA MORT

Elle se laissa lourdement tomber sur le canapé, le regard rivé à l'enveloppe.

— Maman…

— Viens avec moi, Tommy, dit Jennifer en entraînant l'enfant. Allons dans la cuisine.

Une fois seule, Susan retourna encore l'enveloppe :

SUSAN

Son défunt mari avait écrit son nom en grandes lettres capitales. L'écriture familière lui déchira le cœur. Elle pouvait regarder des photos de Bruce, entendre sa voix sur une cassette, même le voir sur une vidéo. Mais l'écriture était quelque chose de si personnel, de si intime, qu'elle dut regarder un instant ailleurs.

Enfin, elle déchira l'enveloppe, sortit plusieurs feuilles de papier et se mit à lire.

Chère Susan,

Si tu lis cette lettre, c'est que mes soupçons étaient fondés. Au cours des dernières semaines, j'ai espéré être en train de devenir paranoïaque ou même fou. Tout plutôt qu'avoir raison. J'hésite d'ailleurs à t'envoyer cette lettre, parce qu'en le faisant je te mets en danger. Quelqu'un est prêt à tuer pour mettre la main sur ce qui se trouve dans cette enveloppe. Quelqu'un a déjà tué deux fois (trois fois, maintenant que je suis mort) à cause de ce qui se passe à la clinique.

J'aurais voulu pouvoir te donner des conseils sur ce que tu dois faire du contenu de ce paquet, mais je ne peux pas. J'aurais probablement dû aller voir le NIH ou alerter les médias, mais j'ai eu peur des conséquences. J'ai cru pouvoir m'en occuper seul. Apparemment, j'ai eu tort. Mais si j'étais allé trouver la presse, j'aurais fait le jeu de nos ennemis, les extrémistes qui veulent supprimer tous les fonds alloués à la recherche contre le sida. À présent, c'est à toi de prendre la décision.

À quel moment les choses ont-elles déraillé ? Je ne sais pas. Quand ai-je conçu mes premiers soupçons ? Là encore, difficile à dire : peut-être après le premier meurtre, celui de Scott Trian, mais plus probablement après que Bill Whitherson a eu subi le même sort. Harvey et Eric avaient peur que quelqu'un s'en prenne à nos patients guéris. Autre chose me troublait cependant : la dégradation soudaine de l'état de santé de Trian et Whitherson. Nous avons tous considéré qu'ils subissaient les effets indésirables du SR1, mais si ce n'était pas le cas ? Si c'était lié au sida ?

À présent qu'ils étaient morts et enterrés, il n'y avait plus moyen de vérifier. J'ai abordé la question avec Harvey, qui m'a envoyé promener, ce qui ne lui ressemble pas. Plus j'insistais, plus il devenait hostile. « De quel bord es-tu ? me rétorquait-il. Si tu penses que le traitement ne marche pas, va refaire les analyses de Krutzer, Leander et Singer. »

C'est ce que j'ai fait. Et j'ai été soulagé de voir qu'ils étaient séronégatifs. Mais ils n'avaient pas été traités aussi longtemps que Trian et Whitherson. Ça me turlupinait. J'ai pensé en reparler avec Harvey, puis décidé qu'il valait mieux ne pas le faire. Il était dans tous ses états à cause des coupes budgétaires prévues. Les membres du comité allaient se jeter sur nous comme des vautours sur un animal blessé. La compétition pour obtenir des subventions est invraisemblable. On passe plus de temps à essayer de sauvegarder nos crédits qu'à soigner les malades – c'est une honte, mais c'est la vérité.

J'ai décidé de faire une prise de sang à Riccardo Martino, à l'insu d'Harvey, et de procéder à des analyses (voir le paquet joint). Quand j'ai eu les résultats du Western-Blot et du test Elisa, j'ai eu un choc. Martino était séropositif. Il avait le sida. Paniqué, je me suis précipité vers le bureau d'Harvey pour lui annoncer la nouvelle. Puis quelque chose m'a retenu. J'avais toujours été intimidé par le dévouement total d'Harvey, mais pour la première fois j'avais littéralement peur de lui. Les autorités étaient sur le point de fermer le robinet financier, et je savais qu'Harvey aurait fait n'importe quoi pour que la clinique continue de fonctionner. Jusqu'où était-il capable d'aller ?

Je suis entré calmement dans son bureau et lui ai demandé quand il comptait procéder à de nouveaux tests sur Martino. Il m'a répondu que les résultats devraient être prêts le lendemain. Inutile de te dire que je n'ai pas dormi de la nuit. Dès que je me suis réveillé, j'ai foncé au labo, trouvé le numéro de code de Martino et regardé les prélèvements de sang. Imagine ma surprise quand j'ai découvert qu'aussi bien le Western-Blot que le test Elisa montraient Martino séronégatif.

Comment était-ce possible ? L'un des tests était-il faux ? Le SR1 marchait-il finalement ? Était-ce une guérison définitive, ou seulement temporaire ? Et qu'en était-il des meurtres de Trian et Whitherson ? S'agissait-il d'un complot pour détruire la clinique ? D'une terrible coïncidence ? Ou y avait-il autre chose ?

D'un autre côté, j'avais fait moi-même des analyses sur Krutzer, Leander et Singer, et tous trois étaient guéris. Il n'y avait aucun doute là-dessus. De quoi soupçonnais-je Harvey exactement ? D'avoir falsifié les données de certains patients et pas d'autres ? Ça n'avait pas de sens. De plus, c'était Winston O'Connor qui s'occupait de la plupart des tests. Parfois Eric. Harvey, lui, faisait très peu de travail de laboratoire.

Ça m'a pris un certain temps, mais j'ai fini par comprendre ce qu'il fabriquait. Les preuves des crimes d'Harvey sont dans le paquet joint.

Mon avion arrive à destination. Au risque de paraître mélodramatique, je ne sais pas ce qui va se passer une fois que j'aurai atterri. Je vais donc t'épargner les longues explications et te donner quelques instructions spécifiques. Dans l'enveloppe, tu trouveras mes notes personnelles sur chaque patient. J'ai récupéré des échantillons de sang dans notre entrepôt de Bangkok. Selon les règles de la clinique, tous les prélèvements, une fois analysés, sont conditionnés soit par Eric soit par O'Connor et envoyés là-bas. Tu verras qu'il y a deux échantillons par patient, étiquetés A et B. L'échantillon A a été prélevé à l'arrivée de chaque patient (donc séropositif). L'échantillon B a été prélevé après guérison (donc séronégatif). Tu dois trouver quelqu'un de confiance pour procéder à des tests ADN sur les deux échantillons. S'ils ne correspondent pas, l'évidence s'imposera.

L'avion a atterri. J'ignore si Harvey agit seul ou non. Je ne peux pas croire qu'il ait massacré Trian et Whitherson de ses propres mains, donc je suppose qu'il a des complices. Je suis sûr qu'il est après moi. Je vais me cacher ce soir. Demain, je le confronterai à la clinique, devant témoins, et je serai en sécurité. Si tu es en train de lire cette lettre, c'est que j'ai fait une erreur quelque part. Sache que je t'aime, Susan, et que je suis désolé du mal que je t'ai fait. Dis à Tommy que son père l'aime et qu'il sera toujours avec lui.

Adieu, Susan,
Bruce

Pendant un long moment, Susan resta là sans bouger.

— Jennifer ? appela-t-elle enfin.

Sa sœur la rejoignit dans le salon.

— Dans sa lettre, Bruce parle d'un paquet.

— Je l'ai envoyé à Harvey hier. Il pensait que ça pouvait être important.

Susan se leva d'un bond.

— Quelqu'un d'autre est au courant ?

— Uniquement Sara. Elle est avec Harvey en ce moment.

— Je suis vraiment désolé, Sara, dit Harvey, faisant passer le pistolet de sa main gauche à sa main droite. Je ne voulais pas te faire de mal.

Sara le contemplait avec un mélange d'incrédulité et de dégoût.

— Toi ? C'est toi qui as assassiné tes patients ?

— Non, pas assassinés. Sacrifiés. Je ne suis pas un monstre, Sara.

Elle désigna le corps derrière elle.

— Va dire ça à Eric.

Il sourit de son sourire las.

— Tu ne comprends pas.

Comme elle se taisait, il poursuivit :

— Dès le début, ça a été un combat impossible. Des gens puissants ont essayé de nous détruire. Tu n'imagines pas à quel point on a dû se battre pour obtenir les premiers financements.

La voix de Sara, quand elle finit par parler, était caverneuse.

— Tu as assassiné tes propres patients ?

— Ils étaient déjà en train de mourir.

— De quoi ?

— Du sida.

— Je croyais qu'ils étaient guéris.

— Non, dit-il avec un sourire triste. Je t'en prie, Sara, tu me connais depuis longtemps. Je ne suis pas mauvais. Je veux que tu comprennes avant…

— Avant quoi ?

— Désolé, j'aurais voulu que ça se passe autrement, mais je n'ai pas le choix. Dès que Jennifer t'a parlé du paquet de Bruce, ton sort était scellé. Je n'aurai pas de mal à la convaincre que l'enveloppe de Bruce n'a aucun rapport avec le Poignardeur de gays. Mais toi, tu aurais insisté pour faire les tests ADN.

— Tu vas me tuer.

Ce n'était pas une question.

— Tu devras être sacrifiée, oui.

— Et tu vas tuer notre bébé.

Il grimaça.

— J'aurais aimé ne pas y être obligé. Vois-tu, Sara, le sida est une maladie qui ne ressemble à aucune autre. Pendant une minute, le monde entier se concentre dessus ; la minute d'après, tout le monde s'en fout. J'ai dû trouver un moyen de maintenir l'intérêt.

— Le SR1 ne marche pas, c'est ça ? Il n'a jamais marché. Tout ça n'était qu'un mensonge.

— Il a parfaitement marché au cours des tests sur les animaux. Même la FDA l'a admis. Le problème, c'est que nous n'avons pas encore réussi à le rendre efficace sur les humains. Mais c'est juste une question de temps avant…

— Donc, Michael est condamné ?

Il secoua la tête.

— Je suis si proche du but, Sara, si proche ! J'avais seulement besoin d'un tout petit peu plus de temps pour améliorer la formule. Mais notre subvention n'allait pas être renouvelée. Sanders et ses associés allaient y veiller. On allait nous supprimer nos financements. Je devais trouver un moyen pour les pérenniser.

— Donc, tu as prétendu avoir découvert un traitement.

— C'était facile, c'est moi qui ai fait les analyses sanguines de Trian, Whitherson et Martino. Il m'a suffi de remplacer leurs échantillons de sang par ceux de personnes séronégatives.

— Alors, quel besoin as-tu eu de les tuer ?

— Ils étaient en train de mourir. Grâce au SR1, ils ont connu une rémission temporaire, mais ensuite le traitement a accéléré leur dégradation. Pendant un temps, j'ai prétendu que ça faisait partie des effets indésirables du traitement. Puis il a fallu que je me débarrasse des preuves. De toute façon, le virus du sida les aurait tués en un mois ou deux.

— Donc, tu les as fait assassiner.

— J'ai seulement accéléré l'inévitable. Je l'ai fait pour eux, Sara, pas pour moi.

— Pour eux ? C'est pour eux que tu les as privés de leurs derniers mois de vie ?

— Je ne voulais pas qu'ils meurent en vain. Je voulais que leur mort ait un sens, qu'elle serve à la lutte contre le sida.

— Mais qu'est-ce que tu racontes ?

Les yeux d'Harvey étincelaient.

— La publicité, Sara. La presse ne s'intéresse pas longtemps aux avancées médicales, mais donne-leur un Poignardeur de gays et tu obtiens une couverture

nationale. Regarde le reportage de *NewsFlash*.
Parker a consacré plus de temps aux meurtres qu'à la
recherche contre le sida. Les meurtres ont remué les
foules d'une manière dont aurait pu s'enorgueillir
Sanders. Depuis l'émission, les dons n'ont cessé
d'affluer, non seulement parce qu'on est près de
trouver un traitement, mais parce que les gens sont
scandalisés par ces assassinats.

Sara s'agrippa à sa canne.

— Tu es un grand malade !

— Non, Sara, je suis rationnel. Je raisonne en
termes de coûts et de bénéfices. Trian, Whitherson et
Martino allaient connaître une agonie atroce et
douloureuse à cause du sida. Au lieu de quoi, ils sont
morts sans douleur en concourant à la recherche d'un
traitement.

— La torture et la mutilation, tu appelles ça une
mort sans douleur ?

Le sourire d'Harvey s'évanouit.

— Ça n'aurait pas dû arriver. C'est la faute du
tueur. Dès que je l'ai su, j'y ai mis un terme. C'était
une erreur.

— Et Bruce et Janice étaient aussi des « erreurs » ?

— Je ne leur voulais aucun mal. Bruce a découvert la vérité. Il fallait le faire taire. Et George a été
obligé de supprimer Janice quand elle l'a surpris près
de la chambre de Michael. Il s'agit d'accidents. Je les
regrette plus que quiconque. Je n'en dors plus la nuit.
Mais je dois oublier ma douleur. Quand je pense à
mon objectif, Sara, quand je pense à la possibilité de
guérir le sida, la vie de quelques-uns ne compte pas.
Il ne s'agit pas de sauver quelques centaines de vies.
Il s'agit d'en sauver des milliers, voire des millions.

— Donc, ils sont négligeables ? La fin justifie les moyens ?

— Quand la fin est aussi cruciale qu'un remède contre le sida, bien sûr. Tu ne sacrifierais pas une personne pour en sauver un millier ? Si tu pouvais remonter le temps, est-ce que tu ne tuerais pas Hitler pour l'empêcher de tuer six millions de Juifs ?

— Ne compare pas d'innocentes victimes à Hitler.

— Là n'est pas la question et tu le sais. Je parle de vie et de mort. Parfois, des innocents doivent souffrir, ça fait partie de la vie. Est-ce que toute personne généreuse ne voudrait pas se sacrifier pour sauver ses semblables par milliers ?

— Pourquoi as-tu éliminé Bradley Jenkins ? Il ne comptait pas au nombre de tes patients guéris.

— Mais sa santé se dégradait, et pour te dire la vérité, j'avais très peur de la réaction de son père s'il mourait alors qu'il suivait mon traitement. Ç'aurait été désastreux pour la clinique.

— C'est pourquoi tu l'as « sacrifié », lui aussi ?

— Pas seulement.

Harvey prit une profonde inspiration. Il tenta de sourire, mais son sourire n'atteignit pas ses yeux.

— Bradley a été la troisième victime du Poignardeur de gays. La presse avait plus ou moins ignoré les deux premières. Pourquoi ? Parce que Trian et Whitherson n'étaient que deux homosexuels anonymes dont tout le monde se fichait. Il aurait fallu en tuer dix comme eux avant d'attirer l'attention des médias. Mais lorsque le tueur s'en est pris au fils d'un sénateur, lorsque le corps mutilé de Bradley a été découvert derrière un bar gay, là, la presse s'est scandalisée. Tu es journaliste, Sara. Penses-y. Quand la presse a-t-elle commencé à s'intéresser à l'affaire ? Pas avant le meurtre de Bradley. À ce moment-là seulement, la vague de sympathie est née. Je n'ai plus eu qu'à révéler le lien avec la clinique.

— Et c'est là que tu t'es servi de moi.

— Tu m'as aidé à financer la clinique.

— Pourquoi avoir tué Eric ?

— À un moment, il est devenu soupçonneux. Pire, il a eu une preuve grâce au prélèvement de sang sur Michael. J'ai essayé de le raisonner. De lui expliquer pourquoi il fallait en arriver là. Mais il n'a pas voulu m'écouter. Il avait déjà essayé de contacter Markey et s'apprêtait à lui révéler la vérité. Je devais l'arrêter avant que le sous-secrétaire le rappelle.

— Quel rapport avec le sang de Michael ?

Harvey s'avança vers Sara, attrapa un tabouret et se laissa tomber dessus.

— C'est simple. Michael n'a pas le sida.

Le cœur de Sara se contracta dans sa poitrine. C'est à peine si elle put respirer.

— Quoi ?

— Inversion des rôles, Sara. Pour faire croire que Trian, Whitherson et Martino étaient guéris, j'ai interverti leur sang avec du sang sain. Dans le cas de Michael, j'ai fait l'inverse. Il a été diagnostiqué séropositif, mais il ne l'a jamais été.

— Et ses symptômes ? Les maux de ventre, la jaunisse ?

— Oh, Michael souffre bien d'une hépatite. Il n'y a rien de plus facile à inoculer. Il suffit de piquer avec une seringue contaminée. Tu te souviens du jour où il est venu me voir avec la grippe, il y a quelques mois ?

Je l'ai infecté quand je lui ai fait une piqûre à ce moment-là.

— Espèce de salaud…

— Ensuite, j'ai attendu de voir apparaître les symptômes. La transfusion qu'il a eue aux Bahamas m'a donné une excuse pour lui faire passer un test du VIH.

Ses mots bombardaient Sara, mais elle n'avait aucun moyen de s'en protéger.

— Pourquoi…, commença-t-elle, avant que sa voix ne l'abandonne.

— Pourquoi j'ai fait croire que Michael avait le sida ? C'est évident. Pour qu'il l'annonce publiquement. Qu'il alerte des millions de gens qui ignoraient la menace en s'imaginant que c'était une maladie d'homosexuels. Une star du basket comme Michael, beau, populaire et en bonne santé, pouvait attirer l'attention du public. Il pouvait ouvrir les yeux du monde. Son nom seul aurait financé mes recherches pendant des années.

À mesure que sa rage montait, Sara serrait plus fort sa canne.

— Il était ton ami.

— Mais tu ne vois donc pas que j'avais raison ? Michael a accompli ce miracle. Le fait qu'il ait été hétérosexuel et marié à la belle et célèbre Sara Lowell n'y a pas été pour rien, même si Sanders a tenté de noircir sa réputation en manipulant son beau-père.

— Ordure ! s'écria-t-elle. Et ensuite ? Quand avais-tu l'intention de le « guérir » et d'apparaître comme un héros ?

— Pas moi. Jamais moi. Tout était pour la clinique. Pour la recherche d'un traitement contre le sida.

— Comment as-tu pu faire une chose pareille ? Michael t'aimait !

Harvey lui lança un regard étrange.

— Moi aussi, je l'aimais. J'aurais fait n'importe quoi pour lui si je n'avais eu besoin de quelqu'un comme lui. Et réfléchis, Sara. Où est le mal ? Il n'a jamais eu le sida. L'hépatite, quand elle est soignée tout de suite, n'est pas très dangereuse. Sa vie n'a jamais été en danger. Certes, il aurait dû arrêter le basket pendant quelque temps, et après ? Il est à la fin de sa carrière. Et quand bien même, ç'aurait été un petit prix à payer pour un si grand bien.

— Tu es complètement fou.

— Tu ne m'écoutes pas.

— Je ne veux pas t'écouter. Ce que je veux, c'est t'arracher les yeux. Te fracasser le crâne avec ma canne.

Il pointa le pistolet.

— Sara…

— Mon père avait raison en ce qui te concerne. Tu es exactement comme lui – en pire. Aveuglé par ton obsession. Je ne veux plus entendre tes justifications, je veux juste savoir où est mon mari.

Le visage d'Harvey s'assombrit.

— Je n'avais pas prévu de faire enlever Michael. Je pensais le garder à la clinique un mois ou deux, puis l'envoyer en hôpital de jour pour qu'il puisse mener une vie relativement normale. Dans un an environ, quand le vaccin contre le sida aurait été au point, je lui aurais fait passer un test VIH et l'aurais déclaré guéri. Mais des gens se sont mis en travers de mon chemin.

— Qui ?

— Sanders et ses acolytes.

— Qu'est-ce qu'ils ont à voir avec Michael ?

— Après le reportage de *NewsFlash*, tu te souviens que Markey est venu me voir à la clinique ? Les autorités voulaient des preuves de l'efficacité du SR1. Ils ont donc eu l'idée d'utiliser Michael comme cas clinique et de surveiller ses progrès depuis le début. J'ai hurlé que le gouvernement voulait ralentir mes recherches, mais en réalité…

— … tu craignais qu'ils se rendent compte de la supercherie.

— Il suffisait qu'ils fassent un test VIII sur Michael pour que tout mon travail soit détruit. Markey devait m'envoyer ses employés le lendemain. Je n'avais pas le choix. Je devais éloigner Michael. J'ai donc demandé à George de le kidnapper.

— Où est-il maintenant ?

Au lieu de répondre à la question, il baissa les yeux vers son pistolet.

— Je suis obligé de te tuer, Sara. Je suis désolé.

— C'est quoi, ton plan, cette fois ? Comment vas-tu expliquer ma mort et celle d'Eric ?

— Tout simplement. Eric t'a supprimée parce que tu as découvert la vérité le concernant. Puis il a fui. Disparu.

— Quelle vérité ?

— Qu'il était derrière l'affaire du Poignardeur de gays. D'abord, je révélerai l'existence de la conspiration de Sanders. Cassandra, qui sera dévastée par ta mort, s'empressera de collaborer. À partir de là, il ne sera pas difficile de convaincre la presse qu'Eric faisait partie du complot. Les médias vont adorer : Goliath contre David, le puissant gouvernement qui s'en prend à la petite clinique. L'argent va affluer.

Harvey arma le pistolet.

— La police cherchera Eric. Ils finiront peut-être même par le retrouver. Dans ce cas, ils s'imagineront que ses « associés » l'ont éliminé pour le faire taire. Les médias raffolent de ce genre d'affaires.

— Tu ne réussiras jamais à rattacher les conspirateurs aux meurtres.

— Inutile. Les soupçons suffiront.

— Max découvrira la vérité.

— Tu lui accordes trop de crédit, Sara. Toutes les preuves ont disparu. J'ai tué Martino avec une injection de cyanure. Les prélèvements de sang envoyés par Bruce ont été détruits. Il n'y a rien qui me relie aux meurtres… à part toi.

Un million de questions se bousculaient dans l'esprit de Sara, mais une seule importait vraiment :

— Où est Michael ?

— Quand j'ai compris que Bernstein était au courant pour George, j'ai demandé à ce dernier de détruire mes entrepôts à Bangkok.

— Qu'as-tu fait de Michael ?

— Il est mort, Sara. George l'a tué. Je l'ai supplié de ne pas le faire, mais il a raccroché et…

On frappa à la porte du labo.

— Docteur Riker ?

Une infirmière.

— Si tu cries, je la tue elle aussi, dit Harvey, les dents serrées.

Nouveau coup à la porte.

— Docteur Riker ?

— Je suis en plein milieu d'une expérience ! C'est important ?

— Oui, docteur.

— Une seconde.

Il se tourna vers Sara. Ses grands yeux verts ne trahissaient plus que sa peur et une haine sans nom.

— Entre dans la pièce réfrigérée, murmura-t-il.

— Tu as tué Michael.

— Ne m'oblige pas à tuer aussi l'infirmière.

Elle savait que ce n'était pas une menace en l'air.

— Pose ta canne par terre et fais ce que je t'ai dit. Tout de suite.

Sans le quitter des yeux, Sara laissa tomber sa canne et recula lentement. Son pied heurta quelque chose. Elle se rendit compte avec horreur qu'il s'agissait du corps d'Eric Blake.

— La pièce est insonorisée, donc inutile d'essayer de crier, dit Harvey.

Un grand froid enveloppa Sara quand Harvey referma la porte qu'il verrouilla avec un cadenas. Puis il traversa le labo et sortit.

— Que se passe-t-il ? demanda-t-il à l'infirmière.

— C'est Michael Silverman, dit-elle. Il est ici.

— Quoi ?

— Il vient d'arriver de Bangkok.

La sirène hurlait.

— Plus vite, Willie !

— Bon sang, Tic, je ne peux pas pousser les voitures.

— Alors, montez sur les trottoirs !

481

— Tenez, dit Monticelli en lui tendant un stylo. Mâchez votre tétine et racontez-moi ce qui se passe.

— J'ai été idiot, voilà ce qui se passe.

Max jeta le stylo par terre.

— J'ai consacré tant de temps à essayer de trouver qui voulait détruire la clinique que je n'ai pas vu ce qui crevait les yeux.

— C'est-à-dire ?

— Que les meurtres favorisaient la clinique, au lieu de lui nuire.

— Mais qu'est-ce que vous racontez ?

— Je viens d'avoir les résultats des analyses. Martino était séropositif ; Krutzer, Leander et Singer, séronégatifs.

— Je croyais que Martino avait été guéri par ce traitement miracle.

— Le SR1 n'est pas un traitement miracle. Il ne marche pas. Harvey Riker a tout falsifié.

— Le patron de la clinique ?

Max hocha la tête.

— Au début, j'ai soupçonné son assistant, Eric Blake. Mais j'ai eu la preuve que non. Le soir de l'enlèvement de Michael, au moment de quitter la clinique, Sara a croisé Blake. Il remontait déposer quelque chose au labo. Sara lui a proposé de le faire à sa place. Si Eric Blake avait été impliqué dans l'enlèvement, il ne l'aurait jamais laissée remonter.

— Si je vous suis bien, ce Riker a fait croire à tout le monde qu'il avait trouvé un traitement ?

— Exact.

— Mais ce n'est pas lui qui réalisait les tests. Vous m'aviez dit que c'étaient les autres médecins qui s'en chargeaient.

— Oui, selon un système de rotation. Regardez. Les trois victimes des meurtres sont Trian, Whitherson et Martino. Tous les trois ont été admis par Bruce Grey. Grey a procédé à des analyses, conclu qu'ils avaient le sida et les a admis. Puis Riker a pris le relais. Il a effectué personnellement les prises de sang utilisées pour déterminer s'ils étaient guéris. Il a dû envoyer au labo des échantillons différents, appartenant à des gens qui n'ont jamais eu le sida. Évidemment, quand les résultats sont revenus du labo, ils étaient négatifs. Donc les patients étaient « guéris ». Un miracle.

— D'accord, mais Bruce Grey a effectué les deuxièmes analyses de certains patients, non ? Et vous m'avez bien dit que les trois types mis en lieu sûr ont été testés négatifs par le Dr Zry ?

Max sourit.

— Krutzer, Leander et Singer ne sont pas guéris, dit-il, pour la bonne raison qu'ils n'ont jamais eu le sida.

— Quoi ?

— Tous les trois ont été admis par Harvey Riker. Qu'est-ce qu'il a fait ? Il a falsifié les résultats dès le départ, en substituant leurs prélèvements sains par des échantillons de sang infectés par le virus.

— Bon sang de bois ! s'exclama Willie.

— Comme vous dites. Ensuite, Harvey les a probablement infectés avec le virus de la grippe pour qu'ils aient l'air vraiment malades. Quand, plus tard, Grey a refait des analyses, elles se sont révélées négatives. Conclusion : ils étaient « guéris ».

— Incroyable ! Quand avez-vous commencé à comprendre ?

— Quand George Camron s'est plaint d'avoir été payé en retard. Au début, je n'y ai pas prêté attention, puis ça m'est revenu. Pourquoi avait-il soudain été payé ? Comment le commanditaire avait-il soudain trouvé de l'argent ? Puis je me suis rappelé ma première question : À qui profite le crime ? Qui obtient le soutien des médias ? Qui met la pression sur ses ennemis pour garder ses subventions ?

— La clinique.

— Précisément. Tous les dons obtenus après le reportage de *NewsFlash* sont allés directement à la clinique.

— Riker a utilisé cet argent pour payer le tueur ?

— Une partie. Camron m'a aussi dit qu'il n'avait pas tué Martino. Alors, qui ? Riker est le dernier à l'avoir vu vivant. Il a dû lui faire une piqûre de cyanure quelques minutes avant qu'O'Connor ne l'assomme.

— Et vous avez le mobile de tous ces crimes ?

Max réfléchit avant de répondre.

— Un mobile altruiste, quoique complètement tordu : Riker s'imaginait pouvoir guérir le sida. Il voulait absolument conserver les subventions pour sa clinique, mais au bout d'un an il a dû se rendre compte qu'il devait frapper un grand coup pour ne pas perdre son financement. C'est là qu'il a inventé cette histoire de traitement miracle. Mais il savait aussi que Trian, Whitherson et Martino finiraient tôt ou tard par mourir. Donc, il lui a fallu trouver des patients qui résisteraient aux examens. Et c'est à ce moment-là qu'il a admis Krutzer, Leander et Singer.

Willie dépassa une camionnette.

— Jolie théorie, Tic. Vous avez des preuves ?

— J'en aurai. Grâce à l'entrepôt de Bangkok. Tous les échantillons de sang y sont conservés. Il a demandé à Camron de le détruire.

— Sauf que vous avez arrêté Camron avant.

— Le colonel T et ses hommes surveillent l'entrepôt jour et nuit. Quand on analysera les échantillons entreposés là-bas, on se rendra compte que le sang prélevé lors de l'admission des patients n'est pas le même que celui testé plus tard, au moment de la guérison. C'est pour ça que Riker a choisi de les garder là-bas : c'est loin, et Markey et les autorités auraient eu du mal à mettre la main dessus.

— Affaire résolue, donc.

— Je l'espère.

— Vous pensez qu'Harvey se doute que vous l'avez démasqué ?

— Non, je ne crois pas.

— Alors, calmez-vous. On y est presque.

— Oui… mais Sara est toute seule avec lui.

Il faisait tellement froid.

Sara eut beau se recroqueviller, le froid lui traversait la peau pour se loger jusque dans ses os. Elle fut prise d'une quinte de toux. Le corps d'Eric était couché à ses pieds, en position fœtale. Il avait les yeux fermés et le cou transpercé par la balle. Elle se demanda comment Michael était mort. Avait-il été torturé, ou cela avait-il été rapide ? Elle ravala ses larmes et s'efforça de penser clairement. Pour leur enfant, elle devait trouver un moyen de sortir d'ici.

La porte était cadenassée. Rien à espérer de ce côté-là. Son corps tout entier fut secoué par une nouvelle toux. Elle sentait le froid s'installer dans ses

poumons. Ses lèvres tremblaient. Son énergie la quittait. Recroquevillée par terre, elle fit des yeux le tour
de la petite pièce. Les étagères étaient garnies de
matériaux divers : des tubes à essai marqués 87m322,
98k003 ; des vases à bec étiquetés NaOH, SO_2,
H_2SO_4, H_3PO_4, HCI et $CHCl_3$.

Posant la tête sur ses genoux, Sara songea à
Michael et pleura. Jamais elle n'avait connu pareille
solitude, pareil désespoir. Le froid devenait insupportable. Ses doigts s'engourdirent. Ses forces
l'abandonnaient petit à petit. Elle essaya de se
concentrer sur une chanson de Blue Öyster Cult pour
se maintenir éveillée, mais se sentit glisser dans
l'engourdissement.

Harvey n'allait pas tarder à revenir, et tout serait
fini. Michael était mort.

Elle allait bientôt le rejoindre.

Ses paupières s'alourdirent.

25

MICHAEL ÉTAIT TOUJOURS INCONSCIENT quand on le
transporta dans sa chambre du deuxième étage. Le
Dr Sombat expliqua dans le détail à Harvey les
derniers développements.

— Votre inspecteur Bernstein est un homme
courageux, dit le médecin thaïlandais. Il a sauvé la
vie de M. Silverman.

— Le ravisseur a-t-il été arrêté ?

— Oui. Il est en garde à vue.

— Il… il a fait des aveux, ou dit des choses qui
permettraient de résoudre l'affaire ?

— Désolé, docteur Riker, mais je ne possède pas
cette information.

— Où est l'inspecteur Bernstein ?

— Il a été appelé pour une urgence. Il est parti
avec le brigadier Monticelli… S'il n'y a rien d'autre,
je vais retourner à l'aéroport.

— Non, rien d'autre. Merci pour votre aide.

— Je vous en prie. Comment puis-je me rendre à
l'aéroport Kennedy ?

— Demandez à la réceptionniste de vous appeler
un taxi. Et merci encore.

Ils se serrèrent la main et le Dr Sombat prit congé, laissant Harvey seul avec Michael dans la chambre silencieuse et sombre.

— Michael ?

Pas de réponse. Harvey vit que Michael avait le nez cassé et perdu beaucoup de poids.

— Je suis désolé, Michael.

Harvey contempla son jeune ami, couché, vulnérable, dans son lit. Une larme roula sur sa joue. Il se pencha et l'embrassa doucement sur le front. Puis il se retourna pour partir.

— Harvey ?

Michael levait vers lui des yeux fatigués.

— Je suis là, Michael. Tu es revenu.

— Sara ? demanda-t-il dans un murmure.

— Elle est partie quelques minutes avant ton arrivée. Je lui ai laissé un message sur son répondeur.

— Je me sens… faible.

— Je sais. Essaie de te reposer. Je te réveillerai dès que Sara arrivera.

Michael tenta d'acquiescer.

— Max a attrapé le tueur.

— Je sais, répondit Harvey en retournant vers le lit. Dors, maintenant. Tout est rentré dans l'ordre. Tu veux que je te donne quelque chose ?

Michael secoua la tête et ferma les yeux.

Harvey quitta la chambre, traversa le couloir et retourna au labo.

— Je suis désolé, Michael, dit-il à voix haute.

Mais il n'y avait personne pour l'entendre.

Il sortit le pistolet de sa poche et enroula une serviette autour du canon pour servir de silencieux. Précaution inutile, en réalité. La pièce réfrigérée était insonorisée. C'est là qu'il avait tué Eric, et personne n'avait entendu quoi que ce soit.

Comment allait-il se débarrasser des corps ? Il savait d'expérience que les morts étaient lourds. Il devrait les placer dans des sacs en plastique. Puis il informerait les infirmières qu'il s'occuperait personnellement de Michael ce soir et que personne ne devait venir au deuxième étage. Il aurait ainsi la possibilité de traîner les cadavres jusqu'à l'ascenseur, de les descendre au sous-sol, de les sortir par le tunnel qu'avait utilisé George et enfin de les mettre dans le coffre de sa voiture.

Et ensuite ?

Il ne savait pas encore. Leur accrocher des poids aux pieds et les balancer dans le fleuve ? N'était-ce pas ce qu'on fait toujours dans les films ? Il devrait redoubler de prudence. Porter des gants. Nettoyer le labo de fond en comble. Il ne faudrait pas que les flics découvrent un long cheveu blond dans la pièce réfrigérée.

Arrivée devant la porte, il colla l'oreille contre la paroi. Froid. À quoi s'attendait-il ? Idiot.

Arrête de tergiverser, Harvey. Sara doit mourir. Elle serait incapable de garder le silence. Pense à tous ces jeunes gens qui meurent quotidiennement. Aux milliers ou aux millions de personnes que tu pourras sauver d'une mort épouvantable. Pense à ton objectif.

Un monde débarrassé du sida.

Galvanisé, Harvey déverrouilla le cadenas et ouvrit.

Deux étages plus bas, Cassandra sourit au vigile en entrant dans la clinique. Elle était passée prendre des provisions chez le Chinois du coin : travers de porc, poulet du général Tsao, bœuf aux brocolis, tous emballés dans des petites boîtes blanches en carton. Dans le fond du sac, elle trouverait sûrement quantité de sauces sucrées et salées, de la moutarde assez forte pour décoller la peinture, et des oranges, puisque, pour une raison qui lui échappait, les restaurants chinois proposaient toujours des oranges comme dessert.

Cassandra traversa le hall en direction du bureau d'Harvey. Elle ne l'avait pratiquement pas vu ces derniers jours, et il lui manquait terriblement. Il n'avait dû ni dormir ni se nourrir correctement. Entre le rapt mystérieux de Michael, le Poignardeur de gays, et maintenant la conspiration de son père, il y avait de quoi devenir fou.

Cassandra avait donc décidé de faire une nouvelle surprise à Harvey. Au bout du hall, elle frappa à la porte.

— Harvey ?

Pas de réponse. Elle fit demi-tour pour aller se renseigner à la réception. La jeune femme à l'accueil lui rendit son sourire et leva l'index pour lui faire signe de patienter une seconde.

— Je suis désolée, expliquait-elle dans le combiné du téléphone, mais je n'arrive pas à trouver Sara Lowell. Elle est peut-être déjà partie. Oui, madame Riker, vous m'avez dit que c'était urgent, mais… oui, je comprends. Voulez-vous que je bipe le Dr Riker ? Non ? D'accord, d'accord, je ne le ferai pas. Calmez-vous.

Cassandra se pencha en avant.

— Un appel pour Sara ?

La réceptionniste posa la main sur le combiné.

— C'est Jennifer Riker, l'ex-femme du Dr Riker. Elle dit que c'est une urgence.

— Passez-la-moi.

Cassandra prit le téléphone.

— Allô, Jennifer ? Ici Cassandra Lowell, la sœur de Sara. Nous nous sommes rencontrées il y a quelques années...

— Je m'en souviens, coupa Jennifer. Où est Sara ?

— Je ne sais pas, je viens d'arriver.

— Trouvez-la, Cassandra. Elle est en danger.

— De quoi parlez-vous ?

— Je parle de la lettre écrite par Bruce.

Le brigadier Willie Monticelli quitta Henry Hudson Parkway au niveau de la 178ᵉ Rue, parcourut Fort Washington Avenue à fond de train, dépassa Hood Park et prit la 167ᵉ Rue. Puis il tourna à droite dans Broadway, accéléra en passant devant le bâtiment principal de l'hôpital et le centre pédiatrique, et enfin vira à gauche.

Dix secondes plus tard, dans un horrible crissement de freins, la voiture de police s'arrêtait devant l'entrée du pavillon Sidney. Max en avait jailli avant même qu'elle soit complètement immobilisée, suivi de près par Willie. Ils gravirent les quelques marches en sortant leurs insignes. Le vigile s'écarta pour éviter de se faire bousculer.

— D'autres policiers sont déjà arrivés ? s'écria Max sans ralentir l'allure.

— Non, aucun ! cria le vigile en retour.

Max se précipita à la réception.

— Où est Sara Lowell ? demanda-t-il.

La réceptionniste lui lança un regard interrogateur.

— Vous êtes qui, au juste ?

Max brandit son insigne.

— Inspecteur Max Bernstein, police de New York. Où est Sara Lowell ?

— Elle est très demandée aujourd'hui. Vous êtes le deuxième à me poser la question.

— Qui d'autre ?

— Jennifer Riker vient d'appeler. Elle voulait lui parler de toute urgence.

— La femme du Dr Riker ?

— Son ex-femme. Mais comme je n'ai pas réussi à trouver Mlle Lowell, je lui ai passé sa sœur Cassandra.

— Cassandra est ici ?

La réceptionniste haussa les épaules.

— Elle a parlé à Mme Riker, elle est devenue toute blanche puis est partie en courant, sans même avoir la politesse de raccrocher.

— Par où est-elle partie ?

— Elle a pris l'ascenseur et s'est arrêtée au deuxième étage.

Max se tourna vers l'ascenseur. Willie s'y trouvait déjà, maintenant la porte ouverte.

— J'ai un temps d'avance sur vous, Tic.

— Allez, on y va.

Harvey tint le pistolet tout près de lui en ouvrant lentement la porte.

Il avait envisagé la possibilité que Sara tente une attaque futile au moment où il entrerait, mais en

492

regardant autour de lui il comprit qu'il s'était inquiété pour rien.

Sara était avachie dans un coin, les yeux fermés, sa tête, penchée, formant un angle bizarre. Son teint d'ordinaire pâle était livide. Elle avait les lèvres bleues. Elle paraissait minuscule et vulnérable, ainsi recroquevillée dans son coin comme un animal dans une cage.

— Sara ?

Pas de réponse. Sa respiration était laborieuse et irrégulière, ses épaules étaient voûtées, ses bras mous retombaient le long de son corps.

— Sara ?

Toujours aucun mouvement. Un bruit d'étranglement s'échappa de sa gorge. D'un côté, Harvey préférait qu'elle reste inconsciente, mais d'un autre il aurait voulu voir son regard accusateur au moment où il appuierait sur la détente. Cette image ne cesserait ensuite de le hanter : ce serait son châtiment.

Incapable de contempler plus longtemps la forme pathétique de Sara par terre, il tourna le regard vers la rangée de tubes à essai sur l'étagère supérieure. Il était si impliqué dans ses travaux qu'il connaissait tous les numéros de code par cœur. 87m322, c'était Ezra Platt. 98k003, Kiel Davis. Le suivant devait être 39k10, Kevin Fraine.

— Sara ?

Toujours rien. Elle respirait de plus en plus mal. Harvey sentit des larmes lui monter aux yeux mais il les refoula, comme il l'avait fait lorsqu'il avait commandité le meurtre de Bruce. Ses yeux tombèrent sur la rangée de vases à bec : $NaOH$, SO_2, H_2SO_4, ensuite il devait y avoir H_3PO_4 puis…

Où était le HCl ?

Le bras de Sara jaillit comme s'il était actionné par un ressort. Dans sa main, elle tenait le vase à bec rempli d'acide chlorhydrique.

Harvey n'eut pas le temps de réagir. Le liquide l'atteignit en plein visage.

Il hurla.

L'acide attaqua sa chair, déchiqueta sa cornée et ses pupilles, mangea le blanc de ses yeux. La douleur le submergea. Des milliers de flèches enflammées lui transperçaient les yeux.

Il porta d'instinct ses mains à son visage dans une tentative inutile pour réduire la douleur. Sa peau et ses yeux grésillaient, et il sentit l'odeur de brûlé qui se dégageait de sa chair.

Alors que Sara s'efforçait de se mettre debout, elle vit le pistolet échapper des mains d'Harvey et tomber sous une étagère. L'esprit embrumé, elle pensa à le récupérer puis décida qu'il valait mieux s'enfuir.

Avant qu'elle ait pu faire un pas, elle entendit Harvey réussir à proférer ses premiers mots après avoir reçu le jet d'acide. Presque inaudibles au début, ils devinrent de plus en plus sonores à mesure qu'il les répétait, comme un mantra :

— Tu dois mourir, Sara. Tu dois mourir.

L'ascenseur montait avec une lenteur désespérante.

— Vous inspectez le premier étage, dit Max à Willie. Je monte au second. Criez si vous voyez quoi que ce soit.

L'ascenseur s'arrêta au premier. La porte ne s'était pas encore ouverte quand les deux policiers entendirent un long cri primitif.

— Deuxième étage ! s'exclama Max.

Willie appuya frénétiquement sur le bouton du second, mais la course de l'ascenseur était déjà fixée et aucune intervention humaine ne l'en ferait dévier.

Max se précipita hors de la cabine.

— Je prends l'escalier. On se rejoint là-haut.

Willie sortit son pistolet de son étui.

— Compris.

— Tu dois mourir, Sara.

Rassemblant ses maigres forces, Sara passa à côté du corps d'Eric, repoussa Harvey et tituba vers la porte. Même avec le flot d'adrénaline, ses mouvements demeuraient lents. Le froid avait raidi ses membres. Il lui avait fallu tant d'énergie pour envoyer l'acide qu'elle craignait de ne plus en avoir assez pour s'échapper.

Derrière elle, Harvey avait sorti un couteau de sa poche.

— Tu dois mourir. Tu dois mourir…

Sara referma la main sur la poignée de la porte et tourna. Rien. Elle chercha le verrou et l'ouvrit.

C'est alors qu'elle sentit des doigts froids s'enrouler autour de sa cheville. Elle hurla en tentant de se dégager, mais Harvey tira d'un coup et elle s'écroula par terre à côté de lui. Une douleur fulgurante lui remonta le long de la jambe. Elle lui assena des coups de pied, mais Harvey ne parut pas s'en apercevoir. Il était au-delà de la douleur, au-delà de toute forme de rationalité. On aurait dit un robot programmé pour tuer. Pour la faire taire. Pour sauver la clinique.

Il la tira par la cheville et l'attira vers lui. Sara tâtonna autour d'elle pour saisir un objet qui aurait pu le ralentir : il n'y avait rien.

— … dois mourir.

Il l'agrippa par les cheveux afin de la faire tenir tranquille et se redressa. Sara serra le poing et le frappa à l'entrejambe. Il la lâcha et vacilla. Aussitôt, elle se releva et se précipita sur la porte qui s'ouvrit.

— Non ! hurla Harvey dans son dos.

Sara s'effondra sur le sol du labo au moment où une voix retentissait :

— C'est fini, Harvey. Lâche ce couteau.

Sara leva la tête, incrédule.

— Michael !

Le couteau à la main, Harvey se tourna dans la direction de la voix. À cause de l'acide, son œil droit était devenu inutile, mais du gauche il distinguait encore des formes. Un homme se tenait à quelques mètres devant lui. Michael ! Et la silhouette derrière lui…

Sa voix tourmentée prononça le prénom.

— Cassandra.

— Lâche ce couteau, répéta Michael. C'est fini.

L'inspecteur Bernstein arriva en courant, suivi du brigadier Monticelli, l'arme à la main. Il le pointa vers la tête d'Harvey.

Celui-ci avait déjà lâché son couteau. Il n'y avait plus rien à faire. Il n'offrit aucune résistance quand le policier le plaqua sans ménagement par terre pour lui mettre les menottes.

De son œil voilé, il vit Michael prendre Sara dans ses bras et la serrer longuement contre lui. Cassandra, elle, n'avait pas bougé. Harvey avait vraiment tenu à elle. Peut-être même l'avait-il aimée. Mais comment lui faire comprendre que son bonheur à lui n'avait aucune importance ? Qu'il n'était plus qu'un outil, une arme dans la guerre contre le sida ? Sa vie personnelle ne comptait pas. Seul Harvey le médecin et le chercheur importait ; Harvey l'homme était une quantité négligeable.

Tandis que ses yeux continuaient de brûler, il réfléchit aux solutions dont il disposait. Il allait engager un avocat, qui s'arrangerait pour repousser le procès aussi longtemps que possible. Quelques mois de liberté, il n'en fallait pas plus pour perfectionner le SR1.

— Vous avez le droit de garder le silence, récitait le policier. Tout ce que vous direz pourra…

Et même s'il allait en prison, rien ne l'empêcherait de travailler sous les verrous, ni de correspondre avec d'autres chercheurs à l'extérieur. Il avait lu quelque part l'histoire d'un médecin à qui c'était arrivé. Il pourrait encore apporter sa contribution, offrir son expérience.

Mais d'abord, trouver un avocat. Un excellent avocat. Voilà ce qu'il allait faire.

Épilogue

Jeudi 9 avril

LENNY PÉNÉTRA DANS LE COMMISSARIAT DE LA 87ᵉ RUE, supportant les habituels regards noirs et les sifflets avec le sourire.

Arrivé à destination, il déclara :

— Enlève ce stylo de ta bouche.

L'inspecteur Bernstein leva les yeux.

— Salut, Lenny.

— Prêt à aller voir Sara et Sam ?

— Je finis, j'en ai pour une seconde.

— Qu'est-ce que c'est ?

— De la paperasse. Je ne fais plus que ça.

— Tiens bon. Quelqu'un doit tracer la voie.

Max se mit à tripoter sa moustache qui avait repoussé.

— Je ne me suis jamais considéré comme un pionnier.

— Parfois, la grandeur vous tombe dessus.

— Plus personne ne m'adresse la parole, dit Max.

— Ah, la solitude du grand homme !

— C'est pas drôle, Len.

— Tu regrettes d'en avoir parlé ?

Max se remémora la conférence de presse sept mois plus tôt. Des journalistes des médias du monde entier étaient là pour couvrir l'arrestation du Poignardeur de gays et les révélations sur la supercherie du SR1. Ce jour-là, Max n'avait pas prévu de dire autre chose que l'habituel « Ç'a été un travail d'équipe », et puis...

Un reporter avait demandé :

— Qu'est-ce que ça vous fait d'être un héros, inspecteur ?

— Je suis seulement content que l'affaire soit résolue.

— Vous vous rendez compte que vous êtes devenu une idole ? Un modèle que les parents citent en exemple à leurs enfants ?

— J'en doute.

— Ne soyez pas si modeste, inspecteur. D'après vous, cette affaire montre-t-elle jusqu'où la communauté homosexuelle est prête à aller pour tromper le public américain ?

— Je ne comprends pas votre question.

— Pensez-vous qu'il s'agisse d'un complot mené par un groupe gay subversif pour obtenir plus d'argent pour le sida ?

— Le Dr Riker a agi seul, il n'y a aucun doute là-dessus, avait répondu Max. De plus, puisque je suis votre héros de la semaine, laissez-moi vous dire que moi-même...

Et il avait craché le morceau.

— Tu regrettes d'être sorti du placard ? demanda Lenny.

Max haussa les épaules.

— Je ne sais pas.

— Tu as fait beaucoup de bien à la cause.

— Ma carrière est dans un cul-de-sac.

Lenny sourit.

— À quelque chose malheur est bon. Prends ton mal en patience.

— Tu as d'autres clichés réconfortants dans ce genre-là ?

— Non. Mais n'oublie pas que, juridiquement, la police ne peut rien contre toi.

— Sauf me cantonner à la paperasserie. C'était à moi de m'occuper de ce tueur du carnaval, mais ils ont mis quelqu'un d'autre sur le coup. Je n'hérite que d'affaires de pédés sans intérêt, parce que, selon le capitaine, c'est mon domaine d'expertise.

— C'est un homophobe d'un autre siècle, dit Lenny. Tu veux qu'on monte le voir tous les deux dans son bureau pour que tu me le présentes ?

Max pouffa.

— Je préfère pas, non.

— Ne t'inquiète pas. Ils finiront par t'accepter. Fais-moi confiance. Le progrès prend du temps.

Max sortit le stylo de sa bouche.

— J'en doute.

— Salut, Tic !

Max se retourna vers Willie Monticelli. Il n'avait pas revu le brigadier depuis des semaines.

— Salut, Willie. Ça fait un bail.

Willie hésita.

— Qui c'est ? Votre petit ami ?

— Lenny, je te présente le brigadier Willie Monticelli. Willie, voici Lenny Werner.

— J'ai beaucoup entendu parler de vous, brigadier.

501

Ricanements parmi les policiers qui se trouvaient autour.

— Ah ? Et qu'est-ce qui se dit ?

— Que vous êtes un bon flic, répondit Lenny.

Willie haussa les épaules.

— Je fais mon boulot.

— Que puis-je pour vous, Willie ?

Une voix dans un coin :

— Fais gaffe à ta réponse, Willie. Tu recevras peut-être plus que tu as demandé.

— La ferme, Owens ! répliqua Willie.

Max tira nerveusement sur sa chemise.

— Alors ?

— J'ai été désigné pour travailler avec vous sur l'affaire du tueur du carnaval. Apparemment, le maire n'est pas content des résultats d'Owens et de ses gars. Il veut qu'on s'y colle.

— C'est vrai ?

— Écoutez, Tic, que les choses soient claires…

Willie remonta son pantalon par la ceinture.

— Je ne suis pas grand amateur de pédés. Mais j'ai vu toutes sortes de flics dans ma carrière, et pas toujours des reluisants… Vous, vous faites ce que vous voulez, je m'en branle. Tout ce qui m'intéresse, c'est de résoudre cette affaire, hein ?

Lenny adressa un sourire à Max.

— Tu vois, il y a des progrès.

— Courrier !

Le gardien lança une enveloppe par les barreaux.

— Tenez, docteur Maboul. Une lettre pour vous.

Le cœur d'Harvey se souleva quand il vit le cachet de Washington. Il déchira l'enveloppe.

Docteur Riker,

Les experts du NIH ont examiné les dossiers que vous m'avez envoyés. Si nous apprécions tous les efforts entrepris pour accélérer la découverte d'un vaccin contre le sida, je suis au regret de vous dire que nous ne vous considérons plus comme un scientifique honorable.

De plus, je ne peux que m'inscrire en faux contre les accusations absurdes et sans fondement que vous proférez dans le courrier que vous m'avez adressé. Je démens catégoriquement l'existence d'une quelconque « conspiration ». Cependant, il me semble que le gouvernement et le mouvement de lutte contre le sida n'auraient rien à gagner à ce que vous rendiez publiques ces allégations mensongères. Pour cette raison, je pense que nous pourrions parvenir à un accord satisfaisant pour tous les deux.

De mon côté, je ferai mon possible pour que vous receviez toutes les informations importantes sur les avancées de la recherche contre le sida au cours de votre incarcération.

De votre côté, vous vous engagerez à ne plus jamais faire mention de ces accusations absurdes et sans fondement. Les hommes dont vous parlez dans votre courrier et moi avons cessé toute relation. Ce qu'ils font ne me concerne pas.

Il est encourageant de voir que certains détenus sont désireux de faire bon usage de leur période d'incarcération tout en payant leur dette à l'égard de la société.

Très cordialement,

Dr Raymond Markey,
Sous-secrétaire à la Santé

Harvey replia soigneusement la lettre. En s'asseyant sur sa couchette, son regard fut attiré par la dernière page du *New York Times*, posé sur le sol de sa cellule. Il avait été tellement occupé à résoudre de nouvelles équations la veille qu'il en avait oublié le journal. Le grand titre lui sauta aux yeux.

DOUBLE VICTOIRE POUR SILVERMAN
RETOUR TRIOMPHAL À LA COMPÉTITION
ET PAPA LE MÊME JOUR

(New York) – Pour la première fois de la saison, des notes de musique classique ont résonné dans les vestiaires des Knicks. Tous n'ont pu que s'en réjouir.

« Vous avez vu sa performance sur le terrain ? s'est exclamé son ami et partenaire Reece Porter, après la rencontre. On a récupéré un Michael au top de sa forme. »

Après une longue maladie, le vétéran et cocapitaine des Knicks, Michael Silverman, a fait un retour triomphal dans un Madison Square Garden plein à craquer, emmenant les Knicks jusqu'à une victoire de 123 à 107 contre les Chicago Bulls.

« Maintenant que les matchs de qualification commencent, on a vraiment besoin de lui, a affirmé le coach Richie Crenshaw. C'est un vrai coup de pouce pour l'équipe. »

« Personne ne croyait qu'il pourrait revenir, a ajouté Jerome Holloway, pressenti pour être sacré meilleur espoir de l'année. Ce soir, il a magistralement prouvé le contraire. »

Mais ce n'est pas tout. Juste après la rencontre, Michael Silverman a appris que son épouse, la célèbre journaliste Sara Lowell, était entrée en salle d'accouchement. L'équipe des Knicks au grand complet a accompagné Silverman à la clinique.

« On a tous arpenté la salle d'attente comme un groupe de futurs papas nerveux », a ensuite plaisanté Porter.

À 11 h 8, fin du suspense. Un Silverman très ému est venu leur annoncer que Sara avait donné naissance à leur premier enfant, un solide petit garçon prénommé Sam, de trois kilos et deux cents grammes.

Harvey reposa le journal et sourit.

Quelle merveilleuse nouvelle.

Puis il se replongea dans ses papiers, pour essayer de comprendre pourquoi le récepteur de lymphocytes ne réagissait pas comme il l'avait prévu.

Peut-être que s'il changeait la composition…

Note de l'auteur

Ce roman est sorti le 24 octobre 1991 – deux semaines avant que Magic Johnson révèle sa séropositivité. Beaucoup de gens m'ont demandé si je savais quelque chose, si j'avais des informations de première main sur sa maladie. La réponse est non. Il existe des similitudes entre le vrai Magic Johnson et le personnage de fiction qu'est Michael Silverman, mais il s'agit d'une étrange et tragique coïncidence.

L'annonce faite par Magic Johnson a changé la vision que le monde avait de l'épidémie de sida. Mais il ne faut pas croire pour autant que la lutte est finie et la bataille gagnée. Je ne suis ni un moraliste, ni un prêcheur, ni un croisé. Je ne suis qu'un romancier. Je laisse mes personnages s'exprimer. Certains faits sont pourtant incontestables. Le sida tue. De même que l'ignorance.

Composé par Facompo
à Lisieux, Calvados

Imprimé en Allemagne par
GGP Media GmbH, Pößneck
en janvier 2013

POCKET - 12, avenue d'Italie - 75627 Paris cedex 13

Dépôt légal : septembre 2012
S22618/02